Obsah

Nominativ – první pád

Otázka: Kdo? Co?

Nominativ – první pád *(z latinského slova* **nomen** *– jméno). Nominativ singuláru je základní forma substantiv, adjektiv, zájmen a číslovek, kterou najdete ve slovníku. Pozor: subjekt (podmět) ve větě je vždycky v nominativu.*

Nominativ substantiv (první pád podstatných jmen). Identifikace rodu
Koncovka nominativu singuláru pomáhá identifikovat gramatický rod. 66 % českých substantiv má majoritní (typické) koncovky. Asi 34 % českých substantiv má minoritní (netypické) koncovky.

a) Majoritní (typické) koncovky jsou:

Ma (mužský životný rod)	Mi (mužský neživotný rod)	F (ženský rod)	N (střední rod)
student	banán	káva	auto

mužský životný, mužský neživotný rod: **-konzonant**
ženský rod: **-a**
střední rod: **-o**

Majoritní koncovky jsou velmi důležité. Jsou typické nejen pro většinu českých substantiv, ale taky pro další formy slov, které rod substantiva ovlivňuje. Tyto formy jsou -l formy minulého času a kondicionálu (např. byl, byla, bylo), -n/-t formy pasiva (dělán, dělána, děláno/umyt, umyta, umyto), demonstrativní pronomena (ten, ta, to) krátké formy adjektiv (rád, ráda, rádo), číslovka jeden, jedna, jedno a posesivní adjektiva (Karlův, Karlova, Karlovo).

b) Minoritní (netypické) koncovky* jsou:

Ma (mužský životný rod)	Mi (mužský neživotný rod)	F (ženský rod)	N (střední rod)
kolega, soudce	chleba	restaurace, kancelář	moře, nádraží

mužský životný, mužský neživotný rod: **-a, -e**
ženský rod: **-e/-ě, -konzonant**
střední rod: **-e/-ě, -í**

* Pozor: Tento seznam minoritních koncovek není úplný. Některá substantiva (často ta, která jsou přejatá z cizích jazyků) mají i jiné minoritní koncovky.
Například: recepční/recepční, paní, party, centrum, téma, kupé…

Rozdělení substantiv do deklinačních skupin I, II a III:
V této učebnici rozdělujeme substantiva do tří deklinačních skupin podle jejich zakončení v N sg. Toto rozdělení pomáhá studentům lépe si zapamatovat koncovky substantiv, a to hlavně díky deklinační skupině II, kde je v rámci G, D, L sg. a A, L pl. stejná koncovka pro šest vzorů.

substantiva (podstatná jména)			rod
majoritní subs.	minoritní subs. + majoritní maskulina končící v N sg. na ˇ , -c*, -j, -tel*		
I. deklinační skupina N sg.: konzonant, konzonant, -a, -o	II. deklinační skupina N sg.: -e/-ě , ˇ , -c*, -j, -tel*, -del, -ev	III. deklinační skupina N sg.: -a, -st , -e/-ě (vzor kuře), -í	
student	muž, soudce	kolega	Ma
banán	čaj	---	Mi
káva	restaurace, kancelář	místnost	F
auto	moře	kuře, nádraží	N

Deklinační skupina I jsou substantiva, která v N sg. končí na majoritní koncovky (majoritní substantiva) kromě koncovek uvedených v deklinační skupině II. Tato deklinační skupina je reprezentována vzory student, banán, káva, auto.

Deklinační skupina II* jsou substantiva, která v N sg. končí na -e/-ě , ˇ (všechny konzonanty s háčkem, tj. ž, š, č, ř, ď, ť, ň), -c, -j, -tel, -del, -ev (tj. minoritní substantiva a většina majoritních maskulin zakončená na ˇ , -c, -j, -tel. Tato deklinační skupina je reprezentována vzory muž, soudce, čaj, restaurace, kancelář, moře.

Deklinační skupina III jsou substantiva, která v N sg. končí na -a, -st, -e/-ě (vzor kuře), -í. Tato deklinační skupina je reprezentována vzory kolega, místnost, kuře, nádraží.

* *Několik M substantiv zakončených na -tel, -c (např.* hotel, kostel, tác*) patří do I. deklinační skupiny. POZOR na F substantiva zakončená na konzonant! Většina z nich patří do II. deklinační skupiny (velmi často zakončení* ˘ *(= háček), -tel, -del, -ev), další patří do III. deklinační skupiny (velmi často zakončení -st). ALE: Některá F substantiva (např.* věc, řeč*) deklinujeme jako* místnost *a další (např.* moc, pomoc, nemoc, noc, myš, smrt, sůl, paměť, zeď, odpověď, loď*) kolísají mezi vzory* kancelář *a* místnost.

Zvláštnosti deklinace substantiv (skloňování podstatných jmen):

• Tento seznam deklinačních vzorů není úplný. Některá substantiva mají zvláštní nebo kombinovanou deklinaci nebo se nedeklinují. Například: Některá Ma, Mi končící na -us (např. dinosaurus, génius, komunismus, ale ne autobus) deklinujeme tak, že odtrhneme koncovku -us a Ma deklinujeme jako student (génius má A, L a I pl. podle muž) a Mi jako banán.

• Cizí jména Ma končící na -i, -y (např. Johny, Levi) mají podobnou deklinaci jako adjektivum kvalitní, F končící na -i, -y, -o nebo -konzonant (např. Ivy, Maiako, Carmen) nedeklinujeme.

• Některá substantiva a substantivizovaná adjektiva deklinujeme podle jejich zakončení jako -ý nebo -í adjektiva. Jako vzor dobrý deklinujeme např. substantiva známý, známá, Nový, dovolená, švagrová, Nováková, jako vzor kvalitní např. substantiva recepční, recepční, účetní, účetní, Jiří, paní (pozor: G pl.: paní).

• Některá F substantiva, která se původně deklinovala podle vzoru místnost, dnes kolísají mezi vzory místnost a kancelář. Například: alternace v D, L pl. (např. mast, zeď, paměť), alternace v N, D, A, L pl., ale I pl. podle kancelář (např. pomoc, nemoc), D, L pl. podle kancelář a I pl. podle místnost (např. myš, smrt, odpověď), D, L a I pl. podle kancelář (např. noc, sůl). Některá další slova deklinujeme podle kancelář, ale v G sg. a N, A, V pl. (a některá také v I pl.) můžou alternovat i koncovky podle místnost (např. loď, trať, niť).

• F končící na -ea (např. idea, Korea) mají zvláštní deklinaci.

• F končící na -y (např. party, lady) a N končící na -é (např. kupé, klišé) nedeklinujeme.

• N končící na -ao, -eo (např. kakao, rodeo) deklinujeme jako auto kromě G pl., kdy deklinujeme jako moře. N končící na -io, -yo (např. rádio, embryo) deklinujeme jako auto kromě G, D, L a I pl., kdy deklinujeme jako moře.

• N končící na -um, -eum, -ium (např. centrum, muzeum, studium) deklinujeme tak, že odtrhneme koncovku -um, a N končící na -um deklinujeme jako auto, N končící na -eum, -ium deklinujeme jako auto kromě G, D, L a I pl., kdy deklinujeme jako moře.

• N končící na -a (např. téma, drama, klima) mají zvláštní deklinaci.

Nominativ adjektiv, pronomen a numeralií (první pád přídavných jmen, zájmen a číslovek)

Adjektiva (přídavná jména) mají dva typy:
a) „-ý adjektiva" (tvrdá adjektiva). Tato adjektiva jsou reprezentována vzory dobrý/dobrý, dobrá, dobré.
b) „-í adjektiva" (měkká adjektiva). Tato adjektiva jsou reprezentována vzorem kvalitní.

Pronomena (zájmena) dělíme na
a) personální (osobní): já, ty, on/on/ona/ono…
b) demonstrativní (ukazovací): ten/ten, ta, to, tenhle/tenhle, tahle, tohle…
c) posesivní (přivlastňovací): můj/můj, moje, moje, tvůj/tvůj, tvoje, tvoje, jeho, její…

Všimněte si: Posesivní svůj/svůj, svoje, svoje používáme, když subjekt = osoba nebo věc, které přivlastňujeme.

Numeralia (číslovky) dělíme na
a) základní: jeden/jeden, jedna, jedno, dva/dva, dvě, dvě, tři, čtyři…
b) řadové: první, druhý, třetí, čtvrtý…
c) druhové: jedny, dvoje, troje, čtvery…

Všimněte si: Pro názvy známek ve škole, tramvaje, autobusy apod. používáme formy: jednička, dvojka, trojka, čtyřka… Pozor: dvacet dvojka i dvaadvacítka.

Genitiv – druhý pád

Otázka: Koho? Čeho?

Genitiv – druhý pád (z latinského slova **genus** *– rod, druh, původ). Genitiv má různé funkce, např. posesivní (posesivní genitiv) a partitivní (partitivní genitiv). Následuje po některých slovesech a prepozicích a používá se v některých časových výrazech.*

Genitiv používáme:

1. v posesivním významu (odpovídá na otázku Čí?*)*
Posesivní genitiv vyjadřuje, čí věci jsou nebo kdo je jejich autor:
Mám sešit kamarádky. Koupím cédéčko Eltona Johna.

2. v partitivním významu a v dalších funkcích:
a) po výrazech označujících množství, obsah, váhy a míry (např. **dekagram/deko, kilogram/kilo, litr, čtvrt, půl, metr, kousek, hrnek, láhev, sklenice, lžíce, lžička**...*):* Kup kilo brambor. Chci kousek dortu. Petr koupil láhev červeného vína.
b) po výrazech kvantity, tzv. „kvantifikátorech" (např. **trochu, moc, hodně, spousta, málo, pár, dost, míň, víc, většina, kolik, několik, tolik**...*):* Mám jenom málo času. Musím koupit pár zákusků.
c) po číslech **5 a vyšších** *(+ genitiv plurálu)*
Musím koupit 5 růží.
d) po výrazech **co, něco, nic**... *(+ adjektivum v genitivu singuláru)*
Co je nového? Musím koupit něco hezkého. Nemám nic dobrého.

3. po slovesech:
a) bez prepozice
bát* se: Bojím se velkých psů.
ptát se/zeptat se: Učitel se ptá studentů na český genitiv.
účastnit se/zúčastnit se: Zúčastnila jsem se té konference.
vážit si: Vážím si svého učitele ze střední školy.
všímat si/všimnout* si: Všimla jsem si jejího nového účesu.
b) s prepozicí
dělat/udělat si legraci z: Udělal jsem si legraci z kamaráda.
mít* strach z: Mám strach z gramatiky.
zamilovávat se/zamilovat se do: Petr se zamiloval do Evy.

4. po prepozicích:
a) po prepozicích vyjadřujících místo (odpovídá na otázku Kde? Kam? Odkud? Kudy?*)*
blízko: Bydlím blízko autobusového nádraží.
do: Půjdu do knihovny.
kolem, okolo: Půjdete kolem pošty a pak rovně. Objel jsem okolo celého rybníka.
od: Od kamaráda půjdu do knihovny. Je to asi 2 kilometry od města.
podél: Jděte podél řeky asi 10 minut a tam je rybník.
u: Budu u kamaráda. Počkám na tebe u kina.
uprostřed: Váza stojí uprostřed stolu.
vedle: Seděla jsem v divadle vedle kamarádky.
z/ze: Z knihovny půjdu domů.
b) po prepozicích vyjadřujících čas
během: Během cesty jsme navštívili zajímavá města.
do: Budu studovat do večera.
od: Budu studovat od rána.
za: Za války lidi neměli moc jídla.
c) po dalších prepozicích
bez: Bez dárků nemůžeme pořádně slavit.
kromě: Kromě bratra pojedeme na hory všichni.
místo: Šla jsem na výlet místo sestry.
podle: Podle mého názoru to není dobrý nápad.
včetně: Studujeme genitiv včetně osobních zájmen.

5. v některých časových výrazech:
Zítra je 20. 5. (= dvacátého května)
Ve středu v půl dvanácté dělám zkoušku.

Dativ – třetí pád

Otázka: Komu? Čemu?

*Dativ – třetí pád (z latinského slova **do, dare, dedi, datum** – dávat/dát). Dativ vyjadřuje nepřímý předmět (indirektní objekt). Následuje po některých slovesech a prepozicích a používá se v objektových konstrukcích.*

Dativ používáme:

1. po slovesech:
a) sloveso + dativ + akuzativ:
číst*/přečíst*: Čtu <u>dětem</u> pohádky.
dávat/dát: Dala jsem <u>bratrovi</u> dárek.
doporučovat/doporučit: Doporučil jsem <u>kamarádům</u> dobrou restauraci.
krást*/ukrást*: Zloději ukradli <u>sousedovi</u> auto.
přát*/popřát*: Přeju <u>kolegovi</u> hodně úspěchů.
psát*/napsat*: Napsala jsem <u>kamarádce</u> dopis.
půjčovat/půjčit: Půjčila jsem <u>sestře</u> kolo.
říkat/říct*: Řekla jsem <u>kolegyni</u> pravdu.
ukazovat/ukázat*: Ukázal jsem <u>rodičům</u> fotky.
věřit/uvěřit: Věřím <u>mu</u> to.
volat/zavolat: Zavolám <u>ti</u>, jak to dopadlo.
vracet/vrátit: Vrátila jsem <u>jí</u> knihu.
vyřizovat/vyřídit: Vyřídil jsem <u>šéfovi</u> vzkaz.
vypravovat, vyprávět: Dědeček <u>nám</u> vyprávěl veselé historky.
vysvětlovat/vysvětlit: Učitel vysvětloval <u>studentům</u> gramatiku.
závidět: Kolega <u>mi</u> závidí krásný dům.
b) sloveso + dativ (+ prepozice)
gratulovat/pogratulovat (k + D): Gratulovala jsem <u>babičce</u> k narozeninám.
děkovat/poděkovat (za + A): Poděkoval jsem <u>sousedovi</u> za pomoc.
omlouvat se/omluvit se (za + A): Omluvil jsem se <u>učitelce</u> za pozdní příchod.
podobat se, být* podobný: Nejvíc se podobám/jsem podobná <u>mamince</u>.
pomáhat/pomoct* (s + I): Pomohl jsem <u>staré paní</u> s nákupem.
smát* se/zasmát* se: Zasmáli jsme se <u>dobrému vtipu</u>.
stěžovat si/postěžovat si (na + A): Stěžovala jsem si <u>řediteli</u> na špatné služby.
rozumět/porozumět: Ve škole jsem nerozuměl <u>matematice</u>.

2. v objektových konstrukcích s dativem:
být* dobře/špatně: Je <u>mi</u> špatně, asi jsem nemocná.
být* (20) let: <u>Bratrovi</u> bylo 20 let.
být* zima/teplo: Zavři okno, je <u>mi</u> zima.
být* líto: Je <u>nám</u> to moc líto.
hodit se: Kdy se sejdeme? Hodí se <u>vám</u> to v pondělí?
chtít*: Nechce se <u>mi</u> dneska vůbec pracovat.
chybět: Chybí <u>mi</u> rodina.
chutnat: <u>Aleně</u> nechutnají knedlíky.
jít* (matematika): Ve škole mi nešla matematika.
líbit se: <u>Davidovi</u> se líbí motorky.
slušet: <u>Marii</u> sluší zelená barva.
vadit: Vadí <u>mi</u> špatné počasí.
zdát se: Zdá se <u>vám</u>, že je to dobrý nápad?

3. po prepozicích:
a) po prepozicích vyjadřujících místo (odpovídá na otázku Kam? Kde?)
k/ke: Jděte ke kinu a pak zahněte doprava. Jedu na návštěvu k tetě na Moravu.
naproti: Bydlím naproti supermarketu.
směrem k/ke: Jeďte směrem k letišti, ale před ním zahněte doleva.
b) po dalších prepozicích
díky: Udělal jsem tu zkoušku z němčiny díky <u>kamarádce</u>.
kvůli: Kvůli <u>práci</u> nemůžu jet na chatu.
proti: Protestuju proti <u>politice</u> vlády.
vzhledem k/ke: Vzhledem k <u>finančním problémům</u> firmy letos nemůžeme přispět na charitu.

Akuzativ – čtvrtý pád

Otázka: Koho? Co?

*Akuzativ – čtvrtý pád (z latinského slova **accuso, accusare, accusavi, accusatum** – obviňovat/obvinit). Akuzativ vyjadřuje přímý předmět (direktní objekt). Následuje po některých slovesech a prepozicích a používá se v objektových konstrukcích a některých časových výrazech.*

Akuzativ používáme:

1. po slovesech:
a) bez prepozice
číst*/přečíst*: Přečetla jsem tu knihu.
dělat/udělat: Udělal jsem těstovinový salát.
hledat: Hledám novou práci.
hrát*/zahrát* si: Ráda hraju basketbal a karty.
chtít*: Chci nové auto.
milovat: Petr miluje Evu.
mít*: Eva má psa.
mít* rád: Mám ráda čokoládu.
nesnášet: Nesnáším arogantní lidi.
pít*/vypít*: Vypil jsem tu kávu.

poslouchat/poslechnout* si: Poslechnu si tu písničku.
potřebovat: Potřebuju nový mobil.
řídit: Řidič řídí auto. Ředitel řídí firmu.
slyšet/uslyšet: Neslyšel jsem nic.
studovat: Studuju literaturu.
učit/naučit: Učím matematiku.
učit se/naučit se: Učím se nová slovíčka.
uklízet/uklidit: Uklidil jsem celý byt.
zlobit/rozzlobit: Syn zlobí maminku.
znát/poznat: Neznám toho muže.

b) prepozicí
bát* se o: Bojím se o dceru.
být* zvyklý na: Jsem zvyklá na dobré jídlo.
čekat/počkat na: Čekal jsem na Evu.
děkovat/poděkovat za: Poděkoval jsem za dárek.
dívat se/podívat se na: Dívala jsem se na film.
hádat se/pohádat se o: Hádali jsme se o peníze.
hrát*/zahrát* si na: Hraju na kytaru.
mít* strach o: Mám strach o sestru.
myslet na: Eva často myslí na Petra.

prosit/poprosit o: Poprosil jsem o vodu.
starat se/postarat se o: Starám se o babičku.
stěžovat si/postěžovat si na: Stěžoval si na služby.
těšit se na: Těším se na dovolenou.
utrácet/utratit za: Neutrácím za drahé oblečení.
zlobit se/rozzlobit se na: Maminka se zlobí na syna.
zvykat si/zvyknout* si na: Zvykám si na české jídlo.
žádat/požádat o: Žádala jsem o vízum.
žárlit na: Eva nežárlí na Petra.

2. v objektových konstrukcích s akuzativem:
bavit: Tomáše baví tenis.
bolet: Bolí mě hlava.
mrzet: Mrzí nás ta nehoda.
nudit: Evu nudí fotbal.
píchat: Píchá tě v zádech?

svědit, svrbět: Svědí mě celé tělo.
těšit: Těší mě váš úspěch.
zajímat: Zajímá vás historie?
zaujmout*: Zaujal mě ten příběh.

3. po prepozicích:
a) po prepozicích vyjadřujících místo s dynamickým významem (odpovídá na otázku Kam?)
mezi: Dala jsem květinu mezi židli a okno.
na: Dal jsem vázu na polici.
nad: Dala jsem fotografii nad postel.

pod: Dal jsem krabici pod stůl.
před: Dala jsem koberec před gauč.
za: Dal jsem obraz za skříň.

b) po dalších prepozicích vyjadřujících místo (odpovídá na otázku Kam? Kudy?)
po: V bazénu sahala voda maximálně po krk.
přes: Domů půjdeme přes les.
skrz: Nevidím nic skrz to špinavé okno.

c) po prepozicích vyjadřujících čas
na: Pojedu na týden na dovolenou.
po: Seřaďte od nejstarších po nejnovější události.

v/ve: Sejdeme se ve středu v jednu hodinu.
za: Za měsíc jedu do Německa.

d) po dalších prepozicích
na: Potřebuju šampon na vlasy.
mimo: Nesmíte chodit mimo hlavní cestu.

o: Petr je o rok starší a o deset kilo těžší než Eva.
pro: Petr má dárek pro Evu.

4. v časových výrazech:
*s výrazy **příští, minulý, celý, každý, tento** odpovídá na otázku Kdy?:* Příští sobotu půjdu na výlet. Minulou sobotu jsem šel na výlet.
Celou sobotu budu na výletě. Každou sobotu chodím na výlet. Tuto sobotu půjdu na výlet.

Vokativ – pátý pád

*Vokativ – pátý pád (z latinského slova **voco, vocare, vocavi, vocatum** – volat/zavolat). Vokativ používáme, když někoho oslovujeme nebo na někoho (na něco) voláme. Vokativ můžeme tvořit od všech substantiv, ale obvykle ho používáme jen u osob nebo u jmen zvířat.*

Vokativ používáme:

1. u osob:
a) u obecných názvů osob
Například:

pan doktor – <u>Pane doktore</u>! pan učitel – <u>Pane učiteli</u>! vážený pan kolega – <u>Vážený pane kolego</u>!
paní doktorka – <u>Paní doktorko</u>! paní učitelka – <u>Paní učitelko</u>! vážená paní kolegyně – <u>Vážená paní kolegyně</u>!

Všimněte si: 1. Když oslovujeme osoby podle jejich profese, vždycky používáme výraz pan – pane, paní – paní (např. pane doktore, paní doktorko).
2. Výrazy ve vokativu někdy fungují jako citoslovce (interjekce). Např. ježiš (z církevního Ježíš – Ježíši), ježíšmarja (z církevního Ježíš a Marie), panebože (z církevního Pán Bůh – Pane Bože), panečku (z církevního Pán – Pane), čéče (z člověk – člověče).

b) u vlastních jmen osob
Například:

Petr – <u>Petře</u>! pan Novák – <u>Pane Nováku</u>!
Eva – <u>Evo</u>! paní Nováková – <u>Paní Nováková</u>!

POZOR: V obecné češtině u mužských příjmení a profesí nepoužíváme vokativ, ale nominativ. Např. Pane Novák! Pane doktor!

2. u jmen zvířat:
Například:

Fík – <u>Fíku</u>! Punťa – <u>Punťo</u>!
Micka – <u>Micko</u>! Fifinka – <u>Fifinko</u>!

3. u expresivních slov
a) u deminutiv (zdrobnělin) a u dalších expresivních slov:
Například:

miláč<u>ek</u> – <u>miláčku</u>, brouček – <u>broučku</u>, kocourek – <u>kocourku</u>, méďa – <u>méďo</u>, pejs<u>ek</u> – <u>pejsku</u>
kočička – <u>kočičko</u>, kotě – <u>kotě</u>, zlato – <u>zlato</u>, pusinka – <u>pusinko</u>

b) u vulgarizmů, u hrubých slov a nadávek:
Například:

osel – <u>osle</u>, pitomec – <u>pitomče</u>, blb<u>ec</u> – <u>blbče</u>, vůl – <u>vole</u>, mizera – <u>mizero</u>, idiot – <u>idiote</u>, debil – <u>debile</u>, kretén – <u>kreténe</u>, hajzl – <u>hajzle</u>
káča – <u>káčo</u>, nána – <u>náno</u>, slepice – <u>slepice</u>, husa – <u>huso</u>, kráva – <u>krávo</u>, svině – <u>svině</u>

Všimněte si: Vokativ expresivních slov můžeme používat s osobními zájmeny ty, vy. Např. Ty můj broučku. Ty moje kočičko. Ty vole! Ty krávo! Vy pitomci! Vy slepice!

4. u neživotných slov
Vokativ neživotných slov má obvykle poetizační a personifikační funkci.
Například:
<u>Horo</u>, horo, vysoká jsi *(v písni)*

Lokál/lokativ – šestý pád

Otázka: Kom? Čem?

Lokál/lokativ – šestý pád (z latinského slova loco – místo). V češtině pro cizince se často používá termín „lokativ", ale tradiční česká gramatika používá termín „lokál". Lokál následuje po prepozicích vyjadřujících lokaci nebo čas a po některých slovesech, např. po tzv. slovesech mluvení. Pozor: Lokál používáme vždycky s prepozicí.

Lokál používáme:

1. *po prepozicích:*
a) po prepozicích vyjadřujících místo (odpovídá na otázku Kde?*)*
na: Eva a Petr jsou na <u>výletě</u>. Váza je na <u>stole</u>.
po: Eva a Petr cestují po <u>Evropě</u>.
v/ve: Eva a Petr jsou v <u>restauraci</u>.
b) po prepozicích vyjadřujících čas
o: O <u>víkendu</u> půjdeme na koncert.
po: Po <u>obědě</u> půjdeme na výstavu.
při: Při <u>jídle</u> jsem poslouchal hudbu.
v/ve: Co budeš dělat v <u>létě</u> v <u>červenci</u>?

2. *po slovesech (často po tzv. slovesech mluvení, „verba dicendi"):*
bavit se/pobavit se o: Bavili jsme se o <u>té mladé spisovatelce</u>.
číst*/přečíst* o: Četla jsem článek o <u>nové letní módě</u>.
diskutovat o: Diskutovali jsme o <u>školním projektu</u>.
domlouvat se/domluvit se na: Domluvili jsme se na <u>společném postupu</u>.
hádat se/pohádat se o: Hádali jsme se o <u>politice</u>.
mít* sen o, snít o: Měla jsem sen o <u>škole</u>. Sním o <u>lepším životě</u>.
mluvit o: Eva mluví o <u>Petrovi</u>.
myslet si/pomyslet si o: Myslím si o <u>Tomášovi</u>, že je velmi talentovaný.
pochybovat o: Někdy pochybuju o své práci.
povídat si/popovídat si o: Popovídali jsme si o <u>zajímavých koncertech</u>.
psát*/napsat* o: Psala jsem práci o <u>české gramatice</u>.
říkat/říct* o: Řekla jsem Lence o <u>tom novém obchodě</u>.
slyšet/uslyšet o: Slyšela jsem už o <u>té tragédii</u>.
vypravovat/vyprávět o: Petr vypráví o <u>Evě</u>.
záležet na: Pojedeme na výlet? – To záleží na <u>počasí</u>.
záviset na: Závisí to na <u>několika věcech</u>.

Instrumentál – sedmý pád

Otázka: Kým? Čím?

*Instrumentál – sedmý pád (z latinského slova **instrumentum** – nástroj). Typická funkce instrumentálu je vyjádřit nástroj nebo prostředek. Instrumentál následuje také po některých slovesech a slovesných výrazech, používá se v deskriptivním pasivu (opisném trpném rodě) a po některých prepozicích.*

Instrumentál používáme:

1. *když vyjadřujeme různé konkrétní významy:*
a) prostředek
Např. Petr jede <u>autem</u>. Eva cestuje <u>tramvají</u>. Letím <u>letadlem</u>.
b) nástroj a materiál
Např. Eva píše ráda <u>perem</u>. Jím špagety <u>vidličkou</u>. Zašroubovala jsem to <u>šroubovákem</u>. Zatloukla jsem hřebík <u>kladivem</u>. Myju si vlasy <u>šamponem</u>. Natřel jsem stůl <u>žlutou barvou</u>.
c) pohyb
Např. Neumím kopat <u>levou nohou</u>. Mával na mě <u>oběma rukama</u>. Jel jsem maximálně <u>šedesátkou</u>.
d) místo
Např. Musíte projít <u>parkem</u>. Vlak projel <u>tunelem</u>. Jděte <u>první ulicí</u> doprava.
e) důvod
Např. Nemáš něco k pití? Umírám <u>žízní</u>. Plakala jsem <u>štěstím</u>, že to dobře dopadlo. Měla dobrou náladu, a proto zpívala <u>radostí</u>.
*f) čas (**začátkem, koncem**)*
Např. Eva a Petr budou mít svatbu <u>začátkem</u> června. Přijedu <u>koncem</u> týdne.

2. *po slovesech a slovesných výrazech:*
a) po slovesech bez prepozice
být*: Chtěl bych být <u>spisovatelem</u>.
stávat se/stát* se: Stanu se <u>novinářkou</u>.
zabývat se: Zabývám se <u>evropskou historií</u>.
b) po slovesech s prepozicí
být* spokojený s: Jsem spokojený se <u>svým životem</u>.
chodit s: Eva chodí s <u>Petrem</u>.
rozvádět se/rozvést* se s: Kolegyně se rozvedla s <u>manželem</u>.
seznamovat se/seznámit se s: Petr se seznámil s <u>Evou</u> před třemi lety.
setkávat se s/setkat se s: Setkala jsem se s <u>kolegou</u> na konferenci.
scházet se/sejít* se s: Sešla jsem se s <u>kamarádkou</u> v kavárně.
souhlasit s: Nesouhlasím s <u>vašimi názory</u>.
spokojovat se/spokojit se s: Nespokojil jsem se s <u>nudnou prací</u>.
rozcházet se/rozejít* se s: Kamarád se rozešel se <u>svou přítelkyní</u>.
*c) konstrukce být + adjektivum + I (**být* známý, být* slavný, být* proslulý, být* překvapený, být* potěšený, být* zaujatý, být* nadšený, být* zklamaný, být* rozzlobený, být* naštvaný, být* vyděšený…**)*
Např. Praha je známá <u>svými historickými památkami</u>. Jsem nadšená <u>tím novým představením</u>. Jsem zklamaný <u>vašimi špatnými výsledky</u>.

3. *v deskriptivním pasivu (opisném trpném rodě) pro osobu nebo skupinu osob, která koná děj:*
Např. Československo bylo obsazeno <u>armádami</u> ostatních socialistických zemí.

4. *po prepozicích:*
a) po prepozicích vyjadřujících místo se statickým významem (otázka Kde?)
nad: Fotografie je nad <u>postelí</u>.
mezi: Květina je mezi <u>židlí a oknem</u>.
pod: Krabice pod <u>stolem</u>.
před: Koberec je před <u>gaučem</u>.
za: Auto stojí za <u>domem</u>. Jdu do nemocnice za <u>babičkou</u>.
b) po prepozicích vyjadřujících čas
mezi: Sejdeme se mezi <u>jednou a druhou hodinou</u>.
před: Eva a Petr se seznámili před <u>třemi lety</u>.
c) po dalších prepozicích
s/se: Eva dneska jde s <u>Petrem</u> do kina.

NOMINATIV SINGULÁRU (PRVNÍ PÁD JEDNOTNÉHO ČÍSLA) – spisovná čeština (obecná čeština)

Legenda:
Ma maskulinum animatum / mužský rod životný
Mi maskulinum inanimatum / mužský rod neživotný
F femininum / ženský rod
N neutrum / střední rod

Otázka: KDO? CO?
Příklad kontextu: To je... Jmenuju se...

kdo, co	ten, ta, to	jeden, jedna, jedno	posesivní pronomina (přivlastňovací zájmena)		adjektiva (přídavná jména) -ý	adjektiva -í	substantiva (podstatná jména) majoritní subs. I. deklinační skupina⁴ N sg.: konzonant, -a, -o	minoritní subs. + majoritní maskulina končící v N sg. na -ž, -c*, -j, -tel* II. deklinační skupina⁴ N sg.: -e/-ě, -ž, -c*, -j, -tel*, -del, -ev	III. deklinační skupina⁴ N sg.: -i, -st*, -e/-ě (vzor kuře), -í	rod
kdo	ten¹	jeden	můj, tvůj, svůj², jeho, její	náš, váš, jejich	dobrý (dobrej)	kvalitní	student	muž, soudce	kolega	Ma
	ten¹	jeden	můj, tvůj, svůj², jeho, její	náš, váš, jejich	dobrý (dobrej)	kvalitní	banán	čaj	---	Mi
co	ta¹	jedna	moje/má³ (my), tvoje/tvá³ (tvý), svoje/svá²,³ (svý), jeho, její	naše, vaše, jejich	dobrá	kvalitní	káva	restaurace, kancelář	místnost	F
	to¹	jedno	moje/mé³ (mý), tvoje/tvé³ (tvý), svoje/své²,³ (svý), jeho, její	naše, vaše, jejich	dobré (dobrý)	kvalitní	auto	moře	kuře, nádraží	N

* Několik M substantiv zakončených na -tel, -c (např. hotel, kostel, tác) patří do I. deklinační skupiny. POZOR na F substantiva zakončená na konzonant! Většina z nich patří do II. deklinační skupiny (velmi často zakončení -ž, -tel, -del, -ev), další patří do III. deklinační skupiny (velmi často zakončení -st). ALE: Některá F substantiva (např. věc, řeč) deklinujeme jako místnost a další (např. moc, pomoc, nemoc, noc, myš, smrt, sůl, paměť, zeď, odpověď, loď) kolísají mezi vzory kancelář a místnost.

Poznámky:
1. Jako ten deklinujeme v N sg. tento, tenhle, tenhleten, tuhleten, tadyten, tamten, tamhleten (např. tento, tenhle, tato, toto).
2. Svůj používáme, když subjekt = osoba nebo věc, které přivlastňujeme. Například: Vidí svoji/svou sestru. (A sg.)
3. Krátké formy má, tvá, svá, mé, tvé, své jsou knižní. Když mluvíme, používáme častěji dlouhé formy moje, tvoje, svoje nebo pro N formy obecné češtiny mý, tvý, svý.
4. Rozdělení substantiv na deklinační skupiny I, II a III viz str. 210.
5. Některá Ma (často vlastní jména) a výjimečně i Mi končící na -l, -s, -z, -x patří do II. deklinační skupiny, deklinujeme je jako vzor muž/čaj (např. král, cíl, Klaus, Francouz, Felix).
6. Některá substantiva (často ta, která jsou přejatá z cizích jazyků) končící na -um nebo -a jsou N (např. centrum, muzeum, studium, téma).

Nominativ plurálu (první pád množného čísla)

NOMINATIV PLURÁLU (PRVNÍ PÁD MNOŽNÉHO ČÍSLA) – spisovná čeština (obecná čeština)

Otázka: KDO? CO?
Příklad kontextu: To jsou...

Legenda:
- (bílá) = stejné formy zájmen a adjektiv v rámci pádu (vertikálně)
- **Ma** = maskulinum animatum / mužský rod životný
- **Mi** = maskulinum inanimatum / mužský rod neživotný
- **F** = femininum / ženský rod
- **N** = neutrum / střední rod

kdo, co	ten, ta, to	dva/dvě, oba/obě, tři, čtyři	posesivní pronomina (přivlastňovací zájmena)	adjektiva (přídavná jména) -ý / -í		substantiva (podstatná jména) majoritní subs.	I. deklinační skupina⁴ N sg.: konzonant, konzonant, -a, -o	II. deklinační skupina⁴ N sg.: -e/-ě, -ž, -č*, -j, -tel*, -del, -ev	III. deklinační skupina⁴ N sg.: -a, -st*, -e/-ě (vzor kuře), -í	rod
						minoritní subs. + majoritní maskulina končící v N sg. na -ž, -č, -j, -tel*			
kdo **co**	ti¹ (ty)	dva oba tři čtyři	moji/mí² tvoji/tví² svoji/sví² jeho jejich	naši vaši jejich	dobří⁵ (dobrý) -rý>-ří, -ký>-cí, -chý>-ší, hý>-zi, -ský>-ští, -cký>-čtí⁵	kvalitní	studenti ALE: -r+i>-ři, -k+i>-ci, -ch+i>-ši, -h+i>-zi⁵ Angličan – Angličané/-í⁶ fotograf – fotografové⁶ syn – synové/-i⁶	muži, soudci/-ové⁶ ALE: učitel – učitelé⁶ otec – otcové⁶	kolegové⁶ ALE: turista – turisté-í⁶	**Ma**
	ty¹	dva oba tři čtyři	moje/mé² (mý) tvoje/tvé² (tvý) svoje/své²·³ (svý) jeho její	naše vaše jejich	dobré (dobrý)	kvalitní	banány	čaje	...	**Mi**
	ty¹	dvě obě tři čtyři	moje/mé² (mý) tvoje/tvé² (tvý) svoje/své²·³ (svý) jeho její	naše vaše jejich	dobré (dobrý)	kvalitní	kávy	restaurace, kanceláře⁸	místnosti⁸	**F**
	ta¹ (ty)	dvě obě tři čtyři	moje/má² (mý) tvoje/tvá² (tvý) svoje/svá²·³ (svý) jeho její	naše vaše jejich	dobrá (dobrý)	kvalitní	auta	moře	kuřata, nádraží	**N**

*Několik M substantiv zakončených na -tel, -c (např. hotel, kostel, tác) patří do I. deklinační skupiny. POZOR na F substantiva zakončená na konzonant! Většina z nich patří do II. deklinační skupiny (velmi často zakončení -ž (= háček), -tel, -del, -ev), další patří do III. deklinační skupiny (velmi často zakončení -st). ALE: Některá F substantiva (např. věc, řeč) deklinujeme jako místnost a další (např. moc, pomoc, nemoc, noc, myš, smrt, sůl, paměť, zeď, odpověď, loď) kolísají mezi vzory kancelář a místnost. (Více > poznámka 8)

Poznámky:

1. Jako ten deklinujeme v N pl. tento, tenhle, tenhleten, tuhleten, tadyten, tamten, tamhleten a všechen (např. tito, tyto, tyto, tato, všichni, všechny, všechna).

2. Krátké formy mí, tví, sví, mé, tvé, své, má, tvá, svá jsou knižní. Když mluvíme, používáme častěji dlouhé formy moji, tvoji, svoji (Ma), moje, tvoje, svoje (Mi, F, N) nebo formy obecné češtiny mý, tvý, svý.

3. Svůj používáme, když subjekt = osoba nebo věc, které přivlastňujeme.

4. Rozdělení substantiv na deklinační skupiny I, II a III viz str. 210.

5. Adjektiva Ma, která končí na -rý, -ký, -chý, -hý, -ský, -cký, se v N pl. měkčí na -ří, -cí, -ši, -zí (např. dobrý – dobří, hezký – hezcí, suchý – suší, nahý – nazí, český – čeští, německý – němečtí). Substantiva Ma končící na -r, -k, -ch, -h se v N pl. měkčí na -ří, -ci, -ši, -zi (např. doktor – doktoři, kluk – kluci, Čech – Češi, pstruh – pstruzi).

6. Koncovky -i/-é/-ové u substantiv Ma: Ma končící na -tel a některá další slova mají v N pl. koncovku -é (např. učitelé, Španělé, manželé, andělé). Ma končící na -an, -ita, -ota, -ista, -osta mají v koncovku -é nebo -i (např. Angliča-né/-i, turisté/-i), koncovka -i je typická pro mluvenou češtinu. Cizí Ma končící na -f, -g, -l, -m a některá monosylabická (např. národnosti) nebo krátká Ma mají koncovku -ové (např. fotografové, kolegové, Finové, otcové). Některá Ma můžou alternovat koncovky -ové/-i (např. synové/-i, páni/-ové, soudci/-ové).

7. Některá Ma (často vlastní jména) a výjimečně i Mi končící na -l, -s, -z, -x patří do II. deklinační skupiny, deklinujeme je jako vzor muž (čaj (např. králové, cíle, Francouzi, peníze).

8. Podle vzoru místnost deklinujeme v N pl. kromě F končících na -c nebo -oc (např. věci, noci, pomoci) a další slova (např. zdi, paměti, myši, smrti, odpovědi, soli). Některá F alternují koncovky -i/-e(-ě): např. nemoci/-e, lodi/-ě, trati/-ě, niti/-ě.

9. N končící na -um, -eum, -ium deklinujeme tak, že odtrhneme koncovku -um, a deklinujeme jako auto (např. centra, muzea, studia).

10. Cizí jména Ma končící na -i, -y mají podobnou deklinaci jako adjektivum kvalitní (např. Johnyho, Leviho). F končící na -i, -y, -o nebo -konzonant nedeklinujeme (např. Ivy, Maiako, Carmen).

11. Některá substantiva a substantivizovaná adjektiva deklinujeme podle jejich zakončení v N sg. jako -ý nebo -í adjektiva. Například: dobří známí (Ma), dobré známé/dovolené/švagrové (F), kvalitní recepční/účetní/jiří (Ma), kvalitní recepční/účetní/paní (F).

12. POZOR na mobilní -e-: pes – psi, koberec – koberce, broskev – broskve.

13. POZOR na změny ve kmeni nebo na měkčení (palatalizaci): dům – domy, přítel – přátelé, oko – domy, přítel – přátelé, oko – oči, ucho – uši, ruka – ruce, dítě – děti, člověk – lidé/-i.

14. Výjimky v koncovkách: rodič – rodiče, kůň – koně, oko – oči, ucho – uši, ruka – ruce, člověk – lidé – lidé (ale také lidi), deklinace v pl. podle místnost), dítě – děti (deklinace v pl. podle místnost).

Všimněte si, že v této učebnici z praktických důvodů učíme N a A pl. dohromady (většina forem N a A pl. se shoduje). Spojená tabulka N a A pl. < lekce 7, str. 000.

Genitiv singuláru (druhý pád jednotného čísla)

Legenda: **Ma** maskulinum animatum / mužský rod životný — **Mi** maskulinum inanimatum / mužský rod neživotný — **F** femininum / ženský rod — **N** neutrum / střední rod

GENITIV SINGULÁRU (DRUHÝ PÁD JEDNOTNÉHO ČÍSLA) – spisovná čeština (obecná čeština)

Otázka: KOHO? ČEHO?
Příklad kontextu: Jsem z... Jdu do... Ptám se... Chci kousek...

podobné formy zájmen a adjektiv podle deklinace kdo, co

rod	kdo, co	ten, ta, to	jeden, jedna, jedno	posesivní zájmena	adjektiva -ý	adjektiva -í	substantiva — majoritní subs. I. deklinační skupina[4] (N sg.: konzonant, konzonant, -a, -o)	substantiva — minoritní subs. II. deklinační skupina[4] (N sg.: -e/-ě, -ě, -c*, -j, -tel*, -del, -ev)	substantiva — minoritní subs. III. deklinační skupina[4] (N sg.: -a, -st*, -e/-ě (vzor kuře), -í)
Ma	koho čeho	toho[1]	jednoho	mého (mýho) / tvého (tvýho) / svého[2] (svýho) / jeho / jejího — našeho / vašeho / jejich	dobrého (dobrýho)	kvalitního	studenta	muže, soudce	kolegy
Mi		toho[1]	jednoho	mého (mýho) / tvého (tvýho) / svého[2] (svýho) / jeho / jejího — našeho / vašeho / jejich	dobrého (dobrýho)	kvalitního	banánu ALE: les – lesa[6]	čaje	...
F		té[1] (tý)	jedné (jedný)	mojí/mé[3] (mý) / tvojí/tvé[3] (tvý) / svojí/své[2,3] (svý) / jeho / její — naší / vaší / jejich	dobré (dobrý)	kvalitní	kávy	restaurace, kanceláře	místnosti[9]
N		toho[1]	jednoho	mého (mýho) / tvého (tvýho) / svého[2] (svýho) / jeho / jejího — našeho / vašeho / jejich	dobré (dobrý)	kvalitního	auta	moře	kuřete, nádraží

* Několik M substantiv zakončených na -tel, -c (např. hotel, kostel, tác) patří do I. deklinační skupiny (velmi často zakončení -ě (= háček), -tel, -del, -ev), další patří do III. deklinační skupiny (velmi často zakončení -st). ALE: Některá F substantiva (např. věc, řeč) deklinujeme jako místnost a další (např. moc, pomoc, nemoc, noc, myš, smrt, sůl, paměť, zeď, odpověď, loď) kolísají mezi vzory kancelář a místnost. (Více > 9)

Poznámky:

1. Jako ten deklinujeme v G sg. tento, tenhle, tenhleten, tuhleten, tadyten, tamten, tamhleten (např. tohoto, tohoto, této, tohoto).
2. Svůj používáme, když subjekt = osoba nebo věc, které přivlastňujeme. Například: Šel do svého bytu. (G sg.)
3. Krátké formy mé, tvé, své jsou knižní. Když mluvíme, používáme častěji dlouhé formy mojí, tvojí, svojí nebo formy obecné češtiny mý, tvý, svý.
4. Rozdělení substantiv na deklinační skupiny I, II a III viz str. 210.
5. Některá Ma (často vlastní jména) a výjimečně i Mi končící na -l, -s, -z, -x končící v G sg. (např.: krále, cíle, Izraele, Klause, Francouze, Felixe).
6. Některá Mi mají koncovku -a (vzor lesa). Jsou to některé názvy měsíců (např. do ledna, února, března, dubna, května, června, srpna, října), další časové údaje (např. do čtvrtka, včerejška, oběda, večera), některé názvy měst a zemí (např. do Londýna, Říma, Berouna, Tábora, Egypta), některé názvy míst (např. do lesa, sklepa, světa, rybníka, ostrova) a jiná substantiva (např. kousek chleba a sýra, ze života, ze zákona).
7. Cizí jména Ma končící na -i, -y mají podobnou deklinaci jako adjektivum kvalitní (např. Johnyho, Leviho, Johnyho, Leviho), F končící na -i, -y, -o nebo -konzonant nedeklinujeme (např. Ivy, Maiako, Carmen).
8. F (vzor káva) končící na -ža, -ša, -ča, -řa, -ca, -ja, -ďa, -ťa, -ňa mají v G sg. koncovku -i (např. bez Dáši, Máni).
9. Podle vzoru místnost deklinujeme v G sg. kromě F končících na -st také F končící na -oc nebo -c (např. bez věci, do noci, bez pomoci, od nemoci) a další slova (např. do zdi, bez paměti, od myši, do smrti, bez odpovědi, trochu soli). Některá F alternují koncovky -i (-ě): např. do lodi/-ě, od trati/-ě, kousek nití/-ě.
10. N končící na -um, -eum, -ium deklinujeme tak, že odtrhneme koncovku -um, a deklinujeme jako auto (např. do centra, muzea, během studia).
11. Některá substantiva a substantivizovaná adjektiva deklinujeme podle jejich zakončení v N sg. jako -ý nebo -í adjektiva. Například: dobrého známého/Nového/Nového (Ma), dobré známé/dovolené/švagrové/Novákové (F), kvalitního recepčního/účetního/Jiřího (Ma), kvalitní recepční/účetní/paní (F).
12. POZOR na mobilní -e-: pes – psa, koberec – koberce, broskev – broskve.
13. POZOR na změny ve kmeni: kůň – koně, dům – domu, sůl – soli.
14. Výjimky v koncovkách: den – dne, týden – do týdne.

Genitiv plurálu (druhý pád množného čísla)

Legenda: Ma = maskulinum animatum (mužský rod životný) | Mi = maskulinum inanimatum (mužský rod neživotný) | F = femininum (ženský rod) | N = neutrum (střední rod)

GENITIV PLURÁLU (DRUHÝ PÁD MNOŽNÉHO ČÍSLA) – spisovná čeština (obecná čeština)

Otázka: KOHO? ČEHO?
Příklad kontextu: Jsem z... Jdu do... Ptám se... Chci hodně...

stejné formy zájmen a adjektiv v rámci pádu (vertikálně)

rod	kdo, co	ten, ta, to	dva/dvě, oba/obě, tři, čtyři	posesivní pronomina (přivlastňovací zájmena)		adjektiva (přídavná jména) -ý	-í	substantiva (podstatná jména) majoritní subs. I. deklinační skupina³ N sg.: konzonant, -a, -o	minoritní subs. + majoritní maskulina končící v N sg. na ž, š, č*, -j, -tel* II. deklinační skupina³ N sg.: -e/-ě, ž, -č*, -j, -tel*, -del, -ev	III. deklinační skupina² N sg.: -a, -st*, -e/-ě (vzor kuře), -í
Ma	koho čeho	těch¹	dvou (dvouch) obou (obouch) tří/třech čtyř/čtyřech pěti	mých (mejch) tvých (tvejch) svých² (svejch) jeho jejich	našich vašich jejich	dobrých (dobrejch)	kvalitních	studentů	mužů, soudců	kolegů
Mi		těch¹	dvou (dvouch) obou (obouch) tří/třech čtyř/čtyřech pěti	mých (mejch) tvých (tvejch) svých² (svejch) jeho jejich	našich vašich jejich	dobrých (dobrejch)	kvalitních	banánů	čajů	...
F		těch¹	dvou (dvouch) obou (obouch) tří/třech čtyř/čtyřech pěti	mých (mejch) tvých (tvejch) svých² (svejch) jeho jejich	našich vašich jejich	dobrých (dobrejch)	kvalitních	káv ALE: sestra – sester⁴	restaurací, kanceláří ALE: učebnice – učebnic⁵	místností
N		těch¹	dvou (dvouch) obou (obouch) tří/třech čtyř/čtyřech pěti	mých (mejch) tvých (tvejch) svých² (svejch) jeho jejich	našich vašich jejich	dobrých (dobrejch)	kvalitních	aut ALE: okno – oken⁴	moří ALE: sídliště – sídlišť⁵	kuřat, nádraží

Několik M substantiv zakončených na -tel, -c (např. hotel, kostel, tác) patří do I. deklinační skupiny. POZOR na F substantiva zakončená na konzonant! Většina z nich patří do II. deklinační skupiny (velmi často zakončení ž (= háček), -tel, -del, -ev), další patří do III. deklinační skupiny (velmi často zakončení -st). ALE: Některá F substantiva (např. věc, řeč) deklinujeme jako místnost a další (např. moc, pomoc, nemoc, noc, myš, smrt, sůl, paměť, zeď, odpověď, loď) kolísají mezi vzory kancelář a místnost.

Poznámky:

1. Jako ten deklinujeme v G pl. tento, tenhle, tenhleten, tuhleten, tamhleten, tadyten, tadyhleten, tamten, tamhleten a všechen (např. těchto, těchto, těchto, těchto, všech, všech, všech, všech). (G pl.)
2. Svůj používáme, když subjekt = osoba nebo věc, které přivlastňujeme. Například: Ptal se svých sester. (G pl.)
3. Rozdělení substantiv na deklinační skupiny I, II a III viz str. 210.
4. F (vzor káva) a N (vzor auto) končící na dva nebo více konzonantů, přidávají v G pl. mezi poslední konzonanty navíc -e- (např. sestra – sester, okno – oken).
5. F končící na -ice a některá další slova nebo N končící na -iště mají nulovou koncovku (např. učebnice – učebnic, košil, chvíle – chvil, míle – mil, sídliště – sídlišť). F končící na -yně alternují pravidelnou koncovku -i a nulovou koncovku (např. bez kolegyní/kolegyň).
6. N končící na -um, -eum, -ium deklinujeme tak, že odtrhneme koncovku -um, a N končící jenom na -um deklinujeme jako auto (např. do center). N končící na -eum, -ium deklinujeme jako moře (např. do muzeí, studií).
7. Některá substantiva a substantivizovaná adjektiva deklinujeme podle jejich zakončení v N sg. jako -ý nebo -í adjektiva. Například: dobrých známých (Ma), dobrých známých/dovolených/švagrových (F), kvalitních recepčních/ účetních/jiřích (Mi), kvalitních recepčních účetních (F). (Ale pozor: kvalitních paní)
8. Pamatujte si G pl. některých plurálových měst a dalších míst. Například: do Krkonoš, Beskyd, Českých Budějovic, Letňan.
9. POZOR na mobilní -e-: pes – psů, koberec – koberců, broskev – broskví.
10. POZOR na změny ve kmeni, na měkčení (palatalizaci) nebo krácení samohlásky: dům – domů, přítel – přátel, peníze (N pl.) – peněz, den – dní (ale také dnů), Vánoce (N pl.) – Vánoc, Velikonoce (N pl.) – Velikonoc, ruka – rukou, noha – nohou (ale také noh), oko – očí, ucho – uší, vejce – vajec, člověk – lidí (deklinace v pl. podle místnost), dítě – dětí (deklinace v pl. podle místnost).
11. Výjimky v koncovkách: kůň – koní (ale také koňů), přítel – přátel, obyvatel – obyvatel, peníze (N pl.) – peněz, den – dní (ale také dnů), Vánoce (N pl.) – Vánoc, Velikonoce (N pl.) – Velikonoc, ruka – rukou, noha – nohou (ale také noh), oko – očí, ucho – uší, vejce – vajec, člověk – lidí.

DATIV SINGULÁRU (jen substantiva) – Zjednodušená pravidla

Otázka: KOMU? ČEMU?
Příklad kontextu: Telefonuju... Jdu k...

Pro dativ singuláru substantiv (kromě *Ma* = mužských životných substantiv) můžete používat zjednodušená pravidla – „pravidla posledního konzonantu nebo vokálu". Tato pravidla nefungují na sto procent, ale můžou vám pomoct v běžné praxi. Postupujete tak, že ve slově, které chcete použít v dativu sg., najdete poslední konzonant nebo vokál, například: le**s**, restaura**c**e, kancelá**ř**, ok**no**, hospo**da**...
Pak postupujete takto:

pravidlo	koncovka	ALE:
1. Všechny konzonanty kromě 2. a substantivum je *Mi* nebo *N*	**-u**	*Ma* končící na konzonant kromě 2. alternuje koncovku -u, např. k člově**ku**
2. Poslední konzonant je ž, š, č, ř, ď, ť, ň, c, j	**-i**	*F a N* končící na -e nebo konzonant a *Ma* končící na -tel mají taky koncovku -i, např. k restaura**ci**, k místno**sti**, k mo**ři**, k uči**teli**
3. Poslední vokál je -a a substantivum je *F*	**-e / -ě**	*F* končící na -ha, -cha, -ka, -ra, -ga se měkčí: -ha, -ga > -ze, např. k Pra**ze**, k Ol**ze** -ka > -ce, např. k uči**telce**, -cha > -še, např. ke stře**še**, -ra > -ře, např. k se**stře**
POZOR: *Ma*	**-ovi**	*Ma* můžou alternovat koncovky -u/-ovi a -i/-ovi, např. Telefonuju pan**u** Sládk**ovi**. Telefonuju herci Mečí**řovi**.

Poznámky:

1. Standardní tabulka D sg. > str. 223. Dativ plurálu > str. 224.
2. Vokál -ě (na rozdíl od -e) používáme pro *F* (vzor káva), když je poslední konzonant d, t, n, m, p, b, v nebo f. Porovnejte: ke káv**ě** × ke škole.
3. *N* končící na -um ztrácejí tuto koncovku: centr**u** – centr**u**, muze**u** – muze**u**.
4. Pozor na mobilní -e-: **pes** – psovi, kobe**r**ec – koberci, broske**v** – broskvi.
5. Pozor na změny ve kmeni: k**ůň** – koni, d**ů**m – domu, s**ů**l – soli.
6. *Ma* končící na vyslované -i/-í/-y se deklinují jako adjektiva: Jiří – Jiřímu, Johny – Johnymu.
7. *F* končící na vyslované -i/-í/-y/-o nebo konzonant nedeklinujeme: Lori, Ivy, Majako, Carmen.
8. Pozor: d**en** – dni, Izrael – Izraeli, dcera – dceři, kuře – kuřeti, nádraží – nádraží.

Všimněte si, že substantiva v D sg. mají stejné koncovky jako v L sg. Na rozdíl od L sg. ale *Mi* a *N* v D sg. mají jenom koncovku -u. Porovnejte: Mluvím o obchod**u**/Jsem v obchod**ě**. (= L sg.) × Jdu k obchod**u**. (= D sg.)

Dativ singuláru (třetí pád jednotného čísla)

DATIV SINGULÁRU (TŘETÍ PÁD JEDNOTNÉHO ČÍSLA) – spisovná čeština (obecná čeština)

Otázka: KOMU? ČEMU?
Příklad kontextu: Telefonuju... Jdu k...

| Ma | maskulinum animatum mužský rod životný | | Mi | maskulinum inanimatum mužský rod neživotný | | F | femininum ženský rod | | N | neutrum střední rod |

rod	kdo, co	ten, ta, to	jeden, jedna, jedno	posesivní zájmena	adjektiva -ý	adjektiva -í	substantiva — majoritní subs. I. deklinační skupina⁴ N sg.: konzonant, -a, -o	minoritní subs. + majoritní maskulina končící v N sg. na -ž, -š, -c*, -j, -tel* — II. deklinační skupina⁴ N sg.: -e/-ě, -ž, -š, -c*, -j, -tel*, -del, -ev	III. deklinační skupina⁴ N sg.: -a, -st*, -e/-ě (vzor kuře), -í
Ma	komu čemu	tomu¹	jednomu	mému (mýmu) tvému (tvýmu) svému² (svýmu) jeho jejímu	dobrému (dobrýmu)	kvalitnímu	studentu/-ovi⁵	muži/-ovi⁵, soudci/-ovi⁵	kolegu/-ovi⁵
Mi		tomu¹	jednomu	mému (mýmu) tvému (tvýmu) svému² (svýmu) jeho jejímu	dobrému (dobrýmu)	kvalitnímu	banánu	čaji	...
F		té¹ (ty)	jedné (jedný)	mojí/mé³ (my) tvojí/tvé³ (tvý) svojí/své²,³ (svý) jeho její	dobré (dobrý)	kvalitní	kávě⁷ ALE: -ha/-ga>-ze, -ka>-ce, -cha>-še, -ra>-ře⁸	restauraci, kanceláři	místnosti
N		tomu¹	jednomu	mému (mýmu) tvému (tvýmu) svému² (svýmu) jeho jejímu	dobrému (dobrýmu)	kvalitnímu	autu	moři	kuřeti, nádraží

Podobné formy zájmen a adjektiv podle deklinace kdo, co

* Několik M substantiv zakončených na -tel, -c (např. hotel, kostel, tác) patří do I. deklinační skupiny. POZOR na F substantiva zakončená na konzonant! Většina z nich patří do II. deklinační skupiny (velmi často zakončená ˇ (= háček), -tel, -del, -ev), další patří do III. deklinační skupiny (velmi často zakončení -st). ALE: Některá F substantiva (např. věc, řeč) deklinujeme jako místnost a další (např. moc, pomoc, nemoc, noc, myš, smrt, sůl, paměť, zeď, odpověď, loď) kolísají mezi vzory kancelář a místnost.

Poznámky:

1. Jako ten deklinujeme v D sg. tento, tenhle, tenhleten, tuhleten, tamten, tamhleten (např. tomuto, tomuto, této, tomuto).
2. Svůj používáme, když subjekt = osoba nebo věc, které přivlastňujeme. Například: Telefonuje svojí/své sestře. (D sg.)
3. Krátké formy mé, tvé, své jsou knižní. Když mluvíme, používáme častěji dlouhé formy mojí, tvojí, svojí nebo formy obecné češtiny mý, tvý, svý.
4. Rozdělení substantiv na deklinační skupiny I, II a III viz str. 210.
5. Ma (vzor student, kolega) můžou alternovat koncovky -u/-ovi. Koncovka -ovi je častější (např. Telefonuju tomu studentovi). Ma (vzor muž, soudce) můžou alternovat koncovky -i/-ovi. Koncovka -ovi i je častější (např. Telefonuju tomu muži.) U jmen a příjmení ale používáme koncovku -ovi (např. Telefonuju Tomášovi.) Když jsou za sebou dvě nebo více substantiv, má koncovku -ovi poslední substantivum. Například: Telefonuju panu (inženýru) Sládkovi. Telefonuju herci (Tomáš) Medřinovi.
6. Některá Ma (často vlastní jména) a výjimečně i Mi končící na -l, -s, -z, -x patří do II. deklinační skupiny, deklinujeme je jako vzor muž/čaj (např. králi, cíli, Izraeli, Klausi/-ovi, Francouzi, Felixi/-ovi).
7. Konzonant -ě (na rozdíl od -e) používáme pro F (vzor káva), když je poslední konzonant d, t, n, m, p, b, v nebo f. Porovnejte: ke kávě × ke škole.
8. F končící na -ha/ga, -ka, -cha, -ra se v D sg. měkčí na -ze, -ce, -še, -ře (např. Praha/Olga – k Praze/Olze, učitelka – k učitelce, střecha – ke střeše, sestra – k sestře).
9. Cizí jména Ma končící na -i, -y mají podobnou deklinaci jako adjektivum kvalitní (např. Johnnymu, Levimu). F končící na -i, -y, -o nebo -konzonant nedeklinujeme (např. Ivy, Maiako, Carmen).
10. N končící na -um, -eum, -ium deklinujeme tak, že odtrhneme koncovku -um, a deklinujeme jako auto (např. k centru, muzeu, studiu).
11. Některá substantiva a substantivizovaná adjektiva deklinujeme podle jejich zakončení v N sg. jako -ý nebo -í adjektiva. Například: dobrému známému/Novému (Ma), dobré známé/dovolené/švagrové/Novákové (F), kvalitnímu recepčnímu/líšímu (Mi), kvalitní recepční/účetní/paní (F).
12. POZOR na mobilní -e-: pes – psovi, koberec – koberci, broskev – broskvi.
13. POZOR na změny ve kmeni: kůň – koni, dům – domu, sůl – soli.
14. Výjimky v koncovkách: den – dni, dcera – dceři.

Všimněte si, že substantiva v D sg. mají stejné koncovky jako v L sg. Na rozdíl od L sg. ale Mi a N v D sg. mají jenom koncovku -u. Porovnejte: Mluvím o obchodě. (=L sg.) × Jdu k obchodu. (=D sg.)

Legenda:
- **Ma** maskulinum animatum / mužský rod životný
- **Mi** maskulinum inanimatum / mužský rod neživotný
- **F** femininum / ženský rod
- **N** neutrum / střední rod

DATIV PLURÁLU (TŘETÍ PÁD MNOŽNÉHO ČÍSLA) – spisovná čeština (obecná čeština)

Otázka: KOMU? ČEMU?
Příklad kontextu: Telefonuju... Jdu k...

kdo, co / komu čemu	ten, ta, to	dva/dvě, oba/obě, tři, čtyři	posesivní pronomina (přivlastňovací zájmena)	adjektiva (přídavná jména) -ý	-í	substantiva – majoritní subs. I. deklinační skupina[3] N sg.: konzonant, konzonant, -a, -o	substantiva – minoritní subs. + majoritní maskulina II. deklinační skupina[3] N sg.: -e/-ě, ˇ, -c*, -j, -tel*, -del, -ev	III. deklinační skupina[3] N sg.: -a, -st*, -e/-ě (vzor kuře), -í	rod
	těm[1]	dvěma (dvoum), oběma (oboum), třem, čtyřem, pěti	mým (mejm), tvým (tvejm), svým[2] (svejm), jeho, jejím / našim, vašim, jejich	dobrým (dobrejm)	kvalitním	studentům	mužům, soudcům	kolegům	**Ma**
	těm[1]	dvěma (dvoum), oběma (oboum), třem, čtyřem, pěti	mým (mejm), tvým (tvejm), svým[2] (svejm), jeho, jejím / našim, vašim, jejich	dobrým (dobrejm)	kvalitním	banánům	čajům	...	**Mi**
	těm[1]	dvěma (dvoum), oběma (oboum), třem, čtyřem, pěti	mým (mejm), tvým (tvejm), svým[2] (svejm), jeho, jejím / našim, vašim, jejich	dobrým (dobrejm)	kvalitním	kávám	restauracím, kancelářím[4]	místnostem[4]	**F**
	těm[1]	dvěma (dvoum), oběma (oboum), třem, čtyřem, pěti	mým (mejm), tvým (tvejm), svým[2] (svejm), jeho, jejím / našim, vašim, jejich	dobrým (dobrejm)	kvalitním	autům	mořím	kuřatům, nádražím	**N**

* Několik M substantiv zakončených na -tel, -c (např. hotel, kostel, táč) patří do I. deklinační skupiny. Většina z nich patří do II. deklinační skupiny. POZOR na F substantiva zakončená na konzonant! Většina z nich patří do I. deklinační skupiny (velmi často zakončení ˇ (= háček), -tel, -del, -ev), další patří do III. deklinační skupiny (velmi často zakončení -st). ALE: Některá F substantiva (např. věc, řeč) deklinujeme jako místnost a další (např. moc, pomoc, nemoc, noc, myš, smrt, sůl, paměť, zeď, odpověď, loď) kolísají mezi vzory kancelář a místnost. (Více > poznámka 4)

Poznámky:

1. Jako ten deklinujeme v D pl. tento, tenhle, tenhleten, tuhleten, tadyten, tadyhleten, tamten, tamhleten a všechen (např. těmto, těmto, těmto, těmto, všem, všem, všem, všem). (D pl.)
2. Svůj používáme, když subjekt = osoba nebo věc, které přivlastňujeme. Například: Telefonuje svým sestrám. (D pl.) viz str. 210.
3. Rozdělení substantiv na deklinační skupiny I, II a III viz str. 210.
4. Podle vzoru substantiv deklinujeme v D pl. kromě F končících na -st také některá další F (např. věcem, řečem). F končící na -st na -um deklinujeme jako moře (např. k muzeím, studiím), nemocem/-ím, mastem/-ím, zdem/-ím, pamětem/-ím.
5. N končící na -um, -eum, -ium deklinujeme tak, že odtrhneme koncovku -um, a N deklinujeme jako auto (např. k centrům), N končící na -eum, -ium deklinujeme jako moře (např. k muzeím, studiím).
6. Některá substantiva a substantivizovaná adjektiva deklinujeme podle jejich zakončení v N sg. jako -ý nebo -í adjektiva. Například: dobrým známým (Ma), dobrým známým/dovoleným/švagrovým (F), kvalitním recepčním/účetním/jiřím (Mo), kvalitním recepčním/účetním/paním (F).
7. POZOR na mobilní -e-: pes – psům, koberec – kobercům, broskev – broskvím.
8. POZOR na změny ve kmeni, na měkčení (palatalizaci) nebo krácení samohlásky: dům – domům, přítel – přátelům, peníze (N pl.) – penězům, oko – očím, ucho – uším, dítě – dětem, člověk – lidem.
9. Výjimky v koncovkách: kůň – koním (ale také koňům), oko – očím, ucho – uším, člověk – lidem (deklinace v pl. podle místnost), dítě – dětem (deklinace v pl. podle místnost).

Akuzativ singuláru (čtvrtý pád jednotného čísla)

Mi maskulinum inanimatum / mužský rod neživotný **Ma** maskulinum animatum / mužský rod životný **F** femininum / ženský rod **N** neutrum / střední rod

AKUZATIV SINGULÁRU (ČTVRTÝ PÁD JEDNOTNÉHO ČÍSLA) – spisovná čeština (obecná čeština)

Otázka: KOHO? CO?
Příklad kontextu: Mám... Dám si... Vidím... Jdu na... To je pro...

(podobné formy zájmen a adjektiv podle deklinace kdo, co)

kdo, co	rod	ten, ta, to	jeden, jedna, jedno	posesivní zájmena		adjektiva -ý	adjektiva -í	majoritní subs. I. deklinační skupina[4] N sg.: konzonant, konzonant, -a, -o	minoritní subs. II. deklinační skupina[4] N sg.: -e/-ě, ˇ, -c*, -j, -tel*, -del, -ev	III. deklinační skupina[4] N sg.: -i, -st*, -e/-ě (vzor kuře), -í
koho / co	Ma	toho[1]	jednoho	mého (myho) / tvého (tvyho) / svého[2] (svýho) / jeho / jejího	našeho / vašeho / jejich	dobrého (dobrýho)	kvalitního	studenta	muže, soudce	kolegu
	Mi	ten[1]	jeden	můj / tvůj / svůj[2] / jeho / její	náš / váš / jejich	dobrý (dobrej)	kvalitní	banán	čaj	...
	F	tu[1]	jednu	moji/mou[3] / tvoji/tvou[3] / svoji/svou[2,3] / jeho / její	naši / vaši / jejich	dobrou	kvalitní	kávu	restauraci, kancelář	místnost
	N	to[1]	jedno	moje/mé[3] (mý) / tvoje/tvé[3] (tvý) / svoje/své[2,3] (svý) / jeho / její	naše / vaše / jejich	dobré (dobrý)	kvalitní	auto	moře	kuře, nádraží

(majoritní subs. + majoritní maskulina končící v N sg. na ˇ, -c, -j, -tel*)*

* Některá M substantiv zakončených na -tel, -c (např. hotel, kostel, tác) patří do I. deklinační skupiny. POZOR na F substantiva zakončená na konzonant! Většina z nich patří do II. deklinační skupiny (velmi často zakončení ˇ (= háček), -tel, -del, -ev), další patří do III. deklinační skupiny (velmi často zakončení -st). ALE: Některá F substantiva (např. věc, řeč) deklinujeme jako místnost a další (např. moc, pomoc, nemoc, noc, myš, smrt, sůl, paměť, zeď, odpověď, loď) kolísají mezi vzory kancelář a místnost.

Poznámky:

1. Jako ten deklinujeme v A sg. tento, tenhle, tenhleten, tuhleten, tamten, tamhleten (např. tohoto, tento, tuto, toto).
2. Svůj používáme, když subjekt = osoba nebo věc, které přivlastňujeme. Například: Vidí svoji/svou sestru. (A sg.)
3. Krátké formy mou, tvou, svou, mé, tvé, své jsou knižní. Když mluvíme, používáme častěji dlouhé formy moji, tvoji, svoji (F) a moje, tvoje, svoje (N) nebo pro N formy obecné češtiny mý, tvý, svý.
4. Rozdělení substantiv na deklinační skupiny I, II a III viz str. 210.
5. Některá Ma (často vlastní jména) a výjimečně i Mi končící na -l, -s, -z, -x patří do II. deklinační skupiny, deklinujeme je jako vzor muž (např. krále, Klause, Francouze, Felixe).
6. Cizí jména vlastní na -i, -y mají podobnou deklinaci jako adjektivum kvalitní (např. Johnyho, Levího, Mi), F končící na -i, -y, -o nebo -konsonant nedeklinujeme (např. Ivy, Maiako, Carmen).
7. N končící na -um, -eum, -ium se v A sg. nemění (např. centrum, muzeum, studium).
8. Některá substantiva a substantivizovaná adjektiva deklinujeme podle jejich zakončení v N sg. jako -ý nebo -í adjektiva. Například: dobrého známého/Nového (Ma), dobrou známou/dovolenou/švagrovou/Novákovou (F), kvalitního recepčního/účetního/Jiřího (Mi), kvalitní recepční/účetní/paní (F).
9. POZOR na mobilní -e-: pes – psa, otec – otce, Karel – Karla.
10. POZOR na změny ve kmeni: kůň – koně.

Akuzativ plurálu (čtvrtý pád množného čísla)

AKUZATIV PLURÁLU (ČTVRTÝ PÁD MNOŽNÉHO ČÍSLA) – spisovná čeština (obecná čeština)

Otázka: KOHO? CO?
Příklad kontextu: Mám... Dám si... Vidím... Jdu na... To je pro...

Legenda:
- **Ma** maskulinum animatum, mužský rod životný
- **Mi** maskulinum inanimatum, mužský rod neživotný
- **F** femininum, ženský rod
- **N** neutrum, střední rod

stejné formy zájmen a adjektiv v rámci pádu (vertikálně)

kdo, co	ten, ta, to	dva/dvě, oba/obě, tři, čtyři	posesivní pronomina (přivlastňovací zájmena)	adjektiva (přídavná jména) -ý	-í	substantiva (podstatná jména) majoritní subs. I. deklinační skupina⁴ N sg.: konzonant, konzonant, -a, -o	II. deklinační skupina⁴ N sg.: -e/-ě, -ˇ, -c*, -j, -tel*, -del, -ev	minoritní subs. + majoritní maskulina končící v N sg. na -ˇ, -c*, -j, -tel* III. deklinační skupina⁴ N sg.: -a, -st*, -e/-ě (vzor kuře), -í	rod
koho co	ty¹	dva oba tři čtyři	moje/mé² (mý) naše; tvoje/tvé² (tvý) vaše; svoje/své²,³ (svý) jejich; jeho; její	dobré (dobrý)	kvalitní	studenty	muže, soudce	kolegy	**Ma**
	ty¹	dva oba tři čtyři	moje/mé² (mý) naše; tvoje/tvé² (tvý) vaše; svoje/své²,³ (svý) jejich; jeho; její	dobré (dobrý)	kvalitní	banány	čaje	...	**Mi**
	ty¹	dvě obě tři čtyři	moje/mé² (mý) naše; tvoje/tvé² (tvý) vaše; svoje/své²,³ (svý) jejich; jeho; její	dobré (dobrý)	kvalitní	kávy	restaurace, kanceláře⁶	místnosti⁶	**F**
	ta¹ (ty)	dvě obě tři čtyři	moje/má² (mý) naše; tvoje/tvá² (tvý) vaše; svoje/svá²,³ (svý) jejich; jeho; její	dobrá (dobrý)	kvalitní	auta	moře	kuřata, nádraží	**N**

* Několik M substantiv zakončených na -tel, -c (např. hotel, kostel, tác) patří do I. deklinační skupiny. POZOR na F substantiva zakončená na konzonant! Většina z nich patří do II. deklinační skupiny (velmi často zakončení -ˇ (= háček), -tel, -del, -ev), další patří do III. deklinační skupiny (velmi často zakončení -st). ALE: Některá F substantiva (např. věc, řeč) deklinujeme jako místnost a další (např. moc, pomoc, nemoc, noc, myš, smrt, sůl, paměť, zeď, odpověď, loď) kolísají mezi vzory kancelář a místnost. (Více > poznámka 6)

Poznámky:
1. Jako ten deklinujeme v A pl. tento, tenhle, tenhleten, tuhleten, tadyten, tadyhleten, tamten, tamhleten a všechen (např. tyto, tyto, tyto, tato, všechny, všechny, všechna).
2. Krátké formy mé, tvé, své, má, tvá, svá jsou jsou knižní. Když mluvíme, používáme častěji dlouhé formy moje, tvoje, svoje nebo formy obecné češtiny mý, tvý, svý.
3. Svůj používáme, když subjekt = osoba nebo věc, které přivlastňujeme. Například: Vidí svoje/své sestry. (A pl.)
4. Rozdělení substantiv na deklinační skupiny I, II a III viz str. 210.
5. Některá Ma (často vlastní jména) a výjimečně i Mi končící na -l, -s, -z, -x patří do II. deklinační skupiny, deklinujeme je jako vzor muž (čaj (např. krále, cíle, Francouze, peníze).
6. Podle vzoru místnost deklinujeme v A pl. kromě F končících na -st také F končící na -c nebo -oc (např. zdi, paměti, myši, smrti, odpovědi, soli). Některá F (vzory místnost a kancelář) alternují koncovky obou vzorů (např. nemoci/-e, lodi/-ě, tratí/-ě, nití/-ě).
7. N končící na -um, -eum, -ium deklinujeme tak, že odtrhneme koncovku -um, a deklinujeme jako auto (např. centra, muzea, studia).
8. Některá substantiva a substantivizovaná adjektiva deklinujeme podle jejich zakončení v N sg. jako -ý nebo -í adjektiva. Například: dobré známé (Ma), dobré známé/dovolené/švagrové (F), kvalitní recepční/účetní/jiří (Ma), kvalitní recepční/účetní/paní (F).
9. POZOR na mobilní -e-: pes – psy, koberec – koberce, broskev – broskve.
10. POZOR na změny ve kmeni nebo na měkčení (palatalizaci): dům – domy, přítel – přátele, oko – oči, ucho – uši, ruka – ruce, dítě – děti, člověk – lidi.
11. Výjimky v koncovkách: oko – oči, ucho – uši, ruka – ruce, člověk – lidi (deklinace v pl. podle místnost), dítě – děti (deklinace v pl. podle místnost).

Všimněte si, že v této učebnici z praktických důvodů (většina forem N a A pl. se shoduje) učíme N a A pl. dohromady (většina forem N a A pl. se shoduje). Spojená tabulka N a A pl. < lekce 7, str. 70.

Vokativ singuláru (pátý pád jednotného čísla)

Ma maskulinum animatum / mužský rod životný   **Mi** maskulinum inanimatum / mužský rod neživotný   **F** femininum / ženský rod   **N** neutrum / střední rod

VOKATIV SINGULÁRU (PÁTÝ PÁD JEDNOTNÉHO ČÍSLA) – spisovná čeština (obecná čeština)

Otázka: ...!
Příklad kontextu: Ahoj...! Dobrý den...! Vážený...

rod	kdo, co	ten, ta, to	jeden, jedna, jedno	posesivní zájmena		adjektiva		substantiva		
								majoritní subs.		minoritní subs. + majoritní maskulina končící v N sg. na ̌, -c*, -j, -tel*
						-ý	-í	I. deklinační skupina² N sg.: konzonant, konzonant, -a, -o	II. deklinační skupina² N sg.: -e/-ě, ̌, -c*, -j, -tel*, -del, -ev	III. deklinační skupina² N sg.: -a, -st*, -e/-ě (vzor kuře), -í
Ma	---	---	jeden	můj	náš	dobrý (dobrej)	kvalitní	studente! ALE: -h>-hu, -ch>-chu, -k>-ku, -g>-gu⁴ Petr – Petře!⁵	muži! soudce! ALE: otec – otče!⁶	kolego!
Mi	---	---	jeden	můj	náš	dobrý (dobrej)	kvalitní	banáne! ALE: -h>-hu, -ch>-chu, -k>-ku, -g>-gu⁴	čaji!	---
F	---	---	jedna	moje/má¹	naše	dobrá	kvalitní	kávo! studentko!	restaurace! kolegyně! kanceláři! neteři! ALE: Carmen – Carmen!⁸	místnosti!
N	---	---	jedno	moje/mé¹ (my)	naše	dobré (dobrý)	kvalitní	auto!	moře!	kuře! nádraží!

*Několik M substantiv zakončených na -tel, -c (např. hotel, kostel, tác) patří do I. deklinační skupiny. POZOR na F substantiva zakončená na konzonant! Většina z nich patří do II. deklinační skupiny (velmi často zakončená na konzonant! Většina z nich patří do II. deklinační skupiny (velmi často zakončení ̌ (= háček), -tel, -del, -ev), další patří do III. deklinační skupiny (velmi často zakončení -st). ALE: Některá F substantiva (např. věc, řeč) deklinujeme jako místnost a další (např. moc, pomoc, nemoc, noc, myš, smrt, sůl, paměť, zeď, odpověď, loď) kolísají mezi vzory kancelář a místnost.

Poznámky:

1. Krátké formy má, mé jsou knižní. Když mluvíme, používáme častěji dlouhé formy moje, tvoje, svoje nebo u jmen zvířat.
2. Rozdělení substantiv na deklinační skupiny I, II a III viz str. 210.
3. Vokativ můžeme tvořit od všech substantiv, ale obvykle ho používáme jen u osob nebo u jmen zvířat.
4. Maskulina končící na -h, -ch, -k, -g mají ve V sg. koncovky -hu, -chu, -ku, -gu (např. vrah – vrahu! kluk – kluku! Marek – Marku! Čech – Čechu! Oldřich – Oldřichu! psycholog – psychologu! Greg – Gregu!).
5. Maskulina končící na -konzonant + r se měkčí na -konzonant + ř (např. ministr – ministře! Petr – Petře!).
6. Maskulina končící na -ec se měkčí na -če (např. otec – otče!).
7. Některá Ma (často vlastní jména) a výjimečně i Mi končící na -l, -s, -z, -x patří do II. deklinační skupiny, deklinujeme je jako vzor muž (např. král! Klaus! Francouzi! Felix!).
8. Cizí jména Ma končící na -i, -y mají podobnou deklinaci jako adjektivum kvalitní (např. Johny! Levi!), F končící na -i, -y, -o nebo -konzonant nedeklinujeme (např. Ivy! Maiako! Carmen!).
9. Některá F substantiva a substantivizovaná adjektiva deklinujeme podle jejich zakončení v N sg. jako -ý nebo -í adjektiva. Například: dobrý známý/Nový (Ma), dobrá známá/Švagrová/Nováková (F), kvalitní recepční/účetní/lišč (Ma), kvalitní recepční/účetní/paní (F).
10. POZOR na mobilní -e-: pes – pse! Karel – Karle! otec – otče!
11. POZOR na změny ve kmeni a měkčení (palatalizaci): kůň – koni! vůl – vole! Bůh – Bože! člověk – člověče!
12. Výjimky v koncovkách: syn – synu! Bůh – Bože! člověk – člověče!

Všimněte si, že v této učebnici z praktických důvodů neučíme vokativ systémově v oddílu Gramatika, ale ve spojení s jeho funkcí < např. lekce 1, str. 7.

Ma maskulinum animatum mužský rod životný	**Mi** maskulinum inanimatum mužský rod neživotný	**F** femininum ženský rod	**N** neutrum střední rod		

VOKATIV PLURÁLU (PÁTÝ PÁD MNOŽNÉHO ČÍSLA) – spisovná čeština (obecná čeština)

Otázka: ---
Příklad kontextu: Ahoj...! Dobrý den...! Vážený...

rod	kdo, co	ten, ta, to	dva/dvě, oba/obě, tři, čtyři	posesivní pronomina (přivlastňovací zájmena)	adjektiva (přídavná jména) -ý	-í	substantiva (podstatná jména) — majoritní subs. — I. deklinační skupina² N sg.: konzonant, -a, -o	II. deklinační skupina² N sg.: -e/-ě, ž, c*, j, -tel*, -del, -ev	minoritní subs. + majoritní maskulina končící v N sg. na ž, ..., c*, j, -tel* — III. deklinační skupina² N sg.: -a, -st*, -e/-ě (vzor kuře), -í
Ma	---		dva, oba, tři, čtyři	moji/mí¹ naši	dobří³ (dobrý) -rý>-ří, -ký>-cí, -chý>-ší, -hý>-zí, -ský>-ští, -cký>-čtí³	kvalitní	studenti! ALE: -r+i>-ří, -k+i>-ci, -ch+i>-ši, -h+i>-zi³ Angličan – Angličané/-i⁴ fotograf – fotografové⁴ syn – synové/-i⁴	muži! soudci/-ové⁴ ALE: učitel – učitelé⁴ otec – otcové⁴	kolegové!⁴ ALE: turista – turisté/-i⁴
Mi	---		dva, oba, tři, čtyři	moje/mě¹ (mý) naše	dobré (dobrý)	kvalitní	banány!	čaje!	...
F	---		dvě, obě, tři, čtyři	moje/mě¹ (mý) naše	dobré (dobrý)	kvalitní	kávy! studentky!	restaurace! kolegyně! kanceláře! neteře!	místnosti!⁷
N	---		dvě, obě, tři, čtyři	moje/má¹ (mý) naše	dobrá (dobrý)	kvalitní	auta!	moře!	kuřata! nádraží!

*Několik M substantiv zakončených na -tel, -c (např. hotel, kostel, tác) patří do I. deklinační skupiny. Většina z nich patří do II. deklinační skupiny (velmi často zakončení ˇ (= háček), -tel, -del, -ev), další patří do III. deklinační skupiny (velmi často zakončení -st). ALE: Některá F substantiva (např. věc, řeč) deklinujeme jako místnost a další (např. moc, pomoc, nemoc, noc, myš, smrt, sůl, paměť, zeď, odpověď, loď) kolísají mezi vzory kancelář a místnost. (Více ▸ poznámka 7)

Poznámky:
1. Krátké formy mí, mé, má, jsou knižní. Když mluvíme, používáme častěji dlouhé formy moji (Ma), moje (Mi, F, N) nebo formy obecné češtiny mý. (Všimněte si, že ve vokativu je užití jiných forem než můj a náš nelogické.)
2. Rozdělení substantiv na deklinační skupiny I, II a III viz str. 210.
3. Adjektiva Ma, která končí na -rý, -ký, -chý, -hý, -ský, -cký, se ve V pl. měkčí na -ří, -cí, -ší, -zí, -ští, -čtí (např. dobrý – dobří, hezký – hezcí, suchý – suší, nahý – nazí, český – čeští, německý – němečtí). Substantiva Ma končící na -r, -k, -ch, -h se ve V pl. měkčí na -ři, -ci, -ši, -zi (např. doktor – doktoři, kluk – kluci, Čech – Češi, pstruh – pstruzi).
4. Koncovky -i/-é/-ové u substantiv Ma: Ma končící na -tel a některá další slova mají ve V pl. koncovku -é (např. učitelé, Španělé, manželé, andělé). Ma končící na -an, -ita, -ota, -ista, -osta mají v koncovku -é nebo -i (např. Angličané – Angličané/-i⁴ fotograf – fotografové⁴, Angličan – Angličané/-i⁴. Cizí Ma končící na -f, -g, -l, -m a některá monosylabická (např. národnosti) nebo krátká Ma mají koncovku -ové (např. fotografové, kolegové, Finové, otcové). Některá Ma můžou alternovat koncovky -ové/-i (např. synové/-i, páni/-ové, soudci/-ové).
5. Některá Ma (často vlastní jména) a výjimečně I Mi končící na -l, -s, -z, -x patří do II. deklinační skupiny, deklinujeme je jako vzor muž/čaj (např. králové, cíle, Francouzi, peníze).
6. Cizí jména Ma končící na -i, -y mají podobnou deklinaci jako adjektivum kvalitní (např. Johnyho, Leviho), F končící na -i, -y, -o nebo -konzonant nedeklinujeme (např. Ivy, Maiako, Carmen).
7. Podle vzoru místnost deklinujeme ve V pl. kromě F končících na -st také F končících na -c nebo -oc (např. věci, noci, pomoci) a další slova (např. zdi, paměti, myši, smrti, odpovědi, soli). Některá F alternují koncovky -i/-e(-ě): např. nemoci/-e, lodi/-ě, trati/-ě, niti/-ě.
8. N končící na -um, -eum, -ium deklinujeme tak, že odtrhneme koncovku -um, a deklinujeme jako auto (např. centra, muzea, studia).
9. Některá substantiva a substantivizovaná adjektiva deklinujeme podle jejich zakončení v N sg. jako -ý nebo -í adjektiva. Například: dobří známí (Ma), dobré známé/dovolené/švagrové (F), kvalitní recepční/účetní/Jiří (Ma), kvalitní recepční/účetní/paní (F).
10. POZOR na mobilní -e-: pes – psi! otec – otcové!
11. POZOR na změny ve kmeni nebo na měkčení (palatalizaci): dům – domy, přítel – přátelé, člověk – lidé/-i, dítě – děti.
12. Výjimky v koncovkách: rodič – rodiče, kůň – koně, člověk – lidé (ale také lidi, deklinace v pl. podle místnosti), dítě – děti (deklinace v pl. podle místnost).

Všimněte si, že vokativ můžeme tvořit od všech substantiv, ale obvykle ho používáme jen u osob nebo u jmen zvířat.

Lokál singuláru (jen substantiva) – zjednodušená pravidla

LOKÁL SINGULÁRU (jen substantiva) – Zjednodušená pravidla

Otázka: KOM? ČEM?
Příklad kontextu: Jsem v/na... Mluvím o...

Pro lokál singuláru substantiv (kromě Ma = mužských životných substantiv) můžete používat zjednodušená pravidla – „pravidla posledního konzonantu". Tato pravidla nefungují na sto procent, ale můžou vám pomoct v běžné praxi. Postupujete tak, že ve slově, které chcete použít v lokálu sg., najdete poslední konzonant, například: les, restaurace, hospoda, kancelář, okno... Pak postupujete takto:

pravidlo	koncovka	ALE:
1. Poslední konzonant je h, ch, k, r nebo g a substantivum je Mi nebo N	-u	Cizí slova Mi a N mají taky koncovku -u, např. v hotelu
2. Poslední konzonant je ž, š, č, ř, ď, ť, ň, c, j	-i	F a N končící na -e nebo konzonant a Ma končící na -tel mají taky koncovku -i, např. v restauraci, v místnosti, v moři, o učiteli
3. Poslední konzonant je jiný než 1. a 2.	-e/-ě	F končící na -ha, -cha, -ka, -ra, -ga se měkčí: -ha, -ga > -ze, např. v Praze, o Olze, -ka > -ce, např. v Americe, o učitelce, -cha > -še, např. na střeše, o snaše, -ra > -ře, např. na hoře, o sestře
POZOR: Ma	-ovi	Ma můžou alternovat koncovky -u/-ovi a -i/-ovi, např. Mluvím o panu Sládkovi. Mluvím o herci Mečířovi.

Poznámky:
1. Standardní tabulka L sg. > str. 230. Lokál plurálu > str. 231.
2. Vokál -ě (na rozdíl od -e) používáme pro F (vzor káva), když je poslední konzonant d, t, n, m, p, b, v nebo f. Porovnejte: v kávě × ve škole.
3. N končící na -um ztrácejí tuto koncovku: centrum – centru, muzeum – muzeu.
4. Pozor na mobilní -e-: pes – psovi, koberec – koberci, broskev – broskvi.
5. Pozor na změny ve kmeni: kůň – koni, dům – domu, sůl – soli.
6. Ma končící na vyslované -i/-í/-y se deklinují jako adjektiva: Jiří – Jiřím, Johny – Johnym.
7. F končící na vyslované -i/-í/-y/-o nebo konzonant nedeklinujeme: Lori, Ivy, Maiako, Carmen.
8. Pozor: den – dni/ve dne (ale také dnu), rok – roce, Izrael – Izraeli, dcera – dceři, kuře – kuřeti, nádraží – nádraží.

Všimněte si, že substantiva v L sg. mají stejné koncovky jako v D sg. Na rozdíl od D sg. ale Mi a N v L sg. můžou mít vedle koncovky -u také koncovky -e/-ě. Porovnejte: Mluvím o obchodu/Jsem v obchodě. (= L sg.)
× Jdu k obchodu. (= D sg.)

LOKÁL SINGULÁRU (ŠESTÝ PÁD JEDNOTNÉHO ČÍSLA) – spisovná čeština (obecná čeština)

Otázka: KOM? ČEM?
Příklad kontextu: Jsem v/na… Mluvím o…

Legenda:
- podobné formy zájmen a adjektiv podle deklinace kdo, co
- **Ma** maskulinum animatum / mužský rod životný
- **Mi** maskulinum inanimatum / mužský rod neživotný
- **F** femininum / ženský rod
- **N** neutrum / střední rod

rod	kdo, co	ten, ta, to	jeden, jedna, jedno	posesivní zájmena		adjektiva -ý	adjektiva -í	substantiva majoritní subs. I. deklinační skupina[a] N sg.: -e/-ě, -z, -c*, -j, -tel*, -del, -ev	minoritní subs. + majoritní maskulina končící v N sg. na ˇ …, -c*, -j, -tel* II. deklinační skupina[a] N sg.: konzonant, konzonant, -a, -o	III. deklinační skupina[a] N sg.: -:, -s*, -e/-ě (vzor kuře), -í
Ma	kom čem	tom[1]	jednom	mém (mým) tvém (tvým) svém[2] (svým) jeho jejím	naším vaším jejich	dobrém (dobrým)	kvalitním	studentu/-ovi[5]	muži/-ovi[5], soudci/-ovi[5]	kolegu/-ovi[5]
Mi		tom[1]	jednom	mém (mým) tvém (tvým) svém[2] (svým) jeho jejím	naším vaším jejich	dobrém (dobrým)	kvalitním	banánu/-ě[7]	čaji	…
F		té[1] (tý)	jedné (jedný)	mojí/mé[3] (mý) tvojí/tvé[3] (tvý) svojí/své[2,3] (svý) jeho její	naší vaší jejich	dobré (dobrý)	kvalitní	kávě[9] ALE: -ha/-ga>ze, -ka>ce, -cha>še, -ra>ře[10]	restauraci, kanceláři	místnosti
N		tom[1]	jednom	mém (mým) tvém (tvým) svém[2] (svým) jeho jejím	naším vaším jejich	dobrém (dobrým)	kvalitním	autu/-ě[7]	moři	kuřeti, nádraží

* *Několik M substantiv zakončených na -tel, -c (např. hotel, kostel, tác) patří do I. deklinační skupiny. POZOR na F substantiva zakončená na konzonant! Většina z nich patří do II. deklinační skupiny (velmi často zakončení ˇ (= háček), -tel, -del, -ev), další patří do III. deklinační skupiny (velmi často zakončení -st). ALE: Některá F substantiva (např. věc, řeč) deklinujeme jako místnost a další (např. moc, pomoc, nemoc, noc, myš, smrt, sůl, paměť, zeď, odpověď, loď) kolísají mezi vzory kancelář a místnost.*

Poznámky:

1. Jako ten deklinujeme v L sg. tento, tenhle, tenhleten, tuhleten, tamten, tamhleten (např. tomto, tomhle, téhle, tomto).
2. Svůj používáme, když subjekt = osoba nebo věc, které patří přivlastňujeme. Například: Mluví o svojí/své sestře. (L sg.)
3. Krátké formy mé, tvé, své jsou knižní. Když mluvíme, používáme častěji dlouhé formy mojí, tvojí, svojí nebo formy obecné češtiny mý, tvý, svý.
4. Rozdělení substantiv na deklinační skupiny I, II a III viz str. 210.
5. *Ma* (vzor muž, kolega) můžou alternovat koncovky -u/-ovi. Koncovka -ovi je častější (např. Mluvím o tom studentovi.) *Ma* (vzor muž, soudce) můžou alternovat koncovky -i/ovi. Koncovka -i je častější (např. Mluvím o tom muži.) U jmen a příjmení ale používáme koncovku -ovi (např. Mluvím o Tomášovi.) Když jsou za sebou dvě nebo více substantiv, má koncovku -ovi poslední substantivum. Například: Mluvím o panu (inženýru) Sládkovi. Mluvím o herci (Tomáši) Mečiřovi.
6. Některá *Ma* (často vlastní jména) a výjimečně i *Mi* končící na -i, -s, -z, -x patří do II. deklinační skupiny, deklinujeme je jako vzor muž/čaj (např. krátí, cíll, Izraeli, Klausi/-ovi, Francouzi, Felixi/-ovi).
7. Pro *Mi* (vzor banán) a N (vzor auto) můžeme často používat jak koncovku -u, tak -e/-ě (např. v obchodě, v autu/v autě). Obvykle ale *Mi* a N končící na -h, -ch, -k, -r, -g a cizí slova mají koncovku -u (např. výtah – ve výtahu, ucho – v uchu, vlak – ve vlaku, mokro – v mokru, dialog, supermarket – v supermarketu, kasino – v kasinu), Většina měsíců má také koncovku -u (např. v lednu, v únoru, v březnu, v dubnu, v květnu, v červnu, v srpnu, v říjnu, v listopadu).
8. Cizí jména *Ma* končící na -i, -y mají podobnou deklinaci jako adjektivum kvalitní (např. Johnym, Levim), F končící na -i, -y, -o nebo -konzonant nedeklinujeme (např. Ivy, Maiako, Carmen).
9. Vokál -ě (na rozdíl od -e) používáme pro F (vzor káva), když je poslední konzonant d, t, n, m, p, b, v nebo f. Porovnejte: v kávě × ve škole.
10. F končící na -ha/ga, -ka, -cha, -ra se v D sg. měkčí na -ze, -ce, -še, -že (např. Praha/Olga – v Praze/o Olze, Amerika – v Americe, učitelka – o učitelce, snacha – o snaše, střecha – na střeše, sestra – k sestře).
11. N končící na -um, -eum, -ium deklinujeme tak, že odtrhneme koncovku -um, a deklinujeme jako auto (např. v centru, muzeu, ve studiu).
12. Některá substantiva a substantivizovaná adjektiva deklinujeme podle jejich zakončení v N sg. jako -ý nebo -í adjektiva. Například: dobrém známém/Novém (Novém (Ma), dobré známé/dovolené/švagrové/Novákové (F), kvalitním recepčním/Jiřím (Ma), kvalitní recepční/účetní/paní (F).
13. POZOR na mobilní -e-: pes – psovi, koberec – koberci, broskev – broskvi.
14. POZOR na změny ve kmeni: kůň – koni, dům – domu, sůl – soli.
15. Výjimky v koncovkách: den – dni/ve dne (ale také dnu), rok – roce, Izrael – Izraeli, dcera – dceři.

Všimněte si, že substantiva v L sg. mají stejné koncovky jako v D sg. Na rozdíl od D sg. ale *Mi* a N v L sg. můžou mít vedle koncovky -u také koncovky -e/-ě. Porovnejte: Mluvím o obchodu/Jsem v obchodě. (= L sg.) × Jdu k obchodu. (= D sg.)

Lokál plurálu (šestý pád množného čísla)

Výklad, užití a tabulky pádů • Český krok za krokem 2   231

LOKÁL PLURÁLU (ŠESTÝ PÁD MNOŽNÉHO ČÍSLA) – spisovná čeština (obecná čeština)

Otázka: KOM? ČEM?
Příklad kontextu: Jsem v/na... Mluvím o...

Legenda: maskulinum animatum / mužský rod životný **Ma** · maskulinum inanimatum / mužský rod neživotný **Mi** · femininum / ženský rod **F** · neutrum / střední rod **N**

stejné formy zájmen a adjektiv v rámci pádu (vertikálně)

rod	kom / čem	ten, ta, to	dva/dvě, oba/obě, tři, čtyři	posesivní pronomina (přivlastňovací zájmena)	adjektiva -ý	adjektiva -í	substantiva: majoritní subs. (I. deklinační skupina³) N sg.: konzonant, -a, -o	minoritní subs. (II. deklinační skupina³) N sg.: -e/-ě, -ž, -c*, -j, -tel*, -del, -ev	minoritní subs. + majoritní maskulina končící v N sg. na -ž, -c*, -j, -tel* (III. deklinační skupina³) N sg.: -i, -st*, -e/-ě (vzor kuře), -í
Ma	těch¹	dvou (dvouch), obou (obouch), třech, čtyřech, pěti	mých (mejch), tvých (tvejch), svých² (svejch), jeho, jejich	dobrých (dobrejch)	kvalitních	**studentech** (ALE: -k>**cích** (-kách), -ch>**ších** (-chách), -h/-g>**zích** (-hách/-gách)⁴)	mužích, soudcích	**turistech** (ALE: -ka>**cích** (-kách), -cha>**ších** (-chách), -ha/-ga>**zích** (-hách/-gách)⁴)
Mi	těch¹	dvou (dvouch), obou (obouch), třech, čtyřech, pěti	mých (mejch), tvých (tvejch), svých² (svejch), jeho, jejich	dobrých (dobrejch)	kvalitních	**banánech** (ALE: -k>**cích** (-kách), -ch>**ších** (-chách), -h/-g>**zích** (-hách/-gách)⁴)	čajích	...
F	těch¹	dvou (dvouch), obou (obouch), třech, čtyřech, pěti	mých (mejch), tvých (tvejch), svých² (svejch), jeho, jejich	dobrých (dobrejch)	kvalitních	**kávách**	restauracích, kancelářích⁶	místnostech⁶
N	těch¹	dvou (dvouch), obou (obouch), třech, čtyřech, pěti	mých (mejch), tvých (tvejch), svých² (svejch), jeho, jejich	dobrých (dobrejch)	kvalitních	**autech** (ALE: -ko>**kách**, -cho>**chách**, -ho>**hách**, -go>**gách**⁷)	mořích	kuřatech, nádražích

* Několik M substantiv zakončených na -tel, -c (např. hotel, kostel, tác) patří do I. deklinační skupiny. POZOR na F substantiva zakončená na konzonant! Většina z nich patří do II. deklinační skupiny (velmi často zakončená na ž (= háček), -tel, -del, -ev), další patří do III. deklinační skupiny (velmi často zakončení -st). ALE: Některá F substantiva (např. věc, řeč) deklinujeme jako místnost a další. (Více > poznámka 6) kolísají mezi vzory kancelář a místnost. (Více > poznámka 6)

Poznámky:

1. Jako ten deklinujeme v L pl. tento, tenhle, tenhleten, tuhleten, tamhleten, tamten, tamhleten a všechen (např. těchto, těchto, těchto, těchto, všech, všech, všech). (L pl.)
2. Svůj používáme, když subjekt = osoba nebo věc, které přivlastňujeme. Například: Mluví o svých sestrách. (L pl.)
3. Rozdělení substantiv na deklinační skupiny I, II a III viz str. 210.
4. Ma, Mi končící na -k, -ch, -h/-g se v L pl. měkčí na -cích, -ších, -zích (např. kluk – o klucích, Čech – o Češích, hroch – o hroších, pstruh – o pstruzích, kolega – o kolezích). Když mluvíme, často místo koncovky -ích používáme formy obecné češtiny s koncovkou -ách (např. o klukách, o hrochách, o pstruhách, o kolegách, ale pozor: Čechy (pl.) – o Čechách). Některá další Mi (vzor banán) můžou alternovat koncovky -ech a -ích (např. v hotelech/v hotelích).
5. Některá Ma (často vlastní jména) a výjimečně i Mi končící na -l, -s, -z, -x patří do II. deklinační skupiny, deklinujeme je jako vzor muž/čaj (např. králích, Francouzích, lesích, penězích).
6. Podle vzoru místnost deklinujeme v L pl. kromě F končících na -st také některá další F (např. o věcech, řečech). F končící na -moc a některá další F můžou alternovat koncovky vzorů místnost a kancelář (např. o pomocech/-ích, nemocech/-ích, mastech/-ích, zdech/-ích, pamětech/-ich).
7. N končící na -ko, -cho, -ho/-go mají v L pl. koncovky -kách, -chách, -hách/-gách (např. kolečko – o kolečkách, tango – o tangách). Některá N můžou vedle koncovky -ách alternovat také koncovku -ích, kde je potom měkčení (palatalizace) (např. jablko – o jablkách/o jablcích).
8. N končící na -um, -eum, -ium deklinujeme tak, že odtrhneme koncovku -um, a N končící na -um deklinujeme jako auto (např. v centrech), N končící na -eum, -ium deklinujeme jako moře (např. v muzeích, studiích).
9. Některá substantiva a substantivovaná adjektiva deklinujeme podle jejich zakončení v N sg. jako -ý nebo -í adjektiva. Například: dobrých známých (Ma), dobrých známých/dovolených/svagrových (F), kvalitních recepčních/účetních/jiřích (Ma), kvalitních recepčních/účetních/paních (F).
10. POZOR na mobilní -e: pes – psech, koberec – kobercích, broskev – broskvích.
11. POZOR na změny ve kmeni, na měkčení (palatalizaci) nebo krácení samohlásky: dům – domech, přítel – přátelích, peníze (N pl.) – penězích, oko – očích, ucho – uších, dítě – dětech, člověk – lidech.
12. Výjimky v koncovkách: peníze (N pl.) – penězích, les – lesích, šachy (pl.) – šachách, plech – plechách, ruka – rukou (ale také nohách), noha – nohou (ale také rukách), oko – očích, ucho – uších, člověk – lidech (deklinace v pl. podle místnost).

INSTRUMENTÁL SINGULÁRU (SEDMÝ PÁD JEDNOTNÉHO ČÍSLA) – spisovná čeština (obecná čeština)

Legenda:
- **Ma** maskulinum animatum / mužský rod životný
- **Mi** maskulinum inanimatum / mužský rod neživotný
- **F** femininum / ženský rod
- **N** neutrum / střední rod

podobné formy zájmen a adjektiv podle deklinace kdo, co

Otázka: KÝM? ČÍM?
Příklad kontextu: Sejdu se s... Zabývám se...

kdo, co	ten, ta, to	jeden, jedna, jedno	posesivní zájmena	adjektiva -ý	adjektiva -í	substantiva — majoritní subs. I. deklinační skupina⁴ N sg.: konzonant, konzonant, -a, -o	substantiva — minoritní subs. II. deklinační skupina⁴ N sg.: -e/-ě, -c*, -j, -tel*, -del, -ev	substantiva — minoritní subs. III. deklinační skupina⁴ N sg.: -í, -st*, -e/-ě (vzor kuře), -í	rod
kým / čím	tím¹	jedním	mým tvým svým² jeho jejím	dobrým	kvalitním	studentem	mužem, soudcem	kolegou	Ma
	tím¹	jedním	mým tvým svým² jeho jejím	dobrým	kvalitním	banánem	čajem	...	Mi
	tou¹	jednou	mojí/mou³ tvojí/tvou³ svojí/svou²,³ jeho její	dobrou	kvalitní	kávou	restaurací, kanceláří	místností	F
	tím¹	jedním	mým tvým svým² jeho jejím	dobrým	kvalitním	autem	mořem	kuřetem, nádražím	N

* Několik M substantiv zakončených na -tel, -c (např. hotel, kostel, tác) patří do I. deklinační skupiny. POZOR na F substantiva zakončená na konzonant! Většina z nich patří do II. deklinační skupiny (velmi často zakončení ̌ (= háček), -tel, -del, -ev), další patří do III. deklinační skupiny (velmi často zakončení -st). ALE: Některá F substantiva (např. věc, řeč) deklinujeme jako místnost a další (např. moc, pomoc, nemoc, noc, myš, smrt, sůl, paměť, zeď, odpověď, loď) kolísají mezi vzory kancelář a místnost.

Poznámky:
1. Jako ten deklinujeme v I sg. tento, tenhle, tenhleten, tuhleten, tadyten, tamten, tamhleten (např. tímto, tímto, touto, tímto).
2. Svůj používáme, když subjekt = osoba nebo věc, které přivlastňuje. Například: Sejde se se svojí/svou sestrou. (I sg.)
3. Krátké formy mou, tvou, svou jsou knižní. Když mluvíme, používáme častěji dlouhé formy mojí, tvojí, svojí.
4. Rozdělení substantiv na deklinační skupiny I, II a III viz str. 210.
5. Cizí jména Ma končící na -i, -y mají podobnou deklinaci jako adjektivum kvalitní (např. Johnym, Levim, Levinem), F končící na -i, -y, -o nebo -konzonant nedeklinujeme (např. Ivy, Majako, Carmen).
6. N končící na -um, -eum, -ium deklinujeme tak, že odtrhneme koncovku -um, a deklinujeme jako auto (např. před centrem, muzeem, studiem).
7. Některá substantiva a substantivizovaná adjektiva deklinujeme podle jejich zakončení v N sg. jako -ý nebo -í adjektiva. Například: dobrým známým/Novým (Ma), dobrou známou/dovolenou/švagrovou/Novákovou (F), kvalitním recepčním/účetním/Jiřím (Ma), kvalitní recepční/účetní/paní (F).
8. POZOR na mobilní -e-: pes – psem, koberec – kobercem, broskev – broskví.
9. POZOR na změny ve kmeni: kůň – koněm, dům – domem, sůl – solí.

Instrumentál plurálu (sedmý pád množného čísla)

INSTRUMENTÁL PLURÁLU (SEDMÝ PÁD MNOŽNÉHO ČÍSLA) – spisovná čeština (obecná čeština)

Otázka: KÝM? ČÍM?
Příklad kontextu: Sejdu se s... Zabývám se...

Legenda:
- stejné formy zájmen a adjektiv v rámci pádu (vertikálně)
- **Ma** maskulinum animatum / mužský rod životný
- **Mi** maskulinum inanimatum / mužský rod neživotný
- **F** femininum / ženský rod
- **N** neutrum / střední rod

kdo, co	ten, ta, to	dva/dvě, oba/obě, tři, čtyři	posesivní pronomina (přivlastňovací zájmena)	adjektiva (přídavná jména) -ý	adjektiva -í	substantiva (podstatná jména) — majoritní subs. I. deklinační skupina³ N sg.: konzonant, konzonant, -a, -o	II. deklinační skupina³ N sg.: -e/-ě, -ˇ, -ˊ, -c*, -j, -tel*, -del, -ev	III. deklinační skupina³ N sg.: -ˊ, -st*, -e/-ě (vzor kuře), -í	rod
kým čím	těmi¹ (těma)	dvěma (dvouma) oběma (obouma) třemi (třema) čtyřmi (čtyřma) pěti	mými (mejma) tvými (tvejma) svými² (svejma) jeho jejími (jejíma)	dobrými (dobrejma)	kvalitními (kvalitníma)	studenty (studentama)	muži (mužema), soudci (soudcema)	kolegy (kolegama)	**Ma**
kým čím	těmi¹ (těma)	dvěma (dvouma) oběma (obouma) třemi (třema) čtyřmi (čtyřma) pěti	mými (mejma) tvými (tvejma) svými² (svejma) jeho jejími (jejíma)	dobrými (dobrejma)	kvalitními (kvalitníma)	banány (banánama)	čaji (čajema)	...	**Mi**
kým čím	těmi¹ (těma)	dvěma (dvouma) oběma (obouma) třemi (třema) čtyřmi (čtyřma) pěti	mými (mejma) tvými (tvejma) svými² (svejma) jeho jejími (jejíma)	dobrými (dobrejma)	kvalitními (kvalitníma)	kávami (kávama)	restauracemi (restauracema), kancelářemi⁵ (kancelářema)	místnostmi⁵ (místnostma)	**F**
kým čím	těmi¹ (těma)	dvěma (dvouma) oběma (obouma) třemi (třema) čtyřmi (čtyřma) pěti	mými (mejma) tvými (tvejma) svými² (svejma) jeho jejími (jejíma)	dobrými (dobrejma)	kvalitními (kvalitníma)	auty (autama)	moři (mořema)	kuřaty (kuřatama), nádražími (nádražíma)	**N**

*Několik M substantiv zakončených na -tel, -c (např. hotel, kostel, tác) patří do I. deklinační skupiny. Většina z nich patří do II. deklinační skupiny (velmi často zakončení ˇ (= háček), -tel, -del, -ev), další (často -ev) další patří do III. deklinační skupiny (velmi často zakončení -st). ALE: Některá F substantiva zakončená na konzonant! Většina z nich patří do I. deklinační skupiny. POZOR na F substantiva zakončená na konzonant! Některá F substantiva (např. věc, řeč) deklinujeme jako místnost a další (např. moc, pomoc, nemoc, noc, myš, smrt, sůl, paměť, zeď, odpověď, loď) kolísají mezi vzory kancelář a místnost. (Více > poznámka 5)

Poznámky:

1. Jako ten deklinujeme v I pl. tento, tenhle, tenhleten, tuhleten, tadyten, tamten, tamhleten a všechen (např. těmito, těmito, těmito, těmito, všemi, všemi, všemi, všemi).
2. Svůj používáme, když subjekt = osoba nebo věc, které přivlastňujeme. Například: Sejde se se svými sestrami. (I pl.)
3. Rozdělení substantiv na deklinační skupiny I, II a III viz str. 210.
4. Některá Ma (často vlastní jména) a výjimečně I Mi končící na -l, -s, -z, -x patří do II. deklinační skupiny, deklinujeme je jako vzor muž/čaj (např. králi, cíli, Francouzi, penězi).
5. Podle vzoru místnost deklinujeme v I pl. kromě F končících na -st také některá další F (např. s věcmi, zdmi, pamětmi, myšmi, smrtmi, odpověďmi). Některá F můžou alternovat koncovky vzorů místnost a kancelář (např. s loděmi/s loďmi).
6. N končící na -um, -eum, -ium deklinujeme tak, že odtrhneme koncovku -um, a N končící jenom na -um deklinujeme jako moře (např. před muzei, studii).
7. Některá substantiva a substantivizovaná adjektiva deklinujeme podle jejich zakončení v N sg. jako -ý nebo -í adjektiva. Například: dobrými známými/dovolenými/švagrovými (F), kvalitními recepčními/účetními/lišími/lišími (Ma), dobrými známými (Mi), dobrými známými/dovolenými/švagrovými (F), kvalitními recepčními/účetními/lišími (Ma), dobrými známými/dovolenými/švagrovými (F), kvalitními recepčními/účetními/lišími/paními (F).
8. POZOR na mobilní -e-: pes — psy, koberec — koberci, broskev — broskvemi.
9. POZOR na změny ve kmeni, na měkčení (palatalizaci) nebo krácení samohlásky: dům — domy, přítel – přáteli, peníze (N pl.) – penězi, oko – očima, ucho – ušima, dítě – dětmi, člověk – lidmi.
10. Výjimky v koncovkách: peníze (N pl.) – penězi, Vánoce (N pl.) – Vánoci/-emi, Velikonoce (N pl.) – Velikonocí-emi, ruka – rukama, noha – nohama, oko – očima, ucho – ušima, člověk – lidmi (deklinace v pl. podle místnost), dítě – dětmi (deklinace v pl. podle místnost).

Klíč ke cvičením

Lekce 1

9/8 1. do 2. v, na 3. do, za 4. z 5. v 6. v, na, k 7. v, pro 8. od 9. za, do 10. o 11. se, o 12. do **9/9** 1. znám 2. víš 3. umím 4. umím 5. znám, nevím 6. znám 7. neumím 8. víš, vím 9. umím 10. vím 11. znám 12. nevím **9/10** 1. končí 2. přestalo 3. skončí 4. přestat 5. přestala 6. skončí **9/11** 1. že 2. který 3. která 4. že 5. který 6. které 7. že 8. která **10/1** substantivum (podstatné jméno): čeština, adjektivum (přídavné jméno): lehký, pronomen (zájmeno): já, číslovka (numerále): tři, verbum (sloveso): sportovat, adverbium (příslovce): dobře, prepozice (předložka): do, konjunkce (spojka): a, partikule (částice): asi, interjekce (citoslovce): ach jo **10/2** singulár = jednotné číslo, plurál = množné číslo **10/3** druhý pád – genitiv, třetí pád – dativ, čtvrtý pád – akuzativ, pátý pád – vokativ, šestý pád – lokál/lokativ (V češtině pro cizince se často používá termín „lokativ", ale tradiční česká gramatika používá termín „lokál".), sedmý pád – instrumentál **10/4** 1. 2. pád = G 2. 6. pád = L 3. 6. pád = L 4. 2. pád = G 5. 7. pád = I 6. 4. pád = A 7. 2. pád = G 8. 4. pád = A 9. 2. pád = G 10. 4. pád = A 11. 2. pád = G 12. 1. pád = N 13. 2. pád = G 14. 6. pád = L 15. 5. pád = V 16. 6. pád = L 17. 4. pád = A 18. 3. pád = D 19. 4. pád = A 20. 4. pád = A 21. 2. pád = G **10/tabulka** Majoritní koncovky jsou: -konzonant pro mužský životný (Ma) a mužský neživotný (Mi) rod; -a pro ženský (F) rod; -o pro střední (N) rod. Minoritní koncovky jsou: -a, -e pro mužský životný (Ma) a mužský neživotný (Mi) rod; -e, -konzonant pro ženský (F) rod; -e, -í pro střední (N) rod. **10/5** 1. nový byt (Mi = rod mužský neživotný) 2. jazyková škola (F = rod ženský) 3. sídliště (N = rod střední) 4. autobus (Mi = rod mužský neživotný) 5. její bratr (Ma = rod mužský životný) 6. francouzština (F = rod ženský) 7. čeština (F = rod ženský) 8. holka (F = rod ženský) 9. Eva (F = rod ženský) 10. Adam (Ma = rod mužský životný) 11. česká organizace (F = rod ženský) 12. hřiště (N = rod střední) 13. politika (F = rod ženský) 14. místnost (F = rod ženský) 15. její maminka (F = rod ženský) 16. novinka (F = rod ženský) 17. malá kuchyň (F = rod ženský) 18. zaměstnání (N = rod střední) **11/7** 1. vysoký 2. můj 3. byla 4. jedna, ráda/můj, kamarád 5. to, staré 6. velká 7. staré 8. to, dobré 9. bylo 10. naše, malá **11/tabulka** Infinitiv: pracovat, učit se, sportovat… – Futurum (budoucí čas): budu bydlet, dostanu se, budu dělat… – Prézens (přítomný čas): máš se, děláš, omlouvám se… – Préteritum (minulý čas): nepsal jsem, měl jsem, přestěhoval jsem se… – Kondicionál (podmiňovací způsob): chtěli bychom – Imperativ (rozkazovací způsob): napiš, pozdravuj, měj se – Imperfektivní/perfektivní aspekt (nedokonavý/dokonavý vid): dělat/udělat, psát/napsat – Reflexivní verba (zvratná slovesa): mít se, omlouvat se, přestěhovat se… **11/8** pracovat, pracoval/a, bude pracovat, pracoval/a by – bydlet, bydlel/a jsem, bydlím, bydlel/a bych – nepsat, nepíšu, nebudu psát, nepsal bych – chodit, chodil/a jsem, budu chodit, chodil/a bych – chtít, chtěli jsme, chceme, budeme chtít – žít, žil/a jsi, budeš žít, žil/a bys **11/9** dostávat se/dostat* se, stěhovat se/přestěhovat se, měnit/změnit, vidět/uvidět, končit/skončit, přestávat/přestat*, učit/naučit, dělat/udělat, pronajímat si/pronajmout* si, přijíždět/přijet*, odcházet/odejít* **12/tabulka** Celá tabulka: 1. N: kdo, co – 2. G: koho, čeho – 3. D: komu, čemu – 4.A: koho, co – 6.L: kom, čem – 7. I: kým, čím **12/1** 1. kým 2. koho 3. kom 4. komu 5. koho 6. kdo 7. koho 8. koho 9. koho 10. koho 11. koho 12. kým 13. komu 14. kom 15. komu 16. komu **12/2** 1. co 2. čím 3. čeho 4. čeho 5. čem 6. co 7. co 8. čemu 9. co 10. co 11. čím 12. čeho 13. čem 14. čím 15. čemu 16. čím **12/3** 1I, 2D, 3F, 4G/F, 5C, 6B/E/J, 7E/B, 8H, 9A, 10J **12/tabulka** Celá tabulka: 1. N: někdo, něco – 2. G: někoho, něčeho – 3. D: někomu, něčemu – 4. A: někoho, něco – 6. L: někom, něčem – 7. I: někým, něčím; 1. N: nikdo, nic – 2. G: nikoho, ničeho – 3. D: nikomu, ničemu – 4. A: nikoho, nic – 6. L: nikom, ničem – 7. I: nikým, ničím **12/4** 1. Nehledám nikoho jiného. 2. Nebavili jsme se o ničem. 3. Ničemu jsme se nesmáli. 4. S nikým jsem nemluvila. 5. Nikomu nekoupím dárek. 6. Nemluvili jsme o nikom. 7. Netěším se na nic. 8. V kině jsem neseděl vedle nikoho. 9. Nechci chleba s ničím. 10. Nedívám se na nikoho. 11. Nikdy proti ničemu neprotestuju. 12. Nikdy nemám z ničeho strach. 13. Nikdy nechodím s nikým na oběd. 14. Nikdy nemyslím na nikoho. 15. Nikdy o ničem nemluvíme. **13/2** 1. Čech 2. češtinu 3. česky 4. český 5. česky 6. čeština 7. česky 8. Česku **13/3** Juta Gruber je z Německa. Je Němka. Mluví německy. Její jazyk je němčina. – Sarah Jones je z USA. Je Američanka. Mluví anglicky. Její jazyk je angličtina. – Mária Gonzales je z Mexika. Je Mexičanka. Mluví španělsky. Její jazyk je španělština. – Luis Cabral je z Brazílie. Je Brazilec. Mluví portugalsky. Jeho jazyk je portugalština. – Amir Mubarak je z Egypta. Je Egypťan. Mluví arabsky. Jeho jazyk je arabština. – Timina Vandu je z Nigérie. Je Nigerijka. Mluví jazykem hauso. Její jazyk je hauso. – Natalija Pavlova je z Ruska. Je Ruska. Mluví rusky. Její jazyk je ruština. – Jang Fei je z Číny. Je Číňanka. Mluví čínsky. Její jazyk je čínština. – Senthil Kumaran je z Indie. Je Ind. Mluví hindsky a anglicky. Jeho jazyk je hindština a angličtina. – John Brown je z Austrálie. Je Australan. Mluví anglicky. Jeho jazyk je angličtina. **14/3** 1C, 2H, 3L, 4N, 5G, 6K, 7I, 8J, 9A, 10M, 11E, 12F, 13D, 14B

Lekce 2

17/2 Lída je matka Magdy/Magdina matka. Jiří je otec Magdy/Magdin otec. Katka je mladší sestra Magdy/Magdina mladší sestra. Anna je starší sestra Magdy/Magdina starší sestra. Jirka je švagr Magdy/Magdin švagr. Dana je matka Michala/Michalova matka. Alexandr je otec Michala/Michalův otec. Kateřina je starší sestra Michala/Michalova starší sestra. David je mladší bratr Michala/Michalův mladší bratr. Alžběta je švagrová Michala/Michalova švagrová. **17/5** 1D, 2C, 3A, 4J, 5F, 6B, 7E, 8G, 9H, 10I **19/7** 1B, 2C, 3E, 4A, 5D, 6F **19/8** 1. David se musí starat o malou dceru. 2. Co Veronika řekne, až se Martin na tatínka zeptá? 3. Než se dcera narodila, David a Eva dlouho diskutovali. 4. Skoro všechny moje kamarádky se stejně rozvedly. 5. Filip se přestěhoval do podkroví. 6. Veroničin syn se jmenuje Martin. 7. Eva a Filip se rozhodli, že doma bude Filip. 8. Veronika si pořídila Martina. 9. Filip říká: Jasně, že se někdy hádáme. 10. Babička se už těší, až bude prababička. 11. Filip bydlí s přítelkyní, se kterou se chtějí brát. 12. Užijeme si dost legrace. **19/9** 1E, 2F, 3B, 4C, 5A, 6H, 7D, 8G **19/10** Filipovi je třicet let. – Boženě je padesát čtyři let. – Sandře je dvacet tři let. – Adamovi je sedmnáct let. – Jaroslavovi je šedesát osm let. **19/11** 1. Kolik je vám let? 2. Je mi 45 let. 3. Je jí 39 let. 4. Je mu 29 let. 5. Příští týden mi bude 25. 6. Bratrovi bude 40 let. 7. Sestře bude 18 let. 8. V sobotu mi bylo 50. 9. Tomášovi bylo 27. 10. Ireně bylo 15. **19/12** 1. Jak kdy. 2. Jak kdo. 3. Jak kde. 4. Jak kdy. 5. Jak kdo. 6. Jak kdy. 7. Jak kde./Jak kdy. 8. Jak kdo. **20/2** 1. Koho tam vidíte? 2. Co máte ráda? 3. Co si dáte v restauraci? 4. Na co se díváš? 5. Co potřebujeme? 6. O co žádáš? 7. Koho máte rád? 8. Na koho se těšíš? 9. Na koho se díváte? 10. O koho se staráš? 11. Na koho jste zvyklý? 12. Na koho čekáš? **20/3** 1. Co?/Co jsi koupil? 2. Koho?/Koho miluješ? 3. Koho?/Koho hledáš? 4. Co?/Co potřebuješ? 5. Koho?/Koho jsi viděla? 6. O koho?/O koho se staráš? 7. Na koho?/Na koho čekáš? 8. Na co?/Na co jsi zvyklá? 9. Na co?/Na co se těšíš? 10. O koho?/O koho máš strach? **20/4** Eva má vyšší plat, budou mít další miminko, na mateřskou dovolenou půjde Eva, Veronika Janů má malého syna, Martin svého vlastního otce nikdy neviděl, měla jsem zajímavou práci, Dvořákovi mají velký dům, Filip si zrekonstruoval malý byt **20/5** 1. velkého syna 2. mladšího bratra 3. velký byt 4. malého bratrance 5. moderního dědečka 6. malou dceru 7. elegantní babičku 8. starší sestru 9. hodnou sestřenici 10. finančního ředitele 11. černého psa 12. nového přítele 13. staré auto 14. novou kolegyni 15. nového kolegu 16. hezkou švagrovou **21/6** 1. tvoji/tvou sestru 2. mého bratra 3. vaše auto 4. jejich dceru 5. naši kolegyni 6. jejího kamaráda 7. vašeho učitele 8. tvého bratrance 9. našeho dědečka 10. její babičku **21/7** žárlit na, mít* rád, mít* strach o, utrácet/utratit za, milovat, nesnášet, těšit se na, bát* se o, žádat/požádat o, myslet na, poslouchat/poslechnout* (si), starat se/postarat se o, děkovat/poděkovat za, zlobit se na, zlobit, slyšet/uslyšet, být* zvyklý na, zvykat si/zvyknout* si na, prosit/poprosit o, stěžovat si/postěžovat si na **21/9** 1. kterého 2. kterou 3. za které 4. na který 5. o kterou 6. na který **21/10** na, mezi, přes, pod, pro, nad, před, o, v, za **21/11** 1. za 2. pro 3. na 4. za, na/za 5. pro 6. na 7. na 8. za **21/12** 1. pro vašeho ředitele 2. přes les 3. za týden, na dovolenou 4. za měsíc, na chatu, na Slovensko 5. pro tetu, za tisíc 6. na jižní Moravu, na celý červenec 7. na hřiště, na zahradu 8. na koncert, pro svého dobrého kamaráda 9. mezi ten zelený gauč a tu hnědou skříň 10. na novou sedačku 11. pod/na tu židli 12. na/za okno, na balkon **22/13** Televizi dal na skříňku. – Polici dal nad televizi. – Knihy dal na polici. – Světlo dal nad stůl. – Kočku dal na stůl. – Podkolenky dal na/přes židli. – Rádio dal na polici. – Polštář dal na gauč. – Pantofle dal pod gauč. – Obraz dal nad gauč. – Kytku dal mezi gauč a skříň/za gauč. – Psa dal za gauč. **22/15** 1. pod gauč 2. nad skříňku 3. před knihovnu 4. před hotelem 5. mezi postelí a skříní 6. na zeď 7. pod židlí 8. na talíř 9. za dům 10. na okně **22/1** 1. kamarádky 2. studenty 3. sestřenice 4. auta 5. saláty 6. psy 7. cédéčka 8. učitelky 9. židle 10. pomeranče **22/2** 1. Ne, mám dva kamarády. 2. Ne, mám dvě sestry. 3. Ne, mám dva byty. 4. Ne, mám dva bratrance. 5. Ne, mám dva mobily. 6. Ne, mám dvě rádia. 7. Ne, mám dvě kolegyně. 8. Ne, mám dvě kola. **23/tabulka** Chybějící formy jsou: tě – ho – vás – ně **23/1** 1. mě 2. tě 3. nás 4. ji 5. je 6. ho 7. mě 8. tě 9. vás – 1. vás 2. mě 3. ně 4. tebe 5. ni 6. něho/něj 7. ně 8. tebe 9. ně – 1. ho 2. ně 3. něj 4. je 5. ho 6. něj 7. ji 8. ni 9. ho **23/2** 1. ho 2. mě 3. je 4. vás 5. ni 6. tebe 7. ně 8. mě 9. vás 10. ně 11. nás 12. ni 13. vás 14. tebe 15. vás 16. mě 17. něho/něj 18. tě 19. ji 20. nás 21. nás **23/4** svého kamaráda Josefa, byt, ho, podlahu, nějaký nábytek, velké křeslo, židli, novou sedačku, výběr, internet, jednoho kamaráda, hezkou postel, velký psací stůl, plazmovou televizi, tu plazmovou televizi, internet, jakou, adresu, ho, tu adresu, ji, takového velkého černého psa, toho psa, ji, ji, tebe, tu adresu, je **24/tabulka** krůt**í** maso s knedlík**ama** – biftek s americk**ejma** brambor**ama** – vepřov**ý** nudličky s rej**ží** – bíl**ý** víno – hruškov**ej** džus – těstovinov**ej** salát s tuňákem **25/6** 1. O 2. H 3. O 4. O 5. H 6. H 7. O 8. H 9. H 10. O 11. H 12. O 13. H 14. O 15. H 16. O **25/8** krevety – ořechy – vejce – tofu – dort – rýže – olej – krab – špenát **25/9** 1E 2F 3H 4G 5C 6A 7D 8B **25/11** smažit – smažený, péct – pečený, vařit – vařený, grilovat – grilovaný, dusit – dušený, udit – uzený

Lekce 3

27/4 Kastelán bydlí na hradě. – Chalupář bydlí na/v chalupě. – Student bydlí na koleji. – Milionář bydlí ve vile. – Chatař bydlí na/v chatě. – Námořník bydlí na lodi. – Cestovatel bydlí ve stanu. – Turista bydlí v hotelu. **29/6** 1. kastelánka 2. chatař/chalupář 3. pořádat 4. noční prohlídka 5. vyrábět/stavět lodě 6. jídelna 7. topení **29/7** 1E 2H 3G 4D 5B

6C 7A 8F **29/8** 1. představovat si 2. pořádat 3. rozbít* se 4. stavět 5. vytáhnout* 6. trávit 7. vyrobit 8. okouzlit 9. užívat si 10. natírat **29/10** 1. Přetím, než 2. před 3. předtím 4. před 5. předtím, než 6. předtím, než 7. předtím 8. před 9. předtím, než 10. přetím **30/3** 1. O čem mluvíte? 2. O kom si povídáte? 3. O čem byla ta kniha? 4. O kom budeš mluvit při prezentaci? 5. O čem budeš psát diplomovou práci? 6. O čem jste diskutovali na konferenci? 7. O čem jste se bavili v hospodě? 8. O kom jste se učili ve škole? 9. O čem jsi slyšel? **30/4** 1. O čem?/O čem jste mluvili? 2. O kom?/O kom jsi četla? 3. O kom?/O kom jste slyšeli? 4. O čem?/O čem jste diskutovali? 5. O kom?/O kom jste si povídali? 6. O čem?/O čem jste se hádali? 7. O kom?/O kom jsi psal? 8. O čem?/O čem jste se bavili? **30/5** dívá se na hvězdy na vysoké hradní věži, v malém bytě mají Vaníčkovi moderní topení, líbí se mi tady víc než v nějakém velkém městě, říká paní Vaníčková o své milované práci, lidé mluví o svém starém kamarádovi, chytá ryby na svém vlastním hausbótu **30/6** 1. nejlepším kamarádovi 2. zajímavém filmu 3. sportovní módě 4. nové práci 5. sympatické kolegyni 6. moderní literatuře 7. historickém románu 8. slavném herci 9. levném jídle 10. příští schůzce 11. Černém moři 12. autobusovém nádraží **31/7** 1. vašem bratranci 2. našem řediteli 3. tvojí/tvé mamince 4. mém dědečkovi 5. jeho přítelkyni 6. našem autu/autě 7. jejím příteli 8. vaší sestřenici 9. tvém manželovi 10. mojí/mé tetě 11. jejich miminku 12. jejím oblečení **31/8** Mluví/nemluví o nové práci, těžkém životě, zajímavém projektu, světové ekonomice, nejnovější módě, českém pivu, hezké dovolené, novém příteli, malé vnučce, výborném jídle, ošklivém počasí, těžké zkoušce, hokejové lize, špatném zdraví, filmovém festivalu, antické filozofii, dobrém doktorovi, mezinárodní konferenci **31/9** 1. o kterém 2. o kterém 3. o které 4. o kterém 5. o které 6. o kterém **31/10** slyšet/uslyšet o, diskutovat o, číst*/přečíst* o, přemýšlet o, povídat si/popovídat o, pochybovat o, vyprávět o, domlouvat se/domluvit se, myslet si/pomyslet si o, bavit se o, mluvit o, hádat se/pohádat se o **32/12** na, o, po, při, v, **32/13** 1. té vaší moderní škole 2. tom tučném obědě 3.té minulé lekci 4. tom našem novém domě 5. tom velkém náměstí 6. tom dramatickém filmu 7. tom vašem starém kole 8. té naší včerejší debatě **32/2** 1. v práci, u 2. v té naší oblíbené restauraci, té nové kavárně 3. na noční diskotéce, v tom populárním klubu 4. na krásné dovolené, u, v severní Itálii 5. po celém světě, v Jihoafrické republice, v Bangladéši, na Novém Zélandu 6. v Baltském moři, v Atlantickém oceánu 7. v jedné velké bance, v historickém centru 8. v tom lese, v tom parku 9. v televizi, v kině 10. na ledním hokeji, na dobré večeři, u 11. v normálním obchodě, na trhu 12. na dlouhé návštěvě, u 13. na velkém nákupu, v tom našem supermarketu 14. po celém nádraží 15. na jedné výstavě, v Národním muzeu 16. v Jižní Americe, v Asii 17. na turistickém výletě, na východním Slovensku **33/2** 1A, 2F, 3E, 4B, 5C, 6D **33/3** 1. Už jste někdy byli v českých lázních? Jestli ne, 2. můžete si vybrat pobyt ve světoznámých Karlových Varech, 3. v Mariánských Lázních, ve Velkých Losinách, ve Františkových 4. Lázních, Poděbradech. Luhačovicích... V České republice 5. je 34 lázeňských měst. Každé lázně se specializují 6. na léčení a prevenci konkrétních fyzických i psychických 7. problémů, ale nabízejí taky kratší relaxační pobyty. Podívejte se 8. na fotografie. Ve kterých lázních byste chtěli strávit dovolenou? **33/4** Karlových Varech, Mariánských Lázních, Velkých Losinách, Františkových Lázních, Poděbradech, Luhačovicích **33/tabulka** Chybějící formy jsou: mně – nás – vás **33/6** 1. něm 2. mně 3. vás 4. nich 5. nás 6. ní 7. tobě 8. nich 9. mně 10. ní 11. vás 12. něm **34/1** 1. ložnice 2. obývák 3. dětský pokoj 4. kuchyň 5. koupelna 6. půda 7. komora, sklep 8. garáž 9. balkon, terasa, lodžie, zahrada 10. předsíň 11. chodba 12. schody 13. výtah **34/2** 2+1 – byt se dvěma pokoji a kuchyní, 2+kk – byt se dvěma pokoji a kuchyňským koutem, 60 m² – šedesát metrů čtverečních, RD – rodinný dům, dr. byt – družstevní byt, byt v OV – byt v osobním vlastnictví, G – garáž, L/B/T – lodžie/balkon/terasa **35/8** pronajímat/pronajmout*, zařizovat/zařídit, kupovat/koupit, vybavovat/vybavit, pronajímat si/pronajmout* si, rekonstruovat/zrekonstruovat, stavět/postavit **35/9** pronajatý – pronájem, vybavený – vybavení, zrekonstruovaný – rekonstrukce, postavený – stavba, prodaný – prodej, koupený – koupě

Lekce 4

37/3 1. jet vlakem 2. jet autem 3. jít pěšky 4. jet autobusem 5. letět letadlem 6. letět balónem 7. jet taxíkem 8. letět raketou 9. jet tramvají 10. jet lodí/jet na lodi 11. jet na kole 12. jet na motorce **39/5** 1H, 2E, 3F, 4A, 5C, 6D, 7G, 8B **39/6** 1. v 2. s, ze, o, za 3. u 4. během, na 5. do 6. ze 7. během, do 8. za, od, do **39/7** 1. kdy 2. když 3. kdy 4. když 5. kdy 6. když 7. když 8. kdy **39/8** 1. Román Julese Verna se jmenuje Cesta kolem světa za 80 dní. 2. Přečtěte si, o čem román vypráví. 3. Pan Fogg věří v pokrok a obdivuje moderní techniku. 4. Pan Fogg se vsadil s pány ze svého klubu o 20 000 liber. 5. V Indii čeká na pana Fogga velké dobrodružství. 6. Objeli svět směrem na východ, a proto měli jeden den navíc. 7. Pan Fogg zachránil krásnou Indku a zamiloval se do ní. 8. Zdá se, že je všechno ztracené. 9. Pan Fogg je šťastný, protože Auda se stane jeho manželkou. 10. Pan Fogg vyhrál a všechno dobře dopadlo. **39/10** z Londýna – do Paříže, z Paříže – do Brindisi, z Brindisi – do Suezu, ze Suezu – do Bombaje, z Bombaje – do Kalkaty, z Kalkaty – do Singapuru, ze Singapuru – do Honkongu, z Honkongu – do Jokohamy, z Jokohamy – do San Franciska, ze San Franciska – do New Yorku, z New Yorku – do Liverpoolu, z Liverpoolu – do Londýna **40/2** 1. U koho bydlíš? 2. Bez čeho nemůžeš žít? 3. Vedle koho sedíš ve škole? 4. Z čeho děláte bramborový salát? 5. U koho jsi byla včera večer? 6. Kolem čeho jsi šel? 7. Do čeho dáme tu majonézu? 8. Od koho máš ten dárek? **40/3** 1. Bez čeho?/Bez čeho si dáš kávu? 2. Bez koho?/Bez koho půjdeš do kina? 3. Kolem čeho?/Kolem čeho musíš jít? 4. Vedle koho?/Vedle koho jsi seděla? 5. U koho?/U koho chceš bydlet? 6. U koho?/U koho se sejdeme? 7. Bez čeho?/Bez čeho jsi nikdy nebyla? 8. Kolem čeho?/Kolem čeho jezdíš do školy? 9. Do čeho?/Do čeho nikdy nedáváš cibuli? **40/4** jízdní řád cestovní kanceláře, výborný motiv nového románu, u toho konzervativního pána konečně najde klid, Pan Fogg naplánuje cestu do posledního detailu, Proklouz, který nemůže žít bez dobrého vína, Pan Fogg se do krásné Audy zamiluje, během dramatické cesty do Asie a Ameriky **40/5** zamilovávat se/zamilovat se do, mít* strach z, dělat/udělat si legraci z, bát* se, vážit si, ptát se/zeptat se, všímat si/všimnout* si, účastnit se/zúčastnit se **40/6** 1. toho divného člověka 2. toho mladého prodavače 3. toho nebezpečného zloděje 4. jejich nového profesora 5. mého nového účesu/našeho starého auta 6. té mezinárodní konference/naší rodinné oslavy 7. mojí/mé nové kravaty/toho vážného problému/mojí/mé rozčilené manželky 8. vašeho jedovatého hada **41/7** do, z, kromě, od, bez, podle, u, vedle, blízko, kolem, včetně, okolo, uprostřed, během, místo **41/8** 1. starého obchodu 2. bývalého šéfa 3. nové dálnice 4. lesa, blízkého parku 5. Středozemního moře 6. vysokého stromu 7. staršího bratra 8. dobrodružné cesty 9. severní Itálie, jižní Francie 10. českého prezidenta 11. nějakého muže 12. cestovní kanceláře 13. nového cédéčka 14. drahého kola 15. Staroměstského náměstí 16. britského premiéra **41/9** 1. bez kterého 2. vedle které 3. kolem kterého 4. od které 5. z kterého 6. u/vedle které 7. do/kolem kterého 8. podle kterého **41/2** 1. z Nového Zélandu 2. do Ostravy 3. na jazzi třídy 4. z Černé Hory 6. na holiče 5. z města 8. od té nové doktorky **42/1** dům Petra, byt Evy, vila Lucie, chata Tomáše **42/2** 1. Pes mojí/mé nejlepší kamarádky Jany je zlý. 2. Kočka tvojí/tvé starší sestry Lucie je hodná. 3. Televize vaší nové učitelky Dany je plazmová. 4. Mobil našeho starého souseda pana Horáka je moderní. 5. Fax mého nejmladšího bratra Pavla je rozbitý. 6. Chalupa naší staré sousedky je pěkná. 7. Hračky tvého malého syna jsou krásné. 8. Kabelka její nesympatické kolegyně je značková. 9. Nápady jejich nemožného šéfa jsou hloupé. 10. Přítelkyně vašeho nepopulárního premiéra je nesympatická. **42/3** Z Nového světa je symfonie českého skladatele Antonína Dvořáka. – Chaloupka strýčka Toma je román americké spisovatelky Harriet Beecher-Stoweové. – Anna ze zeleného domu je román kanadské spisovatelky Lucy Maud Montgomeryové. – Zápisky z mrtvého domu je román ruského spisovatele Fjodora Michajloviče Dostojevského. – Slečny z Avignonu je obraz španělského malíře Pabla Piccassa. – Kronika Pickwickova klubu je román anglického spisovatele Charlese Dickense. – Utrpení mladého Werthera je novela německého básníka Johanna Wolfganga Goetha. **42/4** Antonín Dvořák, Harriet Beecher-Stoweová, Lucy Maud Montgomeryová, Fjodor Michajlovič Dostojevskij/Dostojevský, Pablo Picasso, Charles Dickens, Johann Wolfgang Goethe **42/5** moučkového cukru, oleje, vaječného likéru, polohrubé mouky, prášku, těsta, kakaa, moučkového a vanilkového cukru **42/6** 1. kelímek jogurtu – Dám si kelímek jogurtu. 2. trochu/hodně salámu – Dám si trochu/hodně salámu. 3. kousek másla – Chtěl/a bych kousek másla. 4. 20 deka sýra – Chtěl/a bych 20 deka sýra. 5. láhev vína – Chtěl/a bych láhev vína. 6. konzerva guláše – Chtěl/a bych konzervu guláše. 7. kousek dortu – Dám si kousek dortu. 8. kilo masa – Chtěl/a bych kilo masa. 9. sklenice vody – Dám si sklenici vody. 10. krabička/sáček čaje – Chtěl/a bych krabičku/sáček čaje. **43/1** počítačů – počítač, banánů – banán, klíčů – klíč, knih – kniha, korun – koruna, kalendářů – kalendář, věd – věda, jízdenek – jízdenka **43/tabulka** Chybějící formy jsou: mě – tě – nás – jich **43/3** 1. ho 2. jí 3. jich 4. mě 5. nás 6. vás 7. tě 8. mě 9. nás 10. vás 11. tě 12. ho 13. jí 14. mě 15. tebe 16. mě 17. něho/něj 18. nás 19. ní 20. nich 21. vás **43/5** 1. mně 2. ho 3. jí 4. tebe 5. nás 6. vás 7. něho/něj 8. ně 9. tobě 10. jich 11. tě 12. vás 13. něho/něj 14. mě 15. ní 16. mě 17. nich 18. ho 19. ji 20. mě 21. tebe 22. nás 23. tebe 24. vás 25. je 26. ní **44/3** 1D, 2A, 3B, 4C, 5F, 6E **45/6** osmička, dvanáctka, dvacet šestka/šestadvacíka, jednička, dvě stě padesát čtyřka, desítka, sedmička, dvacet dvojka/dvaadvacítka, čtyřka, třináctka, pětka, sto třicet trojka, čtrnáctka, patnáctka, šestka, sedmnáctka **45/7** 1. 14 2. 15 3. 7, B 4. 22 5. 5, C 6. 9 7. 8, 1 8. 25 **45/8** sem, tady – jinam, kudy – tudy, odtud, jinde, zprava – zleva, jinudy, tudy – jinudy, zleva, shora, dolů, odtud, odtamtud **45/9** 1. dolů, nahoru 2. vlevo, vpravo 3. z domu 4. jinde

Lekce 5

47/4 1. spisovatelka 2. herečka 3. politička 4. účetní 5. vědkyně 6. archeoložka 7. právnička 8. úředník 9. umělec 10. policista 11. sportovec 12. obchodník 13. dělník 14. ministr **48/4** 1. o koho 2. co 3. jaké 4. proč 5. s kým 6. jaký 7. čím **49/5** 1. rodiče 2. baví mě 3. kluk 4. holka 5. koníček 6. povolání **49/7** 1G, 2C, 3F, 4H, 5D, 6J, 7I, 8A, 9B, 10E **49/9** 1. kterým 2. kterém 3. kterou 4. kterém 5. kterého 6. které 7. které 8. kterém **50/2** 1. Čím chceš být? 2. S kým mluvíš? 3. Čím se zabýváte? 4. S kým půjdeš do kina? 5. S čím nejsi spokojená? 6. S kým jste se seznámila? 7. S kým chodíš do školy? 8. Čím ses chtěl stát? 9. S kým ses sešel? **50/3** 1. S kým?/S kým jsi byla v kině? 2. S kým?/S kým ses včera sešel? 3. S čím?/S čím mi pomůžeš? 4. S kým?/S kým jsi mluvila? 5. S čím?/S čím jsi spokojená? 6. S kým?/S kým ses seznámil? 7. S čím?/S čím si dáte čaj? 8. Čím?/Čím chtěla být? 9. Čím?/Čím se zabýváš? 10. Čím?/Čím se stal? **50/4** můj koníček stal mým povoláním, zabývám se dětskou neurologií, stanu se slavným cestovatelem, Hanzelka a Zikmund procestovali starým autem celou Afriku, zabývám se politickým vývojem, známky sbírám se svým malým vnukem **50/5** 1. výborným lékařem 2. klasickou hudbou 3. dalším učitelem 4. mladou herečkou 5. jinou prací 6. novou přítelkyní 7. starým rádiem 8. populární spisovatelkou 9. slavným sportovcem 10. horkým mlékem 11. mladším kolegou 12. velkou radostí **51/6** být*, scházet se/sejít* se s, setkávat se s/setkat se s, stávat se/stát* se, zabývat se, seznamovat se/seznámit se s, být* spokojený s, spokojovat se/spokojit se s, chodit s, rozvádět se/rozvést* se s, souhlasit s, rozcházet se/rozejít* se s **51/7** 1. tvojí/tvou sestrou 2. jejich školou 3. naším manažerem 4. mým kamarádem 5. tvým bratrem 6. jejím dědečkem 7. jeho kamarádkou 8. vaším přítelem 9. mojí/mou kolegyní **51/8** čtyřletým chlapečkem, dvouletou holčičkou, dobrým vztahem – alkoholičkou, sympatickou a hodnou abstinentkou, astrologií – romantickým srdcem, úsměvem, kterou – kterým, dobrým přítelem, vtipným kamarádem, něžným milencem – vlastním bytem, autem, chatou, nemocnou maminkou, kým – smyslem, zájmem **51/10** mezi, pod, nad, před, s, za **51/11** 1. s, se 2. za 3. před 4. mezi 5. nad 6. s 7. před 8. za **51/12** 1. se kterou 2. se kterým 3. před/za kterým 4. se kterým 5. se kterým 6. nad/pod kterou 7. před kterým 8. pod kterou **52/1** 1. nad gaučem 2. za dům 3. na okně 4. před knihovnu 5. mezi postelí a skříní 6. nad stůl 7. před hotelem 8. na talíř 9. pod kobercem 10. pod židli **52/2** Televizi dal na skříňku. Televize je na skříňce. – Polici dal nad televizi. Police je nad televizí. – Knihy dal na polici. Knihy jsou na polici. – Světlo dal nad stůl. Světlo je nad stolem. – Kočku dal na stůl. Kočka je na stole. – Podkolenky dal na/přes židli. Podkolenky jsou na/přes židli. – Rádio dal na polici. Rádio je na polici. – Polštář dal na gauč. Polštář je na gauči. – Pantofle dal pod gauč. Pantofle jsou pod gaučem. – Vázu dal na stůl. Váza je na stole. – Kytku dal mezi gauč a skříň/za gauč. Kytka je mezi gaučem a skříní/za gaučem. – Psa dal za gauč. Pes je za gaučem. **52/4** psát* černou propiskou, kopat* levou nohou, platit bankovní kartou, letět raketou, jíst* velkou lžící, česat* se modrým hřebenem, jít* hustým lesem, krájet ostrým nožem, mýt* se studenou vodou, jet* starým taxíkem, umřít* hladem **53/1** 1C 2E 3H 4B 5G 6A 7F 8D **53/tabulka** Chybějící formy jsou: tebou – ním – jí – vámi – nimi **53/2** 1. jím 2. tebou 3. jimi 4. ní 5. námi 6. nimi 7. mnou 8. vámi 9. ním 10. tebou **53/4** 1. ním 2. ním 3. ní 4. nimi 5. ním 6. nimi 7. ním 8. ní 9. jí 10. jimi **53/5** 1. vás 2. něm 3. tebe 4. nimi 5. nás 6. jí 7. mě 8. nich 9. tebou 10. mě **54/6** Jakou máte praxi v oboru? (Z), Jakou budu mít pracovní dobu? (U), Jaké jazyky umíte? (Z), Jaký plat jste měl/a v minulém zaměstnání? (Z), Máte řidičský průkaz? (Z), Jaký plat byste si představoval/a? (Z), Kdyby to bylo nutné, můžete pracovat přesčas? (Z), Kolik dní dovolené budu mít? (U), Kde jste studoval/a? (Z), Umíte pracovat na počítači? (Z), Jaké nabízíte finanční ohodnocení? (U), Proč chcete změnit práci? (Z), Nabízíte nějaká školení nebo stáže pro zvýšení kvalifikace? (U), Proč jste si vybral/a naši firmu? (Z), Nabízí vaše firma nějaké benefity (např. stravenky, příspěvek na dopravu, jazykové kurzy, fitness)?(U)

Lekce 6

57/3 1. princezna Mononoke 2. včelka Mája 3. Simpsonovi 4. Mickey Mouse 5. vlk a zajíc 6. Bob a Bobek 7. pejsek a kočička 8. Asterix a Obelix 9. Tom a Jerry **59/6** kocour – kocourek, kočka – kočička, zajíc – zajíček, holka – holčička, myš – myška, včela – včelka, čumák – čumáček, králík – králíček, chlapec – chlapeček, pes – pejsek **59/7** chlapec, pes, králíček, čumáček, zajíček, kocourek, chlapeček, pejsek **59/9** 1. kdo 2. kolik 3. kdy/proč 4. proč 5. co 6. jak **59/10** 1. natočil 2. vyrábí 3. věřily 4. vypráví 5. pouští 6. si stěžovala 7. přejí 8. pomohl **59/13** 1. ještě 2. už 3. ještě 4. už 5. už 6. ještě 7. ještě 8. už **59/14** 1. které 2. kterým 3. které 4. které 5. kterého 6. které 7. který **60/2** 1. Komu jsi teď telefonoval? 2. Čemu jste nerozuměli během lekce?/ Čemu jste během lekce nerozuměli? 3. Ke komu půjdete na návštěvu? 4. Kvůli čemu jsi nejel na dovolenou? 5. Komu píšete ten dopis? 6. Čemu se tolik směješ? 7. Proti čemu protestují studenti?/Proti čemu studenti protestují? 8. Komu chceš pustit to cédéčko? 9. Komu jsi dala ten dárek? **60/3** 1. Ke komu?/Ke komu musíš jít? 2. Díky komu?/Díky komu máš lepší náladu? 3. Kvůli čemu?/Kvůli čemu nemůžeš jet na výlet? 4. Naproti čemu?/Naproti čemu jsi bydlela? 5. Proti čemu?/Proti čemu jsi protestoval? 6. Komu?/Komu telefonuješ? 7. Komu?/Komu jsi to řekla? 8. Čemu?/Čemu nerozumíš? 9. Komu?/Komu jsi půjčil auto? **60/4** kvůli vážnému zdravotnímu problému, pouštím příběhy o krtečkovi našemu malému synovi, díky jednomu našemu oblíbenému cédéčku, všichni čtenáři přejí milému krtkovi k jeho krásnému výročí všechno nejlepší **60/5** kvůli, proti, k, vzhledem k, díky, směrem k, naproti **60/6** 1. dobrému doktorovi 2. těžkému testu 3. nemocnému kamarádovi 4. chytré kamarádce 5. nějakému šikovnému holiči 6. operovanému psovi 7. nedělní snídani 8. velkému parku 9. špatné politice 10. nevlastní sestře a bratrovi 11. Severnímu moři, Baltskému moři 12. problematické situaci **61/7** 1. k 2. k, do 3. ke 4. ke 5. do, k 6. k 7. k 8. do **61/11** 1. dobrému studentovi 2. nejlepšímu kamarádovi 3. sympatické kolegyni 4. starší sestře 5. české gramatice 6. novému učiteli 7. bohatému podnikateli 8. tomu mladému muži 9. mladšímu bratrovi 10. tomu staršímu pánovi 11. veselému vtipu 12. špatnému parlamentu 13. té mladé ženě 14. tomu malému dítěti 15. malému synovi **62/12** 1. tvojí/tvé manželce 2. naší vládě 3. tvému kolegovi 4. jejímu bratranci 5. vaší přítelkyni 6. naší učitelce 7. vašemu nápadu 8. jejímu manželovi 9. její sestřenici 10. tvojí/tvé kamarádce 11. mému dědečkovi 12. vašemu jazyku 13. vašemu řediteli 14. mojí neteři **62/13** 1. díky kterému 2. ke které 3. kterému 4. naproti/proti kterému 5. které 6. kterému **62/14** 1. Václavu Havlovi 2. panu profesorovi 3. Jaromíru Jágrovi 4. panu inženýrovi 5. Karlu Gottovi 6. panu doktorovi **63/tabulka** Chybějící formy jsou: ti – mu – vám – nim **63/3** 1. mu 2. jí 3. vám 4. mně 5. nám 6. ti 7. jí 8. ti 9. mu 10. vám 11. jim 12. jí 13. nám 14. mi/mně 15. nim 16. mně 17. vám 18. tobě 19. ní 20. vám 21. němu **63/5** mi/mně, něm, mu, jí, ni, jich, jim, mi/mně, je, mi/mně, mi/mně, mi/mně, tebe, námi, mu, něho/něj, mě, mi/mně, mě, mi/mně **64/1** 1H, 2B, 3C, 4F, 5I, 6A, 7E, 8D, 9G **65/10** 1. nic se nezměnilo 2. spěchat 3. čas „letí/utíká" rychle 4. to už je pozdě 5. běžet na nákup 6. svatební cesta 7. Vánoce 8. chaos 9. před dvěma týdny 10. tady 11. jenom 12. tento rok 13. několik dní 14. Co tady ve městě můžete dělat? **65/11** 1. až 2. jenom 3. až 4. jenom 5. jenom 6. až 7. až 8. až, jenom

Lekce 7

69/8 1. hezké vzpomínky 2. udělal radost 3. slavných osobností 4. výstrahu 5. vášnivá sběratelka/vášnivou sběratelku 6. základní kámen/základním kamenem 7. velkou finanční hodnotu 8. svatební oznámení **69/10** 1. Když jsem byla malá, sbírala jsem panenky a můj bratr sbíral známky. 2. Museli jsme jet do nemocnice, protože si syn strčil do nosu pecku z pomeranče. 3. Moc si vážím svojí babičky, protože měla těžký život, ale nikdy si nestěžovala. 4. Děkuju vám za dopis, svým zájmem jste mi udělal velkou radost. 5. Děti můžou vdechnout různé věci. 6. Když jsem se naučil tři jazyky, začal jsem psát lidem z celého světa. **69/11** 1. sbíral 2. vybrat 3. probrali/rozebrali 4. vybírala, vybrala 5. sebrat 6. rozebral 7. probíráme 8. přebrat/probrat 9. nabíral 10. přebral **69/12** 1. kamínek 2. korálek 3. špendlík 4. ubrousek 5. věc 6. kousek 7. podpis 8. sběratel 9. bratr 10. květináč 11. pecka 12. jehla 13. známka 14. autíčko 15. pohlednice 16. mince 17. oznámení 18. dítě **70/2** člověk má hezké vzpomínky, kdo zná bratry, Adam a Jindřich jsou zkušení doktoři, oba sbíráme různé zajímavé věci, maminka sbírala malované květináče, sbírala jsem staré pohlednice, barevné ubrousky, malá autíčka, všichni známí mi posílají hezká svatební oznámení **70/3** 1. jahodové jogurty, holandské sýry, banánové dorty, kakaové koktejly, čokoládové zmrzliny, oříškové sušenky, belgické čokolády, francouzská vína, česká piva, německá auta, italská espresa 2. žluté melouny, dobré okurky, červené a oranžové papriky, sladká jablka, velké pomeranče 3. platné pasy, kvalitní kufry, nové časopisy, dobré mapy, velké tašky, dobré knihy, platné letenky nebo jízdenky 4. staré domy, barokní kostely, kamenné mosty, nové a staré autobusy, velké a malé obchody, hezké kavárny, drahé a levné restaurace, krásná náměstí, stará nádraží 5. velké stoly, modré koberce, vysoké lampy, malá křesla, nové židle, hezké gauče 6. zajímavé časopisy, napínavé detektivky, historické romány, krátké povídky **71/4** dvě/tři/čtyři drahá kola, dva/tři/čtyři nové filmy, dvě/tři/čtyři staré univerzity, dvě/tři/čtyři velká okna, dvě/tři/čtyři tenisové rakety, dvě/tři/čtyři zajímavé statistiky, dvě/tři/čtyři živé bakterie, dvě/tři/čtyři slavné galerie, dvě/tři/čtyři populární komedie, dvě/tři/čtyři detailní analýzy, dvě/tři/čtyři tužkové baterie, dva/tři/čtyři zajímavé experimenty, dvě/tři/čtyři červená auta, dvě/tři/čtyři stará rádia, dvě/ tři/čtyři kvalitní cédéčka, dva/tři/čtyři staré gauče, dva/tři/čtyři malé pomeranče, dvě/tři/čtyři nové planety, dvě/tři/čtyři špatné investice, dvě/tři/čtyři italská espresa, dva/tři/čtyři oblíbené festivaly **71/1** doktoři, ministři, ekologové, ekonomové, premiéři, číšníci, kuchaři, šéfkuchaři, politici, prezidenti, profesoři, manažeři, automechanici, technici, řidiči, advokáti, zpěváci, spisovatelé, učitelé, ředitelé, prodavači, taxíkáři, komentátoři, moderátoři, herci, novináři, fotografové, kameramani/kameramané, turisti/ turisté, zákazníci, konzultanti, programátoři, revizoři, hosti/hosté **71/2** Češi, Němci, Rusové, Italové, Irové, Poláci, Rakušani/Rakušané, Maďaři, Slováci, Američani/Američané, Angličani/Angličané, Skoti, Francouzi, Australani/Australané, Japonci, Vietnamci, Číňani/Číňané, Mexičani/Mexičané, Brazilci **71/3** Pražák, Brňák, Ostravák, Plzeňák, Jihlavák, Australan, Londýňan, Pařížan, Newyorčan, Berlíňan, Vídeňák **71/4** 1. Italy 2. studenti, Angličani, Američani 3. lektory, Češi, Rakušani 4. kamarádi, Francouzi 5. pánové 6. turisti 7. zpěváky 8. Rusy, Poláky 9. Slováci, Maďary **71/5** doktory, ministry, ekology, ekonomy, premiéry, číšníky, kuchaře, šéfkuchaře, politiky, prezidenty, profesory, manažery, automechaniky, techniky, řidiče, advokáty, zpěváky, spisovatele, učitele, ředitele, prodavače, taxíkáře, komentátory, moderátory, herce, novináře, fotografy, kameramany, turisty, zákazníky, konzultanty, programátory, revizory, hosty **72/7** cizí jazyky, jazykové školy, moji/mí kamarádi, mezinárodní pracovní tábory, workcampy, Češi, mladí lidé, Švédi, Poláci, Maďaři, Italové, Rusové, Francouzi, Němci, Američani/Američané, Brazilce, Kolumbijce, ekologické domy, postižené děti, nové kamarády, kamarádky, moji/mí kamarádi, dva Italové, dva Američani/Američané, tři Poláci **72/1** 1. auta 2. rajčata 3. povolení 4. nádraží 5. okna 6. štěňata 7. koťata 8. letiště 9. kuřata 10. zvířata **72/2** 1G, 2B, 3J, 4N, 5M, 6D, 7O, 8C, 9E, 10L, 11F, 12A, 13K, 14H, 15I **73/3** Máme rádi zvířata **73/1** 1. kteří 2. které 3. které 4. které 5. které 6. která 7. které 8. kteří 9. která 10. které **73/2** 1. Kdo?/Kdo bydlí v Praze? 2. O koho?/O koho se staraly? 3. S kým?/S kým jste se seznámili? 4. Co?/Co je na stole? 5. Do čeho?/Do čeho se zamiloval? 6. O čem?/O čem jsi přemýšlel? 7. Komu?/Komu jsi věřil? 8. Čím?/Čím se staly? 9. Kvůli čemu?/Kvůli čemu jsi přišel pozdě? 10. Koho?/Koho si vůbec nevšímala? **74/3** jeden metr látky, dvě deci vína, tři kila pomerančů, třicet litrů benzínu, dvacet deka šunky **75/6** 1F, 2I, 3C, 4G, 5A, 6E, 7H, 8B, 9J, 10D **75/7** 1. záruku 2. spotřebujte 3. rozměnit 4. pokladny 5. účet 6. vrátit peníze 7. záruční list 8. velikost 9. reklamace 10. záruční **75/10** 1. zapnout 2. zapínat, rozepínat 3. vypni 4. rozepnout 5. přepíná 6. zapínám

Lekce 8

77/1 1. svátek Svatého Patricka – B 2. ruský Nový rok – F 3. Den díkůvzdání – E 4. čínský Nový rok – G 5. karneval – H 6. pouť do Mekky – C 7. Timkat – I 8. Svátek světel – D 9. Svátek kvetoucích sakur – A **77/3** 1F, 2A, 3D, 4B, 5C, 6E **79/5** 1. čočka – na Nový rok 2. vánočka – na Vánoce 3. chlebíčky – na Silvestra 4. beránek – na Velikonoce 5. opečený buřt – na Čarodějnice 6. kolekce – na Vánoce 7. kapr a bramborový salát – na Vánoce 8. malovaná vajíčka – na Velikonoce 9. mikulášská nadílka – na Mikuláše 10. cukroví – na Vánoce 11. bonboniéra – na Valentýna 12. jednohubky – na Silvestra **79/6** slavit/oslavit, zvykat* si/zvyknout* si, pálit/spálit, vydělávat/vydělat, přinášet/přinést*, zvonit/zazvonit, dostávat/dostat*, divit se/podivit se, jíst*/sníst*, zachraňovat/zachránit **79/7** 1. na, o 2. –, – 3. na 4. v 5. ve 6. –, – 7. po 8.– 9. ze, na 10. na, na, na **80/tabulka** čtvrt na tři – půl třetí – tři čtvrtě na tři **80/4** 1. Je půl druhé. 2. Je tři čtvrtě na šest 3. Sejdeme se ve čtvrt na jednu. 4. V půl desáté. 5. Ve tři čtvrtě na jedenáct. 6. V práci začínáme v půl osmé a končíme ve čtvrt na pět. 7. Teď ne, můžu až ve čtvrt na deset. **81/tabulka** třetího třetí/března, čtvrtého čtvrtý/dubna, pátého pátý/května, šestého šestý/června, sedmého sedmý/července, osmého osmý/srpna, devátého devátý/září, desátého desátý/října, jedenáctého jedenáctý/listopadu, dvanáctého dvanáctý/prosince **81/1** 1. sedmého dubna/čtvrtý 2. patnáctého ledna/první, šestnáctého 3. dvanáctého, desátého 4. devátého října/desátý, osmého listopadu/jedenáctý 5. dvacátého sedmého/sedmadvacátého února/druhý 6. desátého, dvacátého čtvrtého/čtyřiadvacátého července/sedmý 7. třetího listopadu/jedenáctý, jedenáctého prosince/dvanáctý **81/2** devatenáct set osmdesát devět/tisíc devět set osmdesát devět, sedmnáct set sedmdesát šest/tisíc sedm set sedmdesát šest, čtrnáct set šedesát pět/tisíc čtyři sta šedesát pět, dva tisíce sedm, patnáct set šedesát osm/tisíc pět set šedesát osm, dva tisíce, devatenáct set dvacet jedna/tisíc devět set dvacet jedna, šestnáct set padesát šest/tisíc šest set padesát šest, jedenáct set dvanáct/tisíc sto dvanáct, osmnáct set třicet dva/tisíc osm set třicet dva **82/1** 1. minulou neděli 2. každou zimu 3. minulý rok 4. celé léto 5. každou chvíli 6. celou dobu 7. minulý měsíc 8. každou středu 9. celou noc 10. celé dopoledne 11. příští sobotu 12. celý večer **82/2** 1. za 2. na, na 3. za 4. na 5. –, – 6. za 7. –, – 8. na 9. za 10. –, – **82/3** 1. výletu 2. léta 3. minulého roku 4. práce 5. středy, pátku 6. té doby 7. roku, roku **82/4** 1. zimě, létě 2. lekci 3. vaření 4. dobré snídani 5. tenise/tenisu 6. roce **82/5** 1. lednu 2. únoru 3. březnu 4. dubnu 5. květnu 6. červnu 7. červenci 8. srpnu 9. září 10. říjnu 11. listopadu 12. prosinci **82/6** 1. rokem 2. obědem 3. večeří 4. schůzí 5. měsícem 6. týdnem 7. schůzkou 8. konferencí **82/7** 1. před 2. za 3. na 4. –, – 5. v, v 6. na 7. o 8. při 9. během 10. od, do 11. na 12. po 13. před 14. – **83/3** 1. letos 2. předevčírem 3. teď hned 4. tenkrát 5. a přitom 6. zatím 7. zatímco 8. v současné době **83/4** 1. v budoucnosti 2. loni 3. brzo 4. dřív 5. nejdřív 6. pořád/vždycky/furt *(OČ)* 7. ve všední den 8. teď **84/3** 1E (vykají si), 2C (tykají si): kafe, jasně, 3B (vykají si), 4A (tykají si): pátý, nového, pátý, 5D (tykají si)

Lekce 9

89/5 1. průměrně 2. mají předsudky 3. živit 4. parazit 5. volební právo 6. rovné příležitosti 7. komplex méněcennosti 8. vzniká 9. založily 10. uznávám **89/6** 1. zakladatel, zakladatelé, zakladatelky 2. spisovatel, spisovatelé, spisovatelky 3. překladatel, překladatelé, překladatelky 4. tvůrce, tvůrci, tvůrkyně 5. vůdce, vůdci, vůdkyně 6. sportovec, sportovci, sportovkyně 7. kolega, kolegové, kolegyně 8. úředník, úředníci, úřednice 9. obchodník, obchodníci, obchodnice 10. dělník, dělníci, dělnice 11. král, králové, královny 12. blondýn, blondýni, blondýnky **89/7** 1. založila 2. přeložila 3. naložíme 4. odkládat 5. odkládáš 6. vyložit 7. složil 8. založila **89/8** 1. uklidit 2. luxovat 3. opravit 4. péct* 5. vynášet 6. utírat 7. vyprat* 8. žehlit 9. napsat* 10. umýt* 11. vyměnit 12. vytírat **90/tabulka** Psal dopis. – Napsal dopis. **90/1** impf. – udělat, pf. – jíst*, pf. – vařit, impf. – podívat se, pf. – říkat, pf. – navštěvovat, impf. – napsat*, impf. – uklidit, impf. – vysvětlit, pf. – volat, pf. – brát*, impf. – opravit, impf. – koupit, pf. – zvát*, impf. – vrátit, impf. – pronajmout*, pf. – smát* se, pf. – pomáhat, impf. – přečíst*, pf. – potkávat **91/5** 1. pf. – Požádám o pas. 2. impf. – Pojedu na služební cestu. 3. impf. – Budu si stěžovat na špatné služby v hotelu. 4. pf. – Zvyknu si na české jídlo. 5. pf. – Zúčastním se konference. 6. pf. – Postarám se o tvého psa během dovolené. 7. pf. – Zeptám se učitelky na novou učebnici. 8. impf. – Půjdu s kamarády na ples. 9. pf. – Popovídám si s kamarádkou. 10. pf. – Zavolám do banky kvůli tomu účtu. 11. impf. – Budu se těšit na naše další setkání. 12. pf. – Pronajmu si byt v centru. 13. impf. – Budu chodit každý den na jógu. 14. pf. – Pohádám se o peníze se sourozenci. 15. impf. – Budu jezdit na koni po parku. 16. impf. – Budu přemýšlet o tom návrhu. 17. pf. – Vyřídím váš vzkaz kolegovi. 18. pf. – Poslechnu si zprávy v rádiu. 19. pf. – Vrátím se z dovolené 20. dubna. 20. pf. – Začnu držet dietu. **91/6** 1. snědl 2. jedl 3. se vracela 4. se vrátil 5. obědvala 6. naobědvala 7. nakoupila 8. nakupovala 9. luxoval 10. vyluxoval **92/1** 1. Až udělám domácí úkol, budu se dívat na televizi. 2. Až umyju nádobí, přečtu si noviny. 3. Až sním oběd, dám si dezert. 4. Až prodám staré auto, koupím si nové. 5. Až se vrátím domů, budu uklízet. 6. Až napíšu e-mail, budu pracovat na zahradě. 7. Až všechno nakoupím, pojedu domů. 8. Až se naučím česky, budu studovat další jazyk. **92/2** 1. když 2. když 3. až 4. když 5. až 6. když 7. když 8. když 9. když 10. až 11. když 12. až **93/7** 1I, 2D, 3C, 4F, 5G, 6J, 7E, 8B, 9K, 10L, 11N, 12H, 13A, 14M **93/10** budu – impf. budoucí čas, budu číst – impf. budoucí čas, budu lisovat – impf. budoucí čas, chci – impf. přítomný čas, milovat – impf. infinitiv, koupím si – pf. budoucí čas, sednu – pf. budoucí čas, pořídím – pf. budoucí čas, budu mít – impf. budoucí čas, budu pozorovat – impf. budoucí čas, jdou – impf. přítomný čas, budu pít – impf. budoucí čas, budu mlčet – impf. budoucí čas, mlčí – impf. přítomný čas, vědí – impf. přítomný čas **93/11** 1. pořídím si/koupím si/budu mít 2. budu pozorovat 3. sednu 4. koupím si/pořídím si 5. budu mlčet 6. budu pít 7. budu číst **94/1** 1B, 2C, 3D, 4G, 5E, 6H, 7I, 8F, 9J, 10K, 11A, 12L **95/5** 1. obarvit 2. ušít 3. opravit 4. opravit 5. namasírovat 6. opravit 7. vyčistit 8. ostříhat **95/9** kov – kovový, zlato – zlatý, stříbro – stříbrný, dřevo – dřevěný, papír – papírový, kámen – kamenný, sklo – skleněný, kůže – kožený, plast – plastový, guma – gumový

Lekce 10

99/8 1. obešel 2. ujela 3. vytvořila 4. vystoupil 5. nařídili 6. jsem dojela 7. nepodařilo se **99/9** 1. Zúčastnili jste se někdy nějakého extrémního závodu? 2. Musel jsem si vybrat, jestli přespím pod mostem, nebo v parku. 3. Sportovkyně nemohla závodit, protože byla příliš vyčerpaná. 4. Nepodařilo se jí přeplavat celý rybník. 5. Můj kamarád si dal dárek k narozeninám – jel na cestu kolem světa. 6. Mám sen přejet na kole Austrálii ze západu na východ. 7. Když se mě dneska zeptáte, jak na cestu vzpomínám, řeknu, že dobře. 8. Užívám si posledních dvacet kilometrů. **99/10** 1. Neil Armstrong 2. Roald Amundsen 3. Edmund Hillary 4. Tenzing Norgay 5. Steve Fossett 6. Charles Lindbergh 7. Fernao de Magalhaes 8. Jurij Gagarin 9. Thor Heyerdahl **99/11** 1. Thor Heyerdahl 2. Fernao de Magalhaes 3. Charles Lindbergh 4. Jurij Gagarin 5. Edmund Hillary a Tenzing Norgay 6. Steve Fossett 7. Roald Amundsen 8. Neil Armstrong **99/12** 1. odstoupit 2. vystoupíme 3. vstoupila 4. zastoupila 5. postoupili 6. vystoupím 7. nastupuju 8. přestoupit 9. odstoupit **100/1** 1C, 2G, 3H, 4I, 5B, 6F, 7K, 8M, 9L, 10N, 11D, 12O, 13E, 14A, 15J **101/2** vyšel, přešel, zašel, přišel, přijel, odjel, objel, vyjel, projel, vyjel, sjel, přijel, přeplaval, prošel, našel, přišel, přišel **101/3** 1. prohráli, vyhrát 2. vyměnit 3. rozložit, složit 4. dopsal 5. zabalit 6. vybírala, vybrala 7. odstěhovat 8. přimalovat 9. naložili, odjeli 10. odstěhoval 11. dočetl/přečetl 12. podepsat 13. vydělal 14. dodělal 15. předělat **102/1** 1. Šel/šla jsem do školy. Půjdu do školy. 2. Často jsem chodil/chodila do kina. Často budu chodit do kina. 3. V 5 hodin jsem jel/jela na letiště. V 5 hodin pojedu na letiště. 4. Někdy jsem jezdil/jezdila na letiště. Někdy budu jezdit na letiště. 5. V pátek jsem letěl/letěla do Argentiny. V pátek poletím do Argentiny. 6. Létal/létala jsem nerad/nerada. Budu létat nerad/nerada. 7. Nesl/nesla jsem domů jídlo a pití. Ponesu domů jídlo a pití. 8. Nikdy jsem nenosil/nenosila těžké věci. Nikdy nebudu nosit těžké věci. 9. Vedl/vedla jsem děti do školy. Povedu děti do školy. 10. Často jsem vodil/vodila psa na procházku. Často budu vodit psa na procházku. 11. Vezl/vezla jsem psa na veterinu. Povezu psa na veterinu. 12. Vozil/vozila jsem syna do nemocnice. Budu vozit syna do nemocnice. 13. Běžel/běžela jsem domů. Poběžím domů. 14. Nikdy jsem neběhal/neběhala maraton. Nikdy nebudu běhat maraton. **102/2** 1. Každý víkend jezdím na výlet. 2. Příští měsíc poletím do USA. 3. V neděli večer půjdu na koncert. 4. Nemám rád auta a nikdy nejezdím autem. 5. Obvykle chodím na procházku. 6. Zítra pojede babička na vlak. 7. V létě vždycky létám do Vietnamu. 8. Teď nesu těžkou tašku. 9. Dneska povedu psa na procházku. 10. Vždycky vozím kamaráda na letiště. **103/1** 1. Včera jsem přišel domů až v 11 hodin. – Když jsem chodil do práce, každý den jsem přicházel už v 7 hodin. 2. Auto už přijelo. – Auto přijíždělo pomalu. 3. Kdy přiletělo to letadlo? – Každý večer k nám na okno přilétali ptáci. 4. Přinesl jsem nemocné sestře do nemocnice květiny a ovoce. – Noviny každý den přinášely nové informace. 5. Tati, co jsi přivezl? – Taxíky přivážely hosty na recepci. 6. Jste doma? Přivedl jsem hosty! – Manžel každý víkend přiváděl na oběd babičku. 7. Syn přiběhl domů z tréninku. – Sportovci přibíhali do cíle na stadionu. **103/2** 1. Herečka často chodila do divadla pozdě. 2. Autobus pomalu vyjížděl z tunelu. 3. Odvážel jsem dceru do školy každý den. 4. Vlak pomalu vjížděl do tunelu. 5. Obvykle jsme přiváželi dětem dárky. 6. Dlouho jsme obcházeli dům. 7. Letadlo pomalu odlétalo z letiště. 8. Auto opatrně podjíždělo most. 9. Procházeli jsme městem tam a zpátky. 10. Vždycky jsme odcházeli domů brzo. 11. Ptáci přilétali z jihu každý rok. 12. Často jsem přinášela tatínkovi ovoce. 13. Jeden po druhém jsme se rozcházeli domů. 14. Manžel málokdy vynášel odpadky. 15. Přecházel jsem ulici tam a zpátky. 16. Občas odváděla syna na fotbal. 17. Mercedes rychle předjížděl ford. 18. Bratr se dlouho rozcházel s přítelkyní. 19. Pokaždé jsme se scházeli u divadla. 20. Slunce postupně vycházelo nad lesem. **103/3** 1. přiletěla 2. přijede 3. odvézt 4. přivezl 5. odešel 6. přinést 7. přivede 8. odběhla **105/6** obracím se na vás se stížností na pobyt – stěžuju si na pobyt, velmi – moc, pouze – jenom, jen, sociální zařízení – záchod a koupelna, již – už, však – ale, v důsledku toho – proto

Lekce 11

109/8 radostně – smutně, vlhko – sucho, šťastný – nešťastný, smát* se – plakat*, vonět – smrdět, ležet – stát*, teplo – zima, onemocnět – uzdravit se, světlo – tma **109/9** 1. nějaká bledá 2. bolí 3. onemocněla 4. se uzdravila 5. jako drak 6. vzdychala 7. voněl 8. probudilo 9. masti 10. nechutnalo **109/10** 1. vyléčit 2. vonět 3. uzdravit 4. smát* se 5. probudit 6. potkat 7. zaradovat se 8. růst* **109/11** profesorka, docentka, magistra, inženýrka, bakalářka, doktorka medicíny, lékařka, doktorka práv, právnička, doktorka filozofie – Paní magistro!/Paní Bartošová! Pane doktore!/Pane Skoumale! (OČ Pane Skoumal!) Pane magistře!/Pane Skřivánku! (OČ Pane Skřivánek!) Paní inženýrko!/Paní Horvátová! Pane doktore!/Pane Bureši! (OČ Pane Bureš!) Paní doktorko!/Paní Jánová! Paní profesorko!/Paní Zemanová! Paní doktorko!/Paní Škodná! Pane docente!/Pane Marvane! (OČ Pane Marvan!) **110/2** 1. Ireně 2. Roberta 3. Lucii 4. Tomovi 5. Marii 6. Alešovi 7. moji/mou sestru 8. našeho syna 9. naší učitelce 10. vašemu psovi 11. moji/mou babičku 12. tvému bratrovi 13. mému manželovi 14. mojí/mé manželce **110/3** 1. Bolí ji oko. 2. Nudí ho všechny sporty. 3. Zdá se mu, že honí kočku. 4. Jak se jim tady líbí? 5. Co ji svědí? 6. Zajímá nás balet. 7. Nehodí se mu ten termín schůze. 8. Je mu velká zima. 9. Sluší jí růžová barva. 10. Jak jí chutnají knedlíky? 11. Strašně ho baví počítačové hry. 12. Nikdy se jí nechce pracovat. **110/4** 1. Bolelo mě ucho. 2. Bolely nás nohy. 3. Bolelo mě břicho. 4. Bolela tě ruka? 5. Bolelo tě to? 6. Bolelo mě to. 7. Líbily se mi nové filmy. 8. Líbil se mi tvůj parfém. 9. Líbilo se mi to kotě. 10. Líbila se mi Praha. 11. Líbilo se ti to? 12. Líbilo se mi to. 13. Bavila tě ta kniha? 14. Zajímala nás historie. 15. Chutnal mi salát. 16. Hodilo se vám to? 17. Nudil mě ten film. 18. Chtělo se mi spát. 19. Bylo nám to moc líto. 20. Moc nás to mrzelo. 21. Chyběl mi kamarád. 22. Ty šaty vám slušely. 23. Nešla mi fyzika. 24. Moc mě těšilo. **111/tabulka** spolupracujou/spolupracují – spolupracuj – spolupracujte, mluví – mluv – mluvte, cvičí – cvič – cvičte, neřeší – neřeš – neřešte, uzdraví – uzdrav – uzdravte, přivedou – přiveď – přiveďte, radujou se/radují se – raduj se – radujte se, tancujou/tancují – tancuj – tancujte, pomyslí – pomysli – pomyslete, jdou – jdi – jděte, pozvou – pozvi – pozvěte, najdou – najdi – najděte, vezmou – vezmi – vezměte, dýchají – dýchej – dýchejte, hledají – hledej – hledejte, dají – dej – dejte, zpívají – zpívej – zpívejte **111/3** 1. jezte 2. kupte 3. měj 4. přijď 5. snězte 6. pojďte 7. vrať 8. zaplaťte 9. ukliď 10. jeďte 11. zapomeňte **112/4** odpočívají – odpočívej – odpočívejte, běží – běž – běžte, pracujou/pracují – pracuj – pracujte, uvaří – uvař – uvařte, uzdravit – uzdrav – uzdravte, vzít si – vezmou si – vezměte si, řeknou – řekni – řekněte, podívá se – podívej se – podívejte se, spí – spi – spěte, cvičit – cvičí – cvič, udělat – udělej – udělejte, jdou – jdi – jděte, pozvat – pozvou – pozvi **112/5** 1. řekni, neříkej 2. udělej, nedělej 3. zavři, nezavírej 4. napiš, nepiš 5. sněz, nejez 6. přečti, nečti 7. vem, neber 8. ukliď, neuklízej 9. kup, nekupuj 10. jdi, nechoď **112/6** chtěj – chtějte, klikni – klikněte, jeď – jeďte, přestaňte – přestaň, zhubněte – zhubni, buď – poslouchej – poslouchejte, seznam se – zlepši si, seznam se – seznam se, užij si – užijte si **113/1** 1. Ať Kamil připraví prezentaci. 2. Ať Jana zavolá později. 3. Ať Lucie pošle ten dopis. 4. Ať Michal a Petra přijdou včas. 5. Ať je Tomáš doma. 6. Ať Honza a Alice koupí nějaké jídlo. 7. Ať to, prosím, paní učitelka zopakuje. 8. Ať pan doktor napíše recept na oční kapky. **113/2** 1. Dávej pozor! Řekla jsem jí, ať dává pozor. 2. Buďte zticha! Požádali jsme je, ať jsou zticha. 3. Neboj se! Rodiče mu řekli, ať se nebojí. 4. Pospěšte si! Ředitel školy je viděl a řekl jim, ať si pospíší. 5. Nechte mě! Požádal jsem ho, ať mě nechá. 6. Zkus to! Kamarádi mi doporučujou, ať to zkusím. 7. Dej/dávej na sebe pozor! Mám o něj strach, píšu mu, ať na sebe dá/dává pozor. 8. Pozdravuj! Poprosil jsem ho, ať ji pozdravuje. **113/3** V roce 2000 před Kristem říkal lékař pacientovi, ať sní tenhle kořen. V roce 1000 říkal lékař pacientovi, že ten kořen je nanic, ať se modlí. V roce 1750 říkal lékař pacientovi, že modlitba je nanic, ať si vezme tyhle kapky. V roce 1850 říkal lékař pacientovi, že ty kapky jsou nanic, ať si vezme tenhle lék. V roce 1950 říkal lékař pacientovi, že ten lék je nanic, ať si vezme antibiotikum. V roce 2000 říkal lékař pacientovi, že to antibiotikum není přírodní, ať sní tenhle kořen. **113/4** 1. Lékař poradil pacientovi, ať bere lék. 2. Manžel doporučil manželce, ať přestane kouřit. 3. Otec zavolal syna, ať uklidí byt. 4. Děti poprosily maminku, ať koupí čokoládu. 5. Ředitelka požádala kolegu, ať vyřídí vzkaz. **114/3** rýma (N), zlomená noha (Ú), kašel (N), průjem (N), chřipka (N), otřes mozku (Ú), angína (N), zápal plic (N), být* nastydlý (N), rakovina (N), zácpa (N), infarkt (N), vymknutý kotník (Ú), zánět slepého střeva (N), popálenina (Ú) **114/4** 1F, 2E, 3D, 4B, 5C, 6A **115/6** 1G, 2E, 3D, 4H, 5J, 6C, 7F, 8B, 9I, 10A **115/7** praktický lékař, dětská lékařka, zubní lékařka (OČ zubařka), oční lékařka (OČ očařka), ortopedka, psychiatr, gynekologie, alergolog, kardiologie, chirurgie

Lekce 12

117/4 film: kamera, scéna, scénář, role, režie, režisér, scénárista, muzikál – výtvarné umění: obraz, socha, exponát, grafika, malíř, fotografie, sochař, koláž – literatura: román, poezie, próza, básník, kniha, sbírka, povídka, báseň – hudba: skladatel, balet, dirigent, symfonie, orchestr, skladba, píseň, muzikál – divadlo: divadelní hra/představení, scéna, balet, role, režie, režisér, dějství, muzikál **117/7** 1D, 2E, 3A, 4B, 5C **118/3** 1, 6, 9, 4, 3, 7, 2, 8, 5 **119/6** 1. když 2. které 3. až 4. když 5. ale 6. že, což 7. ani kdybyste 8. takže **119/7** 1. ačkoliv/přestože/i když 2. dokud 3. zatímco 4. jakmile/když 5. a proto 6. buď, nebo 7. ani, ani 8. i když/přestože/ačkoliv **119/9** odtahovat/odtáhnout* – odtažení, umět – umění, stát* – (zákaz) stání, skládat/složit – skladatel, přestávat/přestat* – přestávka, vstupovat/vstoupit – vstupenka, uvádět/uvést* – uvaděč, česat/učesat* – účes, vysvětlovat/vysvětlit – vysvětlení **120/1** dorazili jsme pět minut před začátkem, parkoviště už bylo plné aut, bude vás to stát padesát eur, bylo to asi deset kilometrů, v devět hodin večer zavírají, přesný čas jsem si přečetl z nádražních hodin **120/2** dlouhých porad, nejlepších kamarádů, oficiální návštěv, zajímavých konferencí, dlouhých schůzí, černých pavouků, jedovatých hadů, velkých psů, zkušených doktorů, hloupých lidí, nápadně oblečených žen, dobrých sportovců, přísných šéfů, mobilních telefonů, exotických zemí, ovocných knedlíků, chlupatých zvířat, slavných spisovatelů, drahých vín, úředních povolení **120/3** 1. našich dobrých kamarádů 2. mých starých sousedů 3. našich závodních aut 4. vašich anglických kolegyní/kolegyň 5. tvých bývalých kolegů 6. svých vlastních zkušeností 7. těch volných dnů/dní 8. těch vysokých domů 9. těch vysokých hor 10. těch mladých holek 11. těch velkých jezer 12. těch mladých lidí **120/4** Pojedu do Moravských Budějovic, do Litoměřic, Pardubic, do Strakonic, Domažlic, Beskyd, Poděbrad, Nových Hradů, Jeseníků, Jizerských hor, Krušných hor, Orlických hor **121/1** dva, tři, čtyři dolary, pět dolarů – jedno euro, pět eur – jedna libra, dvě, tři, čtyři libry – dva, tři, čtyři rubly, pět rublů – jeden jen, dva, tři, čtyři jeny **121/3** 1. Chtěl bych dvacet dekagramů/deka salámu a třicet dekagramů/deka sýra. 2. Ten stůl měří sto sedmdesát pět centimetrů. 3. Na vánoční cukroví potřebuju pět kilogramů/kilo mouky. 4. Letadlo letí rychlostí tři sta kilometrů za hodinu. 5. Dneska jsme ušli patnáct kilometrů. 6. Náš pes váží čtrnáct kilogramů/kilo. 7. Vlak dovezl pět tun uhlí. 8. Na kalhoty potřebuju sto šedesát centimetrů látky. 9. Chtěla bych šest kilogramů/kilo kvalitního vepřového. 10. Do té bramborové kaše přidejte ještě pět decilitrů/deci mléka. **121/4** osm set padesát gramů, šest set třicet pět kilogramů/kilo, osmdesát jedna let a dvě stě šedesát dva dní, pět tisíc šest set dvacet sedm milimetrů, sto dvacet kilometrů za hodinu **121/5** 1. oříškových čokolád 2. bílých jogurtů 3. zelených jablek 4. dobrých nápadů 5. smažených nudlí 6. teplých svetrů 7. zahraničních turistů 8. nových bot 9. bramborových knedlíků 10. velkých piv **121/6** moří, mlék, nocí, knih, snů, holek, kol, lidí, jmen, smutků **122/1** Karlův, Karlova, Karlovo, Karlovy, Viktoriino, Viktoriiny, Nobelova, Ludolfovo, Noemova, Pandořina, Pythagorova, Archimédův, Achillova, Aladinova **122/tabulka** Chybějící formy jsou: -ův, -ova, -ino, -ovy **122/2** 1. prezidentův bodyguard 2. milionářovo auto 3. profesorův student 4. učitelova kniha 5. premiérová strategie 6. architektův projekt 7. dědečkova kočka 8. bratrovo kolo 9. kamarádčin svetr 10. maminčina židle 11. učitelčin slovník 12. studentčina kniha 13. tetino rádio 14. profesorčin článek 15. manažerčin projekt **122/3** Fillův obraz, Čapkův obraz, obraz Zrzavého, obraz Čermínové – Toyen, Brandlův obraz, Kupkův obraz, Reynkův obraz **122/4** Muchův obraz – Žena sedící v křesle, Fillův obraz – Čtenář Dostojevského, Čapkův obraz – Neděle, obraz Zrzavého – Spící lodě, obraz Čermínové – Toyen – Z jižních moří, Brandlův obraz – Křest Kristův, Kupkův obraz – Počátek života, Reynkův obraz – Zahrada v zimě **123/5** 1. Smetanova 2. Formanův 3. Janáčkova 4. Čapkova 5. Hrabalova 6. Svěrákova 7. Dvořákova 8. Kunderova 9. Vodňanského 10. Němcové **123/7** 1. kamarádčinu kočku 2. kamarádově autě/autu 3. Moničiným kamarádem 4. učitelův test 5. tatínkovu advokátovi 6. sestřina manžela 7. ředitelově plánu 8. babiččině podpoře 9. bratrově projektu 10. šéfovy sekretářky 11. manželovou sestrou 12. manželčině kamarádce **123/8** 1. Svěrákovu Obecnou školu 2. Topolovu Sestru 3. Formanův Konkurs 4. Dvořákovu Rusalku 5. Haškovu Švejka 6. Havlova Larga Desolata 7. Máchův Máj 8. Janáčkovu Lišku Bystroušku 9. Gottovu Včelku Máju 10. Hrabalově Příliš hlučné samotě

Lekce 13

127/1 Markéta a Leoš jsou rodiče Marka a Adély. Richard a Eva jsou rodiče Isabely a Ráchel. Marian a Petra jsou rodiče Barbory. **127/2** melancholik – flegmatik – cholerik – sangvinik **127/3** 1. melancholik 2. sangvinik 3. cholerik 4. flegmatik **129/6** 1A, 2I, 3G, 4F, 5E, 6D, 7C, 8B, 9H, 10J **129/9** 1E, 2J, 3H, 4D, 5F, 6A, 7I, 8C, 9G, 10B **129/10** 1. a od té doby 2. ale pak 3. protože 4. a zatím 5. ale přece jenom 6. zatímco 7. až na to že **129/11** 1. se vdala 2. se oženil 3. si vezme 4. si nevezme 5. chce vdát 6. se oženil 7. se vzali 8. se vezmete **129/12** porod, rodit se, porodit, narození, porodnice, rodit, narozeniny, narodit se – adopce, adoptovat, adoptovaný – rozvod, rozvádět se, rozvedený, rozvést* se – výuka, učeň, učitelka, naučit, vyučený, učit se, učenec, naučit se, vyučit se, učitel, učit **130/tabulka** starý – nejstarší, mladý – nejmladší, velký – větší, vysoký – nejvyšší, silný – nejsilnější, ostýchavý – nejostýchavější, malý – nejmenší, talentovaný – nejtalentovanější, šikovný – nejšikovnější, dobrý – nejlepší, upovídaný – upovídanější, pořádný – nejpořádnější **130/1** krásnější, nejkrásnější – zdravější, nejzdravější – rychlejší, nejrychlejší – menší, nejmenší – nebezpečnější, nejnebezpečnější – mladší, nejmladší – slabší, nejslabší – kvalitnější, nejkvalitnější – bohatší, nejbohatší – hezčí, nejhezčí – lehčí, nejlehčí – větší, největší – vyšší, nejvyšší – sladší, nejsladší – delší, nejdelší – dražší, nejdražší – kratší, nejkratší – chytřejší, nejchytřejší – nižší, nejnižší – energičtější, nejenergičtější – lepší, nejlepší – horší, nejhorší – pomalejší, nejpomalejší – užší, nejužší – kyselejší, nejkyselejší – rychlejší, nejrychlejší – širší, nejširší **130/2** Možné řešení: 1. Slon je větší zvíře než pes. 2. Zajíc je rychlejší zvíře než želva. 3. Vlak je pomalejší dopravní prostředek než letadlo. 4. Brad Pitt je slavnější herec než Tom Hanks. 5. Jahody jsou sladší ovoce než citron. 6. Škoda je levnější auto než Porsche. 7. Česká republika je menší země než Kanada. 8. Tokio je modernější město než Praha 9. Vltava je kratší/užší řeka než Amazonka. 10. Salát je zdravější jídlo než hamburger. 11. Milan Kundera je známější spisovatel než Jaroslav Hašek. 12. Čeština je těžší/lehčí jazyk než čínština. 13. Hora je vyšší než kopec. 14. Dálnice je širší než silnice. 15. Diamanty jsou dražší než stříbro. **130/3** 1. Matka je o 25 let starší než její dcera. 2. Mont Blanc je o 3 200 metrů vyšší než Sněžka. 3. Petra je o 15 kilogramů lehčí než její manžel. 4. Petr je o 5 centimetrů menší než jeho starší bratr Pavel. 5. Bill Gates je o několik miliard dolarů bohatší než Petr Čech. 6. Tento test bude bohužel o hodně těžší než ten minulý. 7. Čokoládová zmrzlina je o moc sladší než citrónová. 8. Katka je o moc hezčí než Jiřina. **130/4** 1. zdražil 2. zlepšovat 3. zvýšila 4. zmenšily 5. zlevnila 6. zhoršila 7. zvětšovat 8. snížit **131/tabulka** 1. dobrý 2. dobře **131/1** 1. dobrý, dobře 2. unavené, unavená 3. ošklivo, ošklivé 4. trapně, trapné 5. elegantně, elegantním 6. veselou, vesele 7. skvělého, skvěle 8. zbytečně, zbytečné **131/tabulka** rychle, vesele, krásně, levně, bohatě, slabě – horko, blízko, daleko, dlouho, sucho, lehko, teplo, jasno – česky, anglicky, francouzsky, energicky, sympaticky, hezky **131/4** hezky, rychle, nebezpečně, zdravě, mladě, německy, trapně, špatně, levně/levno, kvalitně, lehko/lehce, dobře, vysoko/vysoce, ticho/tiše/potichu, dlouho/dlouze, slabě/slabo, draho/draze, chytře, trapně, nízko/nízce, energicky, krátce, elegantně, daleko/dalece, bohatě, pomalu, krásně, hlasitě/nahlas, teplo/teple, sucho/suše, sladce/sladko, málo, tvrdě **131/5** 1. jasno, jasně 2. teple, teplo 3. sucho, suše 4. chladno, chladné 5. těžko, těžce **132/7** dole (adv) – nahoře (adv), tupý (adj) – bystrý (adj), strašně (adv) – skvěle (adv), trapný (adj) – vtipný (adj), tuhý (adj) – svěží (adj) **132/9** bejt, upřímnej, špatný, ty vole, možný, jseš, tejdny, druhej, furt **132/1** 1. Autobus jezdí rychleji. Auto jezdí nejrychleji. 2. Madrid je dál/dále. Lisabon je nejdál/nejdále. 3. Zítra bude teplejší. Pozítří bude nejtepleji. 4. Jiří přišel dřív/dříve. Martin přišel nejdřív/nejdříve. 5. Včera mi bylo hůř/hůře. Předevčírem mi bylo nejhůř/nejhůře. 6. Jana vypadá veselejší. Hana vypadá nejveseleji. 7. Tramvaj jezdí častěji. Metro jezdí nejčastěji. 8. Bratr jí víc/více. Kamarád jí nejvíc/nejvíce. 9. V Berlíně je dráž/dráže. V Londýně je nejdráž/nejdráže. 10. Televize hraje hlasitěji. Rádio hraje nejhlasitěji. 11. Iveta se obléká elegantněji. Klára se obléká nejelegantněji. 12. Obchod je blíž/blíže. Restaurace je nejblíž/nejblíže. 13. Sestra spí míň/méně. Kamarádka spí nejmíň/nejméně. 14. Včera vypadal líp/lépe. Předevčírem vypadal nejlíp/nejlépe. 15. Student mluví pomaleji. Učitel mluví nejpomaleji. 16. Kolega vypadá sympatičtěji. Kolegyně vypadá nejsympatičtěji. **133/3** 1. pomalejší, pomaleji 2. horší, hůř/hůře 3. déle/dýl, delší 4. menší, méně/míň 5. lépe/líp, lepší 6. levnější, levněji 7. blíž/blíže, bližší 8. vyšší, výš/výše **133/4** mladší, vyšší, štíhlejší, lepší, hustší, světlejší, energičtější, asertivnější, pomalejší, klidnější, rychleji, klidněji, pečlivěji, hůř/hůře, líp/lépe, mladší, líp/lépe, dál/dále, blíž/blíže, dřív/dříve, starší, mladší, víc/více **133/6** 1. Čím dřív/dříve se začnu učit, tím líp/lépe napíšu test. 2. Čím víc/více studuju, tím míň/méně vím. 3. Čím bydlím dál/dále, tím později chodím do práce. 4. Čím je hezčí počasí, tím mám veselejší náladu. 5. Čím je čistší vzduch, tím jsou lepší podmínky pro život. 6. Čím je člověk slavnější, tím je větší zájem médií. 7. Čím jsem starší, tím jsem moudřejší. 8. Čím jsou potraviny levnější, tím mají nižší kvalitu. 9. Čím dýl/déle spím, tím jsem unavenější. 10. Čím je cesta horší, tím pomaleji musím jet. **133/7** 1. nejdřív/nejdříve 2. nejrychleji 3. nejčastěji 4. nejdál/nejdále 5. nejlepší 6. nejkvalitnější 7. nejkratší 8. nejmenší **135/5** Nezdvořilé nebo agresivní může být: To je snad můj problém, ne? To jsou blbý argumenty! Kecáš nesmysly. Jsi úplně vedle. Dejte nám pokoj. To je jejich věc, ne? **135/6** blbý, jasný, kecáš, bysme **135/11** 1. To nevadí./To je jedno. 2. To je jedno. 3. To nevadí./To je jedno. 4. To nevadí./To je jedno. 5. To nevadí./To je jedno. 6. To je jedno. 7. To je jedno. 8. To nevadí./To je jedno.

Lekce 14

139/2 1B, 2B, 3B, 4A, 5C, 6A, 7D, 8B **139/6** 1. lokální nezaměstnanosti 2. neziskových organizací 3. pracovním trhu 4. porušování lidských práv 5. svědky přepadení 6. zatkla zločince 7. doživotní trest 8. dobré adrese 9. průzkumu veřejného mínění 10. tolerantní postoj **139/7** handicapovaný – postižený, aktivita – činnost, orientovaný – zaměřený, lokální – místní, publikovaný – vydaný, informovat – podávat zprávy, proklamovat – veřejně říkat, lokalita – oblast, moment – okamžik, chvíle, marketingový – tržní, akce – událost **140/1** informuje o vězněných disidentech a popravách, můžete si popovídat o dramatických momentech zápasu, o nových marketingových aktivitách informoval odborný časopis, v Jihočeské galerii v Českých Budějovicích, byty v nejžádanějších lokalitách, konference o možnostech řešení lokální nezaměstnanosti, diskutovali o sociálních programech **140/2** 1. Které noviny píšou o skandálních aférách, politických problémech, ekonomických informacích, přírodních zajímavostech, módních trendech? 2. Čtete články o nových herečkách, slavných spisovatelích, krásných modelkách, zajímavých vědcích, úspěšných podnikatelích, talentovaných tanečnicích? 3. Bavíte se s kamarády často o oblíbených knihách, dokumentárních filmech, počítačových hrách, sportovních autech, politických zprávách, kulturních událostech? 4. Sníte o tropických ostrovech, luxusních jachtách, čistých mořích, dobrodružných cestách, velkých vilách? 5. Mluvíte někdy o známých lidech, cizích kulturách, nejlepších kamarádech, přírodních katastrofách, různých náboženstvích, nebezpečných nemocech/nemocích, malých dětech? 6. Povídali jste si o životních příbězích, populárních zpěvácích, ambiciózních politicích, starých zámcích, drahých špercích, levných buticích, malých vnucích? **140/3** o počítačových programech, malých vnucích a vnučkách, módních špercích, kvalitních lyžích, nezávislých filmech, nových technologiích, adrenalinových sportech, exotických květinách, technických knihách, dobrých kamarádech, televizních seriálech, módních novinkách, cizích zemích, oblíbených receptech, historických památkách, divadelních představeních, nových studentech, jazzových koncertech, těžkých zkouškách, sportovních výkonech, vědeckých publikacích, politických názorech, populárních sportovcích, zdravých potravinách, letních dovolených, náročných túrách, vysokých horách, nebezpečných zvířatech **141/6** 1. těch vašich názorech 2. těch tvých kamarádkách 3. těch jeho zkušenostech 4. těch mých plánech 5. těch jejích kolegyních 6. těch našich politicích 7. těch vašich věcech 8. těch jejich rozhodnutích **141/7** 1. ve velkých městech 2. po zajímavých přírodních oblastech 3. při/po prvních stránkách pohádky 4. na rockových koncertech 5. při svátečních příležitostech 6. po slavných galeriích 7. v těch moderních domech 8. v těch malých buticích **141/1** 1. Co jste dělali o Vánocích, Velikonocích, Dušičkách, Čarodějnicích, jarních prázdninách, letních prázdninách? 2. Mluvili jste o nových hodinkách, cizích penězích, českých horách, italských těstovinách, dobrých lyžích, dlouhých vlasech, zdravých potravinách? 3. Vidíte to dítě ve sportovních šortkách, v dlouhých šatech, v krátkých kalhotech, v černých punčocháčích, v nových botách, ve žlutých ponožkách, v modrých teplácích? 4. Byla jsem na dovolené ve Spojených Státech, v Jizerských horách, ve francouzských Alpách, v Aténách, v Benátkách, v Drážďanech, v Krkonoších, v Beskydech, na Filipínách, na Kanárských ostrovech. 5. Bydlíte v Dejvicích, na Vinohradech, ve Strašnicích, v Letňanech, v Žabovřeskách, ve Stodůlkách, v Holešovicích? **142/2** Krkonoše, Krušné hory, Jeseníky, Beskydy, Orlické hory, Jizerské hory (*OČ* Jizerky), Pardubice, Poděbrady, Teplice, Strakonice, Domažlice, Klatovy, Karlovy Vary, Otrokovice, Hranice na Moravě, Moravské Budějovice, Velké Losiny **142/3** v Krušných horách, do Krušných hor – v Jeseníkách, do Jeseníků – v Beskydech, do Beskyd – v Orlických horách, do Orlických hor – v Jizerských horách (*OČ* v Jizerkách), do Jizerských hor (*OČ* do Jizerek) – v Pardubicích, do Pardubic – v Poděbradech, do Poděbrad – v Teplicích, do Teplic – ve Strakonicích, do Strakonic – v Domažlicích, do Domažlic – v Klatovech, do Klatov – v Karlových Varech, do Karlových Varů/Var – v Otrokovicích, do Otrokovic – v Hranicích na Moravě, do Hranic na Moravě – v Moravských Budějovicích, do Moravských Budějovic – ve Velkých Losinách, do Velkých Losin **142/4** nejkrásnějších českých lázní, lesích, lesů a parků, minerálních vod, nejznámější prameny/nejznámějšími prameny, chronické bronchitidy, alergie, řek, symbolů, Českých Budějovicích, horolezce a turisty, romantické scenérie, hustých zelených lesích, Adršpašských a Teplických skalách, skalách, turistické stezky **143/2** nejlepších českých i zahraničních hotelech/hotelích a restauracích, mezinárodních kuchařských soutěžích a olympiád, Spojených státech amerických, Pardubicích, jeho úspěchu/úspěchů, dobrým šéfkuchařem, francouzskou hořčici, Japonska, Argentiny, dušenou čínskou rýží, tradičních italských těstovin, toho nejkvalitnějšího španělského olivového oleje, Mexika, originálního libanonského receptu, našeho nejlepší australského vína, finské vodky, Brazílii, našem skvělém anglickém vánočním pudinku **143/3** Chybějící formy jsou: Francie, Francouz, Francouzka, francouzština – Japonec, Japonka, japonský, japonština – Argentinec, Argentinka, argentinský, španělština – Čína, Číňan, Číňanka, čínština – Itálie, Ital, Italka, italština – Španělsko, Španěl,

Španělka, španělština – Mexičan, Mexičanka, mexický, španělština – Libanon, Libanonec, Libanonka, arabština – Austrálie, Australan, Australanka, angličtina – Finsko, Fin, Finka, finština – Brazilec, Brazilka, brazilský, portugalština – Anglie, Angličan, Angličanka, angličtina **143/5** 2. čínský porcelán – I 3. maďarský guláš – A 4. italské manželství – F 5. anglický humor – H 6. švédský stůl – B 7. ruské kolo – E 8. francouzský klíč – D 9. kanadský žert – C 10. To je pro mě španělská vesnice. – J **145/8** 1K, 2B, 3C, 4F, 5L, 6D, 7E, 8H, 9J, 10G, 11A, 12I **145/9** 1. tiskárně 2. kopírce 3. skeneru 4. sluchátka s mikrofonem 5. klávesnici 6. monitor 7. MP3 přehrávač 8. flash disk/flešku 9. kapesní počítač/PDA 10. webkameru 11. reproduktory 12. myší **145/10** 1B, 2A, 3C, 4E, 5D, 6H, 7I, 8F, 9G, 10J

Lekce 15

147/2 1. úspěšný, uspět* 2. přepychový 3. bohatnout*, zbohatnout*, bohatý 4. zchudnout*, chudý, chudnout* 5. společenský 6. bezmocný, mocný 7. závislý, záviset 8. majetný, majetkový 9. osamělý, osamět 10. beznadějný **149/8** stydlivý – stydět se, úspěšný – úspěch, zamyšlený – zamyslet se, zraněný – zranit se, žádaný – žádat, výjimečný – výjimka, slavný – sláva, osobní – osoba, úžasný – úžas **149/9** pomáhat/pomoct*, zapomínat/zapomenout*, balit/sbalit, smiřovat se/smířit se, zakládat/založit, vyrůstat/vyrůst*, posílat/poslat*, soustřeďovat se/soustředit se, stát*, věnovat **149/10** 1. pomáhá 2. zapomíná 3. věnovala 4. balila 5. stojí 6. založila 7. vyrůstala 8. poslaly 9. soustředit se **149/12** 1. přežila 2. prožil 3. zažil 4. přežívají 5. prožívám/zažívám 6. užij 7. užívat **150/tabulka** Chybějící formy jsou: bys – by – bychom (OČ bysme) – byste – by **150/1** 1. Byl/a bych o víkendu doma... 2. Jel by na dovolenou k moři... 3. Koupili by si dům... 4. Šel/šla bys na velký nákup... 5. Pozvali bychom vás na party... 6. Cvičila by každé ráno... 7. Uklidili byste celý byt... 8. O víkendu bychom odpočívali... **150/tabulka** Chybějící formy jsou: kdybys – kdyby – kdybychom (OČ kdybysme) – kdybyste – kdyby **150/5** 1. jestli 2. kdyby 3. kdybych 4. jestli 5. jestli 6. kdybychom 7. kdyby 8. jestli **151/tabulka** Chybějící formy jsou: abys – aby – abychom (OČ abysme) – abyste – aby **151/1** 1C, 2F, 3E, 4B, 5A, 6H, 7D, 8G **151/3** 1. abych přestal/a kouřit 2. se rozvedla 3. abych si vzal/a dovolenou 4. abych mu půjčil/a auto 5. abych dával/a pozor 6. abych toli nepracoval **151/5** 1. Doktor radí pacientovi, aby nepil alkohol. 2. Otec zakazuje synovi, aby hrál každý den na počítači. 3. Vnuk přeje babičce, aby byla hodně zdravá. 4. Advokát říká klientovi, aby podal žádost na úřad. 5. Zákazník prosí číšníka, aby přinesl jídlo rychle. 6. Úředník žádá azylanta, aby podepsal formulář. 7. Kolega upozorňuje kolegyni, aby nezapomněla na schůzku. 8. Manželka připomíná manželovi, aby šel na nákup. **151/7** 1. abych se cítil/a 2. aby odešel 3. aby byla 4. aby ses učil 5. aby zaplatili 6. abychom se opalovali **152/1** 1. Mám ho uvařit? 2. Mám ho umýt? 3. Mám ji vypnout? 4. Mám si je koupit? 5. Mám mu zavolat? 6. Mám jim pomoct? 7. Mám jí ho dát? **152/3** 1. Neměla sis/jsi si kupovat tak drahé oblečení. Měla jsi víc šetřit. 2. Neměl ses/jsi se dívat do půlnoci na televizi. Měl jsi jít dřív spát. 3. Neměl jsi tolik pracovat. Měl jsi víc odpočívat. 4. Neměla jsi pít večer tolik kávy. Měla sis/jsi si vzít prášky na spaní. 5. Neměl jsi chodit venku jenom v tričku. Měl ses/jsi se teple obléct. 6. Neměla jsi říkat, že je hloupá. Měla ses/jsi se jí omluvit. **152/4** 1. Měl/a jsem nakoupit jídlo a pití, ale neměl/a jsem dost peněz. 2. Měl/a jsem jít do školy, ale zaspal/a jsem. 3. Měl/a jsem jet na služební cestu, ale byl/a jsem nemocný/á. 4. Měl/a jsem dokončit projekt, ale byl/a jsem moc unavený/á. 5. Měl/a jsem cvičit půl hodiny, ale cvičil/a jsem jenom deset minut. 6. Měl/a jsem pracovat, ale díval/a jsem se na seriál v televizi. **152/5** 1. opravdu/fakt 2. určitě/samozřejmě/jistě/snad 3. asi/spíš/možná/pravděpodobně 4. snad/asi 5. určitě/rozhodně/snad 6. prý/možná/asi 7. spíš 8. samozřejmě/určitě/pravděpodobně **153/6** 1. není vhodné 2. není možné 3. je třeba 4. nelze 5. je nutné 6. není zakázáno 7. je jisté 8. není dovoleno **153/12** mám hledat, mám najít – smím, nesmím, můžou, určitě, mám dělat – rozhodně – můžou, snad, aby ses musel, měl bys, je nutné, měl jsi – samozřejmě, asi, by neměla, můžeš – asi, měl bys, můžeš, třeba, možná **154/1** měnit si/vyměnit si eura za koruny (B), posílat/poslat* balík (P), posílat/poslat* dopis doporučeně (P), vyplňovat/vyplnit podací lístek (P), vkládat/vložit peníze na účet (B), dostávat/dostat* výpis z účtu (B), brát*/vzít* si hypotéku (B), vybírat si/vybrat* si peníze z bankomatu (B), převádět/převést* peníze z jednoho účtu na druhý (B), vyzvednout* si novou platební kartu (B), házet/hodit dopis do schránky (P), zakládat/založit účet (B), rušit/zrušit účet (B), platit/zaplatit poštovní poukázku (složenku) (P) **154/5** 1B, 2C, 3A, 4E, 5D **155/9** 1C, 2A, 3D, 4B, 5F, 6E **155/10** 1. založit, zařídit 2. doporučeně 3. vybrat 4. hypotéku 5. výpis 6. balík 7. zaplatit 8. zrušit

Lekce 16

157/4 1. ekologie, ekolog 2. globalizovaný, globalizace 3. dostávat, dost, dostatek, dostat* 4. suše, sušit, usušit, sucho 5. znečištění, znečistit, znečišťovat 6. život, žít **159/6** 1C, 2J, 3A, 4D, 5I, 6B, 7G, 8H, 9E, 10F **159/8** 1. při 2. s 3. na 4. za 5. z 6. po, na 7. od, do 8. přes 9. díky, o, na 10. do, v 11. k, kvůli 12. z **159/9** 1. přestav 2. zastavit 3. představit 4. dostavíme 5. představil 6. představuju 7. zastavil 8. představila 9. dostavěli 10. přestavět 11. vystavuje 12. zastavil **160/1** práci zvládá díky dospělým synům, díky svým kamarádům se začala zajímat, nechce škodit budoucím generacím, chci pomáhat ekologickým farmám, došli k němu kvůli alergiím a častým onemocněním, to oběma dětem hodně pomáhá, zaplatí víc, aby pomohli těm firmám, styl života doporučují i ostatním rodinám **160/2** 1. chytrým politikům 2. novým kolegyním 3. těžkým jazykům 4. populárním herečkám 5. dobrým vtipům 6. novým studentkám 7. mladším kolegům 8. arogantním lidem 9. nejlepším přátelům 10. malým dětem **160/3** 1. našim učitelům 2. vašim učitelkám 3. jejím sestřenicím 4. tvým psům 5. mým kamarádkám 6. vašim projektům 7. jejich bratrancům 8. jeho otázkám 9. našim manažerům 10. tvým přítelkyním **160/4** 1. Studentům nešla fyzika. 2. Pacientkám bylo špatně. 3. Řidičům vadí nekvalitní silnice. 4. Kolegyním bude letos 30. 5. Učitelům se hodí kurz od 9 hodin. 6. Těm cizinkám chybí jejich rodiny. 7. Těm cizincům se líbí Praha. 8. Těm klukům sluší džíny. 9. Těm lidem bylo horko. 10. Těm zvířatům je zima. **161/5** 1. Babička čte pohádky malým dětem. 2. Sekretářka vyřizuje vzkazy novým manažerům. 3. Učitel doporučuje slovníky dobrým studentům. 4. Kamarád posílá dopisy nejlepším přátelům. 5. Režisér vysvětluje role známým hercům a herečkám. 6. Student půjčuje učebnice špatným studentkám. 7. Bratr vrací knihy starším bratrancům. 8. Sestra ukazuje fotky mladším sestřenicím. **161/6** rozumět, pomáhat, dávat, kupovat, smát* se, psát*, radit, půjčovat, vyřizovat, věřit, přát*, vyhýbat se, doporučovat **161/7** 1. díky modernějším technologiím 2. k těm nejlepším doktorům 3. proti politickým konfliktům a válkám 4. kvůli nepřátelským vztahům 5. směrem k těm vysokým domům 6. naproti těm administrativním budovám 7. vzhledem k/kvůli velkým finančním problémům 8. díky hodným lidem 9. kvůli špatným rozhodnutím 10. proti starším autům **161/9** jí, nám, jí, jí, mně, ní, mi/mně, jí, mně, jí, mně, jí, mně, nim **162/1** 1. kom 2. co 3. co 4. čeho 5. komu 6. kým 7. čem 8. koho 9. čím 10. kdo 11. čemu 12. koho **162/2** 1. do 2. pro 3. kromě 4. v 5. po 6. na 7. o, u 8. pod 9. během 10. k **162/3** 1. těch starších kolegyní/kolegyň 2. ty cizí studentky 3. ta stará auta 4. těch starších pánech 5. těm neznámým slovům 6. ti zkušení doktoři 7. ty nemocné pacienty 8. mých nejlepších kamarádů 9. tvoje/tvá rozbitá pera 10. naše bývalé učitele 11. svých pracovních problémech 12. jeho malým sestřenicím 13. vašich nových kol 14. jejich moderních kancelářích **163/2** a, ale, buď – nebo, jestli, kde, když, nebo, protože, zatímco, že **164/3** 1B, 2M, 3J, 4F, 5H, 6K, 7D, 8A, 9L, 10G, 11C, 12I, 13E, 14N **164/4** 1. hřmí a blýská se 2. je horko, je vedro 3. je slunečno, je hezky, je krásně 4. je zima 5. klouže to 6. je ošklivo 7. je sucho 8. je mokro **164/5** 1. bylo zataženo 2. byla bouřka 3. foukal vítr 4. sněžilo 5. padal sníh 6. bylo oblačno 7. bylo pěkně/hezky 8. bylo jasno 9. nepršelo 10. pršelo 11. padaly kroupy 12. bylo teplo 13. byla mlha 14. bylo krásně 15. blýskalo se 16. hřmělo 17. mrzlo 18. klouzalo **165/7** 1. Včera bylo polojasno. Bylo teplo, ale nebylo horko. Zítra bude polojasno. Bude teplo, ale nebude horko. 2. Včera v noci sněžilo. Mrzlo, bylo náledí a klouzalo to. – Zítra v noci bude sněžit. Bude mrznout, bude náledí a bude to klouzat. 3. Minulé léto bylo hrozné počasí, pořád bylo zataženo a foukal studený vítr. – Příští léto bude hrozné počasí, pořád bude zataženo a bude foukat studený vítr. 4. Před chvílí byla velká bouřka, hřmělo a blýskalo se. – Za chvíli bude velká bouřka, bude hřmět a bude se blýskat. 5. Minulou zimu nebylo moc sněhu, sněžilo jenom málo, ale mrzlo. – Příští zimu nebude moc sněhu, bude sněžit jenom málo, ale bude mrznout. 6. Včera byly celý den přeháňky. Chvíli pršelo a chvíli bylo slunečno. – Zítra budou celý den přeháňky. Chvíli bude pršet a chvíli bude slunečno. 7. Loni byla opravdu zima. Každý den bylo ošklivo, padal sníh a všude bylo mokro. – Příští rok bude opravdu zima. Každý den bude ošklivo, bude padat sníh a všude bude mokro. 8. Včera nebyla mlha. Bylo krásně, bylo jasno a bylo trochu vedro. – Zítra nebude mlha. Bude krásně, bude jasno a bude trochu vedro. **165/11** teplo – oteplovat se/oteplit se, chladno – ochlazovat se/ochladit se, jasno – vyjasňovat se/vyjasnit se, zataženo – zatahovat se/zatáhnout* se, den – rozednívat se/rozednít se, tma – stmívat se/setmět se, východ – vycházet/vyjít*, západ – zapadat/zapadnout* **165/12** 1. zatáhlo se 2. setmí 3. otepluje se 4. ochladilo 5. vychází 6. se vyjasňuje 7. zapadá 8. se vyjasní **165/13** 1. Rozednilo se. 2. Vyjasnilo se. 3. Setmělo se. 4. Oteplilo se. 5. Zatáhlo se.

Lekce 17

167/1 obchodovat na burze, sázet na dostizích, nakupovat v aukci (= v dražbě), hrát* v kasinu, investovat do realit (= do nemovitostí)/do rozvoje firmy, spořit v bance **167/4** podnikat, podnikatel, podnik, podnikání – fakturovat, faktura – vést* firmu, firemní, firma – prosperovat, prosperita – obchod, obchodování, obchodní, obchodovat, obchodník – účetnictví, účetní – finanční, finance, financovat – majetek, majitel, daňový, daň, pl. daně – ředitel, řídit **168/5** 1. jak, tak 2. protože 3. i když 4. že 5. jak **168/6** 1. různých 2. příštím, dalších 3. další/ostatní 4. ostatních/jiných 5. jiné 6. další 7. různé 8. příštích **169/1**

1. Cukrárna Linda
Alšovo náměstí 12
397 01 Písek

Čokola, a. s.
Veletržní 153/80
386 01 Strakonice

2. Písek, 24. 3. 2009

3. Vážená paní/Vážený pane,

4. chtěla bych Vás požádat o zaslání katalogu Vaší firmy. Velmi ráda bych se seznámila s Vašimi novými výrobky a jejich aktuálními cenami. Prosím také o informaci, zda pro naši cukrárnu mohu objednat zboží přímo od Vás. Dále by mě zajímalo, zda Vaše firma dává slevu na velké objednávky.

5. Děkuji za odpověď.

6. S pozdravem

Linda Duong

---

7. Čokola, a. s.
Veletržní 153/80
386 01 Strakonice

Vážená paní
Linda Duong
Cukrárna Linda
Alšovo náměstí 12
397 01 Písek

8. Strakonice, 28. 4. 2009

9. Vážená paní Duong,

10. děkujeme za Váš zájem o naše výrobky. Zasíláme Vám katalog s naší nejnovější nabídkou. Zboží můžete objednávat přímo u nás, a to s možností slevy 5–10 % při odběru nad 100 ks. Další informace najdete na našich internetových stránkách www.cokola.cz. Platby prosím zasílejte na základě faktury na náš účet, doba splatnosti je 30 dnů.

11. Těšíme se na naši spolupráci.

12. Se srdečným pozdravem

Martin Barták, manažer prodeje

170/1 známé nadnárodní společnosti jsou jejími největšími klienty, pan Sladký a pan Těžký jsou spokojeni s jejími dosavadními výsledky, jak se stát úspěšnými podnikateli, ráda bych se seznámila s vašimi novými výrobky a jejich aktuálními cenami **170/2** 1. dobrými kamarády 2. novými studentkami 3. počítačovými operačními systémy 4. ostatními učitelkami 5. finančními řediteli 6. mladšími sestřenicemi 7. starými kancelářemi 8. komplikovanými řešeními 9. populárními herci 10. národními tradicemi 11. čerstvými rajčaty 12. zajímavými lidmi **170/3** 1. vašimi názory 2. jejich rodiči 3. mými studenty 4. tvými kamarádkami 5. našimi kolegy 6. jejími problémy 7. vašimi učebnicemi 8. tvými psy 9. našimi cédéčky 10. jejími bratranci 11. jejich dětmi 12. mými vnoučaty **170/4** 1. Byla jsem v kině s těmi sousedkami. 2. Moje kolo je támhle před těmi auty. 3. Hledej taky za těmi skříněmi. 4. Krabice jsou pod těmi stoly. 5. Vidíte ty mraky nad těmi kopci? 6. Jdu za těmi kolegyněmi. **171/5** 1. těmi velkými domy 2. ty nízké skříňky 3. ty ostatní dokumenty 4. těmi různými knihami 5. ty otevřené barvy 6. těmi módními časopisy 7. těmi vysokými horami 8. ty nové police 9. těmi dřevěnými stánky 10. ta stará křesla **171/6** Vivienne Westwood je známá/slavná/proslulá svými extravagantními modely. Blanka Matragi je známá/slavná/proslulá svými originálními svatebními šaty. Chanel je známý/slavný/proslulý svými drahými parfémy. Mercedes je známý/slavný/proslulý svými luxusními auty. GORE-TEX je známý/slavný/proslulý svými nepromokavými materiály. Honda je známá/slavná/proslulá svými rychlými motorkami. Adidas je známý/slavný/proslulý svými sportovními potřebami. Tesco je známé/slavné/proslulé svými velkými slevami. Manolo Blahnik je známý/slavný/proslulý svými sexy botami. **171/7** 1F – (svými) gotickými a barokními kostely a paláci, 2H – (svými) moderními budovami a vysokými mrakodrapy, 3A – (svými) krásnými plážemi a karnevaly, 4B – (svými) vysokými horami, 5C – (svými) výbornými jídly a značkovými víny, 6D – (svými) starověkými pyramidami, 7E – (svými) antickými chrámy a divadly, 8G – (svými) minerálními prameny a termálními lázněmi **171/8** 1. vaše hezké dárky 2. jejich výborné nápady 3. ty originální modely 4. špatné známky z testu 5. jejich arogantní chování 6. šokující zprávy **172/1** 1. drahých bytech 2. lepší kola 3. velkých piv 4. hezké kamarádky 5. starým ženám 6. nové studenty 7. dobrým kamarádům 8. známých zpěvačkách 9. slavnými politiky 10. neznámých autorek 11. výborní studenti/výbornými studenty 12. dalšími sousedkami 13. nejlepší doktoři 14. mladším kolegyním 15. nebezpečných situací 16. evropské malíře 17. českých vědců 18. populárních hercích **172/2** 1. které 2. kteří 3. které 4. které 5. kterých 6. kterých 7. kterým 8. kterým 9. kterých 10. kterých 11. kterými 12. kterými **172/3** 1. pro ty mladé architekty a umělce 2. kolem těch nízkých budov 3. kvůli těm velkým finančním problémům 4. s těmi starými jablky a hruškami 5. v těch velkých městech 6. u těch českých kamarádů 7. k těm sympatickým sousedům 8. pod těmi velkými stromy 9. na ty nové police, do těch nízkých skříněk 10. po těch nepříjemných zkušenostech **172/4** vás, vám, mi/mně, nich, je, nich, nimi, jim, mnou, mě, mi/mně, mě, mi/mně, nás, mě, mi/mně, mě, jí, ji, nám, nás, ho, mi/mně **173/1** 1. den 2. dne 3. dnu/dni 4. dnem 5. dnu/dni 6. dnů/dní 7. dnech 8. dny 9. dny/dni **173/2** 1. týdne 2. týden 3. týdnem 4. týdnu 5. týdny 6. týdnů 7. týdnech 8. týdnům 9. týdny **173/3** 1. roce 2. rok 3. rokem 4. roku 5. roku 6. roky 7. rocích/letech 8. roky/lety 9. roků/let **173/4** 1. člověka 2. člověkovi/člověku 3. člověkem 4. člověka 5. člověkovi/člověku 6. lidí 7. lidé/lidi 8. lidmi 9. lidech 10. lidem **173/5** 1. dítě 2. dítětem 3. dítěti 4. dítěti 5. dítěte 6. dětí 7. dětem 8. děti 9. dětmi 10. dětech **174/3** zajistit ubytování (S), připravit prezentaci nového projektu (K), najít vhodné spojení (S), koupit jízdenku nebo letenku (S), domluvit s kolegy postup při jednání (K), sbalit si zavazadlo (K), rezervovat stůl v restauraci (S), vybrat a pozvat klienty na pracovní oběd (K), objednat taxi (S), zrušit nebo přesunout schůzky v době služební cesty (S) **175/8** 1. našel 2. rezervovat 3. objednám si 4. zrušit 5. ztratil 6. vyhledat 7. potvrdil 8. zajistila

Lekce 18

177/4 1D, 2B, 3E, 4F, 5A, 6C **177/6** 1. ušít 2. vyšila 3. prošít 4. přišít 5. zašít 6. přešít **178/2** 1F, 2G, 3B, 4E, 5C, 6A, 7D **179/3** 1B, 2C, 3D, 4C, 5A, 6D, 7C, 8C, 9A, 10D, 11B, 12C **179/6** zuřit – mít* zlost, být* náročný – mít* velké požadavky, vhodné prostory – vhodné místo, zářit – vydávat světlo, věnovat – dát, odvážný – statečný, špičkový – nejlepší, úcta – respekt, vzrušující – velmi zajímavé, expozice – výstava **179/8** 1. sundat 2. nandala 3. sundat 4. přendala 5. vyndal 6. nandala 7. sundají 8. přendávám 9. vyndat **180/1** 1B, 2L, 3K, 4H, 5P, 6F, 7M, 8N, 9O, 10I, 11J, 12A, 13E, 14C, 15D, 16G **180/2** jedny, dvoje, troje, čtvery, patery, šestery, sedmery, osmery, devatery, desatery, jedenáctery, dvanáctery, třináctery, čtrnáctery, patnáctery, šestnáctery, sedmnáctery, osmnáctery, devatenáctery, dvacatery, třicatery **180/3** dvoje bačkory, troje boty, dvoje brýle, jedny hodinky, sedmery kalhotky, čtvery kalhoty, patery náušnice, troje plavky, devatery ponožky, patnáctery punčocháče, jedny sandály, osmery slipy, šestery šaty, troje šortky, dvoje lyže **180/4** troje housle, patery kalhoty, čtvery dveře, jedny kamna, šestery nůžky, dvoje kleště, jedny hodinky, dvoje hodiny, dvoje prázdniny, troje narozeniny, jedny Velikonoce, dvoje Vánoce **181/tabulka** Chybějící formy jsou: Ma+Mi sg.: jednoho, jednomu, jednoho/jeden, jeden, jednom, jedním – F sg.: jedné, jedné, jednu, jedna, jedné, jednou – N sg.: jednoho, jednomu, jedno, jedno, jednom, jedním – Ma+Mi pl.: jedněch, jedněm, jedny, jedni/jedny, jedněch, jedněmi – F pl.: jedněch, jedněm, jedny, jedny, jedněch, jedněmi – N pl.: jedněch, jedněm, jedna, jedna, jedněch, jedněmi **181/1** 1. toho jednoho pána 2. tomu jednomu mému kamarádovi 3. tom jednom politikovi 4. tím jedním kolegou 5. toho jednoho člověka 6. tom jednom autu/autě 7. tomu jednomu miminku 8. tou jednou kamarádkou 9. té jedné učitelce 10. té jedné holky **181/2** 1. o dvou 2. ke třem 3. se čtyřmi 4. o třech, o tři 5. bez čtyř 6. s pěti 7. kolem dvou 8. u tří/třech 9. vedle čtyř/čtyřech 10. ke dvěma 11. včetně čtyř/čtyřech 12. bez tří/třech 13. na čtyři, na čtyřech 14. proti pěti 15. díky dvěma 16. kvůli třem 17. mezi čtyři, mezi čtyřmi 18. od tří/třech **182/3** 1. obou dvou problémech 2. obě dvě auta 3. oběma dvěma kamarádkami 4. oběma dvěma bratrům 5. obou dvou věcech 6. oběma dvěma kolegyněmi 7. obou dvou konferencí 8. oběma dvěma aférami 9. obou dvou učitelů 10. obou dvou psů **182/4** 1. dvou 2. třemi 3. čtyřech 4. dvou 5. dvěma 6. třech 7. třemi 8. čtyřmi 9. dvou 10. třem 11. čtyřech 12. dvěma 13. tří/třech 14. čtyřech 15. dvou 16. třem 17. dvou

18. čtyřmi **182/5** dvou, třech, šesti, šesti, patnácti, patnácti, devatenácti, devatenácti, dvou, dvaceti třech/třiadvaceti, dvaceti pěti/pětadvaceti, dvaceti osmi/osmadvaceti, třiceti, čtyřiceti, třemi, čtyřiceti sedmi/sedmačtyřiceti, třech, padesáti, padesáti dvou/dvaapadesáti, dvou, padesáti pěti/pětapadesáti, padesáti devíti/devětapadesáti, třem, čtyřem, dvěma, šedesáti pěti/pětašedesáti, sta **182/6** polovina, dvě třetiny, tři čtvrtiny, dvě šestiny, osm pětin, šest sedmin, devět desetin, třicet sedm celých dva, dvacet šest celých pět, padesát šest celých sedm, devadesát devět celých osm, devadesát devět celých devět set devadesát devět **183/7** 1. dvacátého sedmého třetí devatenáct set osmdesát devět/tisíc devět set osmdesát devět 2. šedesátých 3. troje, čtvery 4. dvěma 5. první 6. čtvrtého devátý, osm čtyřicet pět/tři čtvrtě na devět 7. šestého 8. třicet osm pět 9. čtyř/čtyřech 10. devět třicet/půl desáté 11. devítkou/tramvají číslo devět, pětkou/tramvají číslo pět 12. prvního první dva tisíce 13. dvanáctka/tramvaj číslo dvanáct 14. druhou, třetí, pátou 15. dvě třetiny, třetinu 16. osmdesát šest celých sedm 17. tři čtvrtiny, dvanácti 18. dvoje, patery 19. Uběhl jsem maraton za tři celé dvacet pět hodiny. 20. třem **183/8** 1F, 2E, 3C, 4B, 5A, 6H, 7G, 8D **183/9** 1a, 2c, 3a, 4c, 5b, 6a **183/1** 1. B 2. D 3. B 4. D 5. D 6. B 7. D 8. D 9. B 10. B **184/3** 1. dálnice 2. dej přednost v jízdě 3. zákaz zastavení 4. křižovatka 5. parkoviště 6. slepá ulice 7. hlavní silnice 8. přechod pro chodce 9. přikázaný směr jízdy 10. plná/přerušovaná čára 11. stop *(OČ* stopka) 12. jednosměrná ulice *(OČ* jednosměrka) 13. železniční přejezd 14. zákaz stání 15. nemocnice **184/4** 1. přechod pro chodce 2. plná čára 3. hlavní silnice 4. stop *(OČ* stopka) 5. přerušovaná čára 6. dálnice 7. železniční přejezd 8. slepá ulice **185/5** 1B, 2D, 3A, 4C **185/6** nemít* sluneční brýle – NP, nemít* řidičský průkaz – JP, nemít* benzín – NP, řídit opilý – JP, dostat* smyk – NP, parkovat tam, kde je zákaz stání – JP, zastavit na křižovatce na červenou – NP, zastavit v zatáčce – JP, couvat (jet* dozadu) – NP, předjíždět tam, kde je plná čára – JP, poslouchat v autě hlasitou hudbu – NP, vjet* do protisměru – JP, nedat přednost chodci na přechodu – JP, dívat se při řízení dozadu – NP, vypít* před jízdou malé pivo – JP, používat za jízdy mobil (pokud nemáte handsfree) – JP, jíst* za jízdy – NP, brát* stopaře – NP, jet* v obci rychlostí 80 km/h – JP, předjet* sanitku – NP, jet* na dálnici rychlostí 130 km/h – NP **185/7** 13 kufr, 7 volant, 10 řadicí páka, 3 motor, 8 sedadlo, 12 dětská sedačka, 11 bezpečnostní pás, 9 GPS (= džípíeska), 2 blinkr *(OČ)*, 1 světlo, 5 brzda, 4 spojka, 6 plyn

Lekce 19

187/1 1M, 2J, 3K, 4E, 5B, 6L, 7A, 8H, 9C, 10F, 11D, 12I, 13G **189/6** 1. se neobešlo bez 2. se odehrávaly 3. shánět 4. nedostatku bytů 5. vládní krizi 6. nevěří vlastním očím 7. období demokratizace 8. tvrdě pronásledovala 9. dodržování lidských práv 10. byly součástí 11. spáchal sebevraždu 12. základní potraviny **189/7** 1. tzv. 2. atd. 3. apod. 4. mj. 5. tj., tj. 6. viz 7. např. **190/1** 1. se 2. si 3. se 4. si 5. si 6. se 7. se 8. si 9. se 10. si 11. se 12. si **190/2** 1. se 2. sebe 3. sebe 4. si 5. sobě 6. sobě 7. sebou 8. sebe 9. sebe **190/3** 1. se opravuje 2. se vaří 3. se otvírá 4. se peče 5. se píše 6. vyrábí se 7. se prodávají 8. se dělají 9. se čtou **190/5** se žilo, se jmenovala, narodila se, se pracovalo, prodávaly se, jezdilo se, se uklízel, pralo se, vytírala se, pekly se, se neudělá, musí se, se nepracovalo, se jedlo, se bavit, hrály se, zpívaly se, vyprávěly se, četly se, se sedělo, povídalo se, se zdá **191/1** 1. Český král a římský císař Karel IV. založil univerzitu v Praze. 2. Matyáš z Arrasu a Petr Parléř postavili katedrálu svatého Víta. 3. Český malíř Josef Mánes namaloval kalendář na pražském orloji. 4. Český dramatik Karel Čapek napsal drama R.U.R. 5. Tomáš Baťa založil ve Zlíně továrnu na boty. 6. Náš šéfkuchař uvařil toto jídlo. 7. Přísný profesor zkoušel studenty. 8. Lidé/lidi obdivují výstavu v galerii Art. 9. Turisté/turisti navštěvují české a moravské památky. 10. Stavební úřad zavřel starou restauraci. **191/tabulka** Chybějící formy z textu na str. 188 jsou: znárodňovány – zbavovány – pronásledovány – zbourán – zakázáno – dotovány – rozhodnuto – zvolen – uvězněn – odsouzeno – popraveno – zahájena – obsazeno **191/2** 1. organizován 2. zrekonstruován 3. prodán 4. pozván 5. udělán 6. umyt 7. vypit 8. zabit 9. rozhodnut 10. otevřen 11. opraven 12. uvařen 13. viděn 14. změněn 15. uklizen 16. zaplacen 17. ztracen 18. oblečen 19. přečten 20. přijat **192/3** 1. zrekonstruován 2. prodány 3. pozván/a 4. oblečena 5. otevřeno 6. umyto, uvařen 7. opraveno 8. zaplaceny 9. zabito 10. přijato **192/4** byly shromažďovány, byly položeny, bylo otevřeno, byl pochopen, bylo vybráno, byla otevřena, byla postavena, byly namalovány, byla napsána, bylo zrenovováno, byla postavena **192/5** byla zahájena, byla usnášeníschopná, byla informována, bylo schváleno, je připraveno, byla informována, byla zvolena, byl založen, budou zveřejňovány, byli vyzváni **192/6** 1B, 2G, 3E, 4D, 5A, 6F, 7C **193/1** vaření – vařit, uklízení – uklízet, žehlení – žehlit, luxování – luxovat, mytí – mýt, utírání – utírat, zametání – zametat, utírání – utírat, praní – prát, vynášení – vynášet **193/2** lyžování, plavání, bruslení, potápění, cvičení, opalování, cestování, fotografování, nakupování, hraní na počítači, malování, zpívání, vaření, šití, pletení **193/3** 1. koupání 2. stěhování 3. vstávání 4. psaní 5. pití 6. rozhodnutí 7. učení 8. kouření 9. bydlení 10. připojení 11. čtení 12. oblečení **193/5** stát, spát, sedět, snít, mýt se, vařit, oblékat se, číst, telefonovat, nakupovat, holit se, milovat se, česat se **193/6** rozvařený, pečený, přesolený, smažený, grilovaný, dušený, uzený, zkažený, připálený, nakládaný, zapečený **193/7** 1. umytý 2. vyprané 3. animovaný 4. milovaná 5. opálený/á 6. postavený 7. upečený 8. přečtené 9. ztracené 10. mražené 11. napsaný 12. rozbité **194/3** 0–3: jesle, 3–6: mateřská škola (školka), 6–11: základní škola (ZŠ), první stupeň (1.–5. třída), 11–15: základní škola (ZŠ), druhý stupeň (5.–9. třída)/gymnázium, 15–19: gymnázium/střední odborná škola (SOŠ)/ učiliště/konzervatoř: maturita/výuční list, 19– : vysoká škola (VŠ): diplomová práce, státní zkoušky (státnice) **195/6** 1. jesli 2. školky 3. základní školu 4. střední školy 5. středním odborném učilišti 6. gymnázium 7. konzervatoř 8. vysokou školu 9. vyšší odbornou školu

Lekce 20

197/2 představitel, spisovatelka, představitel, představitel, novinář, nositel, scénárista, scénárista, prezident, prezident, spisovatelka **198/5** 1B, 2G, 3E, 4H, 5A, 6J, 7D, 8F, 9C, 10I **199/11** 1D, 2E, 3A, 4C, 5B **203/17** 1. seš moc hodný 2. nějakej omyl 3. zkysnout u plotny 4. můžem to dát zase dohromady **204/1** Paní Vašíčková říká sousedce: „To je strašné, co se dneska děje, paní Jánová. Dívala jsem se na televizi a oni tam říkali, že prý zdraží kávu! Jako by už nebyla dost drahá, že ano. Já nevím, co ti politici dělají! Oni snad myslí, že ty peníze krademe. To bude můj manžel rozzlobený! On bez kávy nemůže být. Ale já vám řeknu, jestli zdraží taky pivo, tak ho rozzlobí ještě víc. On pořád sedí s chlapy/chlapi v hospodě, mluví/povídají si a pijou/pijí pivo. Ale jestli jim to pivo zdraží, oni půjdou a udělají nějakou revoluci! **205/1** 1. Viděla jsem její nejmenší dítě. 2. Jeho chytrý syn byl výborný student. 3. Nesmíte tady jezdit tak rychle. 4. Ti muži velmi rádi poslouchali klasickou hudbu. 5. Ty ženy vždycky rády četly kvalitní literaturu. 6. Ruština je další cizí jazyk, který se chci učit. **205/2** 1. Napíšu domácí úkol. 2. Pojedu domů. 3. Koupím ti růže. 4. Zúčastním se mítinku. 5. Dám vázu na stůl. 6. Jdu na pedikúru. 7. Nemůžu odpočívat. 8. Nepracuju v úterý. 9. To je úžasný nápad. 10. Znáte Karlův most? 11. Jsem úředník. 12. Je tady pět studentů. **205/3** 1. Někdy vařím oběd sám, ale většinou jím v restauraci. 2. Ta zpěvačka krásně zpívá a ještě je pěkná. 3. Objel jsem dům a vjel jsem do garáže. 4. V pondělí se těším na tenis a na volejbal. 5. Zapomněl jste, že mě nebaví běhat? 6. Samozřejmě že vím, kdo objevil Ameriku. **205/4** 1. Snědl jsem svoji snídani. 2. Lenka ztratila zlatý řetízek. 3. Zpívali jsme hezké písničky. 4. Scházeli jste se na zastávce? 5. Ztloustl jsem o dvě kila. 6. Sjela jsem dolů na bruslích. **206/1** 1b, 2a, 3b, 4a, b, c, 5c, 6b, 7b, 8c, 9b, 10c **206/3** Velkomoravská říše (užívá se také označení Velká Morava) byla prvním známým západoslovanským státem, ve své době nejmocnějším a nejsilnějším ve střední Evropě. Existovala převážně na českém, slovenském a maďarském území mezi léty 833 a (asi) 907. – České království či Království české byl až do roku 1918 plný oficiální název Čech. Prvním českým králem byl v letech 1085–1092 Vratislav II. Poslední český král byl Ferdinand V. Dobrotivý, neboť poslední rakouský císař František Josef I. nechtěl tento titul převzít. – Československá republika (zkratka ČSR) byl oficiální název československého státu používaný v letech 1920 až 1938, dále během druhé světové války exilovou vládou a po obnovení Československa v roce 1945 do roku 1960. – V roce 1960 byla přijata nová československá ústava, která změnila název státu na Československá socialistická republika. Československá socialistická republika (zkratka ČSSR) byl oficiální název českého státu od 11. července 1960 do 28. března 1990. – Česká republika (Česko) je oficiální název českého státu od 1. ledna 1993. (Od roku 1990 do roku 1993 se používal název Česká a Slovenská federativní republika). **207/6** rozloha, počet obyvatel, historická území, státní znak, národní strom, hlavní město, sousední země, nejznámější hrady a zámky, nejznámější lázně, nejznámější výrobky **207/10** prezident, parlament, vláda, ministerstvo, ministerstvo, politické strany **207/11** 1. na cizineckou policii 2. na velvyslanectví (na ambasádu) 3. na městský/obecní úřad, na živnostenský úřad 4. na finanční úřad 5. na soud 6. na živnostenský úřad 7. na policii 8. na radnici/ na městský/obecní úřad

Textová příloha

CD1

CD1: Track 01

Odkud jste, Justine?
Jsem z Ameriky, z Pennsylvánie.
Aha. A co tady děláte? Pracujete, nebo studujete?
Jsem učitel angličtiny a student češtiny. A taky rád cestuju a objevuju…
A proč se učíte česky?
Protože bydlím tady a to je lepší mluvit česky. To je zábava učit se nový jazyk.
A jak dlouho už češtinu studujete?
Rok a půl.
Aha. A jak často máte lekce?
Většinou dvakrát pro … ne, za týden, ale teď jenom jednou za týden.
A co vám dělá v češtině největší problémy?
No… pamatovat si správně deklinace. Ne akuzativ nebo nominativ, to je *dobrý*, ale posesivita: maminka kamarádky, kamarádčina maminka…. Ale největší problém (eee) pro mě je najít lidi, *který* chtějí mluvit česky, a ne anglicky.
A co vám pomáhá ve studiu češtiny?
No, pomáhá mi moje česká přítelkyně. Vždycky jednou za týden máme „český den" a mluvíme jenom česky.

CD1: Track 02

Odkud vy jste, Mičiko? Z Japonska?
Ano, jsem z Japonska. Jsem Japonka.
Aha. A co tady děláte?
Pracuju v japonské firmě. Jsem manažerka PR. Jak se to řekne česky?
Taky říkáme PR, public relations. A proč se učíte česky?
Můj manžel je Čech a doma mluvíme někdy česky, někdy japonsky a někdy anglicky. Ale taky češtinu potřebuju v práci … nebo v obchodě nebo venku na ulici.
Aha, hm… A jak dlouho češtinu studujete?
Studuje (eee) studuju češtinu tři roky. Nejdřív jsem měla lekce každý den, ale teď mám lekce jednou za týden. Mám individuální lekce.
A co je pro vás v češtině těžké?
Těžké? Všechno. Ale asi ta gramatika, to je *strašný*. Ty koncovky, ta deklinace… dativ a genitiv a plurál, hlavně plurál. Ten studujeme moc teď.
A co vám pomáhá při učení?
Pomáhá mi číst české knihy. Čtu to, co už znám anglicky nebo japonsky, takže to není tak těžké. Taky používám slovník a píšu si nová slova.

CD1: Track 03

Odkud jste, Andreji?
Jsem z Ukrajiny, z Kyjeva.
A co tady děláte?
Studuju tady češtinu, protože chci studovat vysokou školu, medicínu. Chci být doktor.
Aha. A jak dlouho už studujete češtinu?
Já studuju hodně intenzivně jeden rok. Učím se každý den pět hodin a ještě někdy o víkendu máme semináře (eee) semináře a testy, nebo procházky a výlety a tak.
Hmmmm, *pane jo*. A co vám dělá v češtině problémy?
Tak hlavně *ty podobný* slova, to je *těžký*. A taky někdy ty koncovky. Ale mám hodně českých kamará-dov (eee) ne, kamarádů a to je *fajn*, že spolu hodně mluvíme.
A co vám ve studiu češtiny pomáhá, Andreji?
No, ti kamarádi, a taky české filmy. Dívám se na ně často a už hodně rozumím. Ale když mluví rychle, tak *fakt* potřebuju titulky.

CD1: Track 04

Jmenuju se Umida Nazarxon. Jsem z Uzbekistánu, z Taškentu. Narodila jsem se 20. května 1987. Vystudovala jsem střední zdravotnickou školu a moje povolání je zubní laborantka. Práce mě bavila, ale vydělávala jsem měsíčně jen 45 dolarů, to je asi 800 korun. Stačilo to jen na základní potraviny a dopravu po městě. To nebylo k životu.
Rozhodla jsem se odejít do České republiky, protože tady byla šance pracovat. Moje teta už rok pracovala v Praze jako uklízečka, i když je vystudovaná ekonomka. Pak nějak zařídila vízum, pracovní povolení a povolení k pobytu i pro mě. Svoje doklady jsem nikdy neviděla a ani nevím, jestli jsem pracovala legálně.
Po příjezdu do Česka jsem začala pracovat v jednom hotelu v kuchyni. Můj zaměstnavatel mě nutil pracovat 12 hodin denně za 45 korun na hodinu. Rozhodla jsem se, že takhle žít nechci. Chtěla jsem dělat práci, na kterou mám vzdělání, a kvůli tomu jsem potřebovala jazyk. Známý mi na internetu zjistil, že existují neziskové organizace, a ty učí kurzy češtiny pro cizince. (eee) Začala jsem tam chodit dvakrát týdně. Chtěla jsem pracovat jako laborantka, a tak jsem musela udělat zkoušky v češtině na odborné zdravotnické střední škole. Teď si můžu hledat lepší zaměstnání. Už jsem si podala žádost o trvalý pobyt a začala jsem si platit zdravotní pojištění. Kamarádi mého českého přítele se mě často ptají, proč tady chci zůstat, a já jim říkám – kdybyste věděli, jak se žije jinde, tak byste se neptali.

CD1: Track 05

Marta Brožová je už dospělá a žije ve vlastním bytě, ale vždycky jednou za měsíc chodí s rodiči do restaurace na oběd. Brožovi se na tenhle rodinný rituál vždycky těší. Popovídají si o tom, co je nového, a ještě se dobře najedí!

No ne, tady je dneska plno! Ještěže jsem zamluvil stůl předem!
…
Dobrý den! Co si dáte k pití?
No, já neperlivou minerálku. Budu řídit.
Já si dám gambrinus desítku.
Prosím vás, *jaký* máte *bílý* víno?
Máme rulandské a veltlín.
Tak dvě deci *rulandskýho*.
…
Tak máte vybráno?
Prosím vás, máte ještě to polední menu?
Je mi líto, ale už není.
Tak já si dám tu čočkovou *polívku* s pečivem a pak to krůtí maso s *knedlíkama*.
A já bych si dala jednou ten biftek s *americkejma bramborama*. A co budeš ty, Marto?
Já nevím, jestli si mám dát ten *těstovinovej* salát s tu-ňákem nebo ty *vepřový* nudličky s *rejží*. (eee) Tak ten salát, ano? A prosím vás, šlo by to bez majonézy?
Určitě. A ještě něco k pití?
Já ještě tu minerálku. Anebo ne, *radši hruškovej* džus.
A ten džus chcete do *dvojky*, nebo do *trojky*?
Dvě deci stačí, díky.

…
Všechno v pořádku?
Jo, je to *vopravdu* moc *dobrý*, ale už nemůžu. Můžete mi to, prosím vás, zabalit?
…
Dáte si něco sladkého nebo kávu?
Kafe si dáme, ale něco *sladkýho* spíš později.
No, já bych si něco dala hned. Mám chuť na zmrzlinu. Můžete mi ještě dát ten jídelní lístek?
…
Prosím vás, zaplatíme. Dohromady, *jo*? Můžu platit kartou?
Ne, jenom hotově. (eee) A je to 476 korun.
A berete stravenky?
Ano, bereme.
500. To je v pořádku.

CD1: Track 06

Co si dáte?
Dám si hovězí *polívku* a potom to *uzený* maso s bramborovou kaší a okurkou. A k pití si dám pivo.
Desítku, nebo dvanáctku?
Desítku.
…
Prosim vás, ta kaše byla nějaká přesolená a to pivo je zase *teplý*.
Hmm, tak to se omlouvám, *no*. Tak já vám přinesu *jiný*.
Ne, děkuju. Pivo už nechci. *Zaplatim*.
Je to 106 korun.
110.

CD1: Track 07

Tak prosím, už máte vybráno?
No, dám si ten biftek na zeleném pepři. Ale dobře *propečenej*, prosím vás, ať to maso není *syrový*.
A jako přílohu ty *smetanový* brambory.
A co si dáte k pití?
Jenom vodu.
Máme Mattonku a perlivou, jemně perlivou nebo neperlivou Aquillu.
Tak tu jemně perlivou.
…
Všechno v pořádku?
No, moc mi to chutnalo. Ještě bych si dala něco *sladkýho*. Mám chuť na (eee) třeba tenhle čokoládový dort s *jahodama*. A zaplatím.
372 korun.
400. To je v pořádku.

CD1: Track 08

Prosím vás?
Moment, já teď nemám čas. … *No*, tak co si dáte?
(Eee)
Tak máte vybráno? Já tu mám spoustu lidí.
Ano, ano, dáme si jednou ten vepřový řízek s bramborem a jednou kuřecí řízek s *hranolkama*.
K pití?
Dvě deci *červenýho* a kolu do *trojky*.
…
Zaplatíte?
Ne, dali *bysme* si ještě salát.
Saláty nemáme.
Aha, tak nic. Zaplatíme.
Tak to je 760.
760?! To nemyslíte vážně.
Jo aha, to není váš účet. Tak 320.
Prosim.

CD1: Track 09

Michal Nový hledá dům v Praze a okolí. Je v realitní kanceláři.

Prosím vás, já hledám *nějakej rodinnej* dům na kraji Prahy nebo v okolí, tak maximálně do 30 km od Prahy.
Chcete si ho pronajmout, nebo koupit?
Chtěl bych ho koupit.
Aha, a o jak velký dům máte zájem a v jaké cenové relaci?
No, potřebujeme *takovej* 5 nebo 6+1 s garáží a zahradou, maximálně do 6 milionů.
Hmm, tak máme tady jeden starší rodinný dům, je to 5+1 v Hostivicích po kompletní rekonstrukci se zahradou a garáží za 5 250 000 korun.
A šlo by to koupit na hypotéku?
Ano, hypotéka je možná. Chtěl byste se na ten dům podívat?

CD1: Track 10

Jana Tichá hledá pronájem v Brně. Je v realitní kanceláři.

Chtěla bych si dlouhodobě pronajmout nějaký byt tady v Brně.
A jak velký?
Spíš menší. 2+kk nebo 2+1.
Zařízený, nebo nezařízený?
Zařízený.
Tak tady máme (eee) částečně zařízený panelový byt 2+1, 55 m² v Žabovřeskách, třetí patro s výtahem, k pronajmutí minimálně na jeden rok.
Aha, a kolik by stál?
9000 za měsíc s poplatky.

CD1: Track 11

Robert Malý bydlí v Praze v hezkém, ale malém bytě 1+kk. S manželkou teď čekají miminko, a proto Robert hledá nějaký větší byt. Chce si pronajmout aspoň částečně zařízený byt, minimálně 3+kk s velkým balkonem, terasou nebo lodžií, maximálně do 30 tisíc za měsíc. Robert pracuje v mezinárodní firmě v centru Prahy, ale často jezdí na služební cesty do zahraničí, proto hledá byt blízko centra a s dobrým dopravním spojením na letiště.

CD1: Track 12

Dobrý den. Prosím vás, já volám na ten pronájem bytu v Jinonicích.
Který myslíte?
Ten 4+kk s terasou za 25 tisíc měsíčně. Je ještě k dispozici?
Ano, ano, ten je ještě volný.
Tak *fajn*. Mohl bych se na něj zajet podívat?
Můžete třeba ve čtvrtek odpoledne?
Ano, můžu.
Je to ulice Markova, … Markova 194. Sejdeme se před domem, ano?

CD1: Track 13

Lucie, kdybys mohla, jela bys na cestu kolem světa?
Na cestu kolem světa? *Jasně*! Třeba hned *zejtra*. To je můj *velkej* sen. Chtěla bych se cestou podívat do Číny a do Japonska, protože mě *fakt* hodně baví asijská kultura. *Nejradši* bych letěla balónem jako ten *americkej* milionář, ale to asi nepůjde, *co*?

CD1: Track 14

Marie, chtěla byste jet na cestu kolem světa?
Já? Ani náhodou! Copak na to mám čas a peníze?
Prosím vás, já mám tolik práce, že ani nemám čas jet na chatu. Cesta kolem světa, to určitě! Leda až budu v důchodu, to by možná šlo. Jela bych nějakou velkou lodí a podívala bych se do Austrálie. Já mám ráda teplo a sluníčko. *Jo*, to by bylo *fajn*, to bych jela. Proč ne. Ale musel byste mi to zaplatit!

CD1: Track 15

A co ty, Karle, nechtěl bys jet na cestu kolem světa?
Určitě! Ale já už jsem vlastně jednou kolem světa jel. Když jsem *dodělal* školu, odjel jsem na dva roky pracovat do Ameriky. Tam jsem si vydělal *nějaký* peníze, a když jsem jel zpátky, projel jsem spoustu *zajímavejch* zemí. Vzal jsem to přes Japonsko, Čínu, Tibet a Indii. Letěl jsem letadlem, ale taky jsem hodně jezdil autobusem, vlakem, nebo stopem. Hned bych jel ještě jednou!

CD1: Track 16

Prosím vás, kde je pošta?
No, jděte rovně, až dojdete na křižovatku. Tam zahněte doprava.
…
Prosím vás, kudy se jde k nádraží?
Zahněte tady doleva a běžte kousek rovně. Tam už ho uvidíte.
…
Prosím vás, jak se dostanu na parkoviště?
To jedete úplně špatně. Jeďte zpátky, pak nahoru na kopec a pak dolů z kopce a tam to je.

CD1: Track 17

Prosím vás, kde je nádraží?
Nevim, já nejsem odtud.
Prosím vás, nevíte, kde je nádraží?
Takže… Jděte rovně směrem k tomu *žlutýmu* domu. Vidíte ho? Tam zahněte doprava a pak běžte zase asi sto metrů rovně. (eee) Dojdete na křižovatku, přejdete ji a půjdete dolů po schodech. A nádraží je vpravo dole.
To je nějak daleko. Nejede tam tramvaj?
Jede, ale teď vám ujela. Pěšky to máte rychlejší.

CD1: Track 18

Prosím vás, kudy se jede na letiště?
To jedete opačným směrem, musíte jet zpátky. Jeďte pořád rovně, na semaforu zahněte doleva a pak zase rovně. Tam už uvidíte šipky.
Je to daleko?
No, autem asi 15 minut.

CD1: Track 19

Prosim vás, jak se dostanu na Václavské náměstí?
Devítkou nebo trojkou.
Prosim?
Tramvají devět nebo tři. Devítka teď ujela, ale můžete jet trojkou. Jede asi za pět minut.
A nemůžu jet *timhle* autobusem? Spěchám.
Ne, ne, ten tam nejede. *Radši* počkejte na tu trojku, to máte lepší.

CD1: Track 20

Prosim tě, nevíš, kde je Vinohradská ulice?
Podívej se na www.mapy.cz. Normálně napíšeš ulici a město a najdeš to.
Aha. A jak se tam dostanu? Autobusem nebo metrem?
Podívej se na jízdní řády, www.jizdnirady.cz. Tam je spojení pro celou republiku.
Aha, už to mám. A co je to MHD?
No to je to, co hledáš – městská hromadná doprava.
Jo, už to *vidim*. Můžu jet metrem áčkem nebo jedenáctkou.

CD1: Track 21

Jako malá holka jsem vždycky chtěla být učitelkou. Hned po maturitě jsem šla na pedagogickou fakultu. Teď učím už třicet let. Je to čím dál tím těžší, protože dneska děti víc zlobí, málo čtou, nic je nezajímá a pořád jenom sedí u počítače nebo u televize. Cítím se už opravdu unavená a těším se, až půjdu do důchodu.

CD1: Track 22

Nikdy jsem konkrétně nevěděl, čím bych chtěl být, ale vždycky jsem chtěl pomáhat lidem. Bral jsem to jako svoje poslání. Proto jsem se stal hasičem a dělám to už patnáct let. Ona je to v podstatě práce jako každá jiná, často jezdíme k běžným haváriím, a někdy nás lidi volají zbytečně. Ale párkrát jsem už zažil doslova „horké chvilky" a jsem rád, že jsem pomohl zachránit několik lidských životů.

CD1: Track 23

Jako klukovi se mi *strašně líbily* auta a vždycky jsem chtěl dělat něco s *autama* – třeba *nějakýho* mechanika nebo řidiče. Ve škole mi to moc nešlo, *holt* jsem nebyl studijní typ, že *jo*. Navíc jsem se ve *vosmnácti voženil*, pořídili jsme si dítě, a tak jsem si musel hezky rychle najít *nějaký* zaměstnání. Už pár let dělám uklízeče a neměnil bych. Je to *fakt* pohodová práce, dopoledne mám volno, *vodpoledne uklidim* pár kanceláří a mám klid.

CD1: Track 24

Jé, čau, Moniko. Jak se máš? Už jsem tě dlouho neviděla.
Ahoj, Aleno. No, nic moc. Hledám práci a pořád nemůžu žádnou sehnat.
Jak to? Jsi mladá, máš školu i praxi. Co jsi dělala naposled?
No, teď jsem tři roky nepracovala, protože jsem byla na *mateřský*. Předtím jsem pracovala jako účetní v *jedný malý* firmě.
A jakou práci sháníš?
Asi zase účetní nebo něco v administrativě. Ale víš, hledám něco na *zkrácenej* úvazek, tak maximálně na 6 hodin denně, a to je *těžký*. Mám *malý* děti, a nemůžu pracovat do sedmi do večera.
Ale mohla by sis najít někoho na hlídání, ne?
Jo, ale to je *drahý*. A taky chci být s *dětma*. Jé, promiň, já už nemám čas. Musím běžet. Jdu si podat inzerát do Annonce.

CD1: Track 25

Na jaké filmy jste se díval, když jste byl malý? Měl jste nějakou oblíbenou filmovou postavu?
Já jsem měl *strašně* rád filmy o Indiánech. Viděl jsem

nad všechny, co u nás dávali. S bratrem jsme si po-
ád hráli na Indiány. Já jsem byl jako Indián Vinnetou
a brácha byl jeho věrný bílý přítel Old Shatterhand.
Nejvíc se mi líbil ten druhý díl, Vinnetou, rudý gen-
tleman.

CD1: Track 26

Měl jste jako malý rád nějaké filmy nebo filmové
hrdiny?
Ne, ani ne, když jsem byl malý, tak televize nebyla
a na kino jsme neměli peníze ani čas. Ale hodně
jsem četl a měl jsem strašně rád knížky Julese Verna
– třeba Kapitán Nemo, Cesta kolem světa za 80 dní,
20 tisíc mil pod mořem, Dva roky prázdnin... To moji
vnuci pořád sedí u televize nebo u počítače. Ti vidí
za měsíc víc filmů než já v jejich věku za celý rok!

CD1: Track 27

Na co se ráda díváš, Dášenko? Máš nějaké oblíbené
filmy?
Já mám ráda večerníčky, dívám se na ně každej den.
A taky se mi strašně líbí pohádky a seriály: Prin-
cezna ze mlejna, Popelka, Včelka Mája, Vlk a zajíc,
Tom a Jerry, Harry Potter... (eee) Ale nejradši mám
Krtečka!

CD1: Track 28

Paní Nová a paní Hladká si povídají před domem.
No ne, dobrý den, paní Hladká. To jsem ráda, že vás
vidím. Jak se máte? Už jsem vás dlouho nepotkala.
A co je u vás nového?
Dobrý den, paní Nová. No, to víte, všechno při
starým. Právě jsme se s manželem vrátili z chalupy.
Zůstáváme tam každej rok skoro až do Vánoc, a letos
bylo pořád tak hezky. Co tady ve městě, že jo?
To máte pravdu, paní Hladká. Hned bych si to s váma
vyměnila. To my jsme tu měli fofr. Před čtrnácti dny
se mi ženil nejmladší syn, takže si umíte představit
ten zmatek. Ale všechno dobře dopadlo.
Já vím, dostala jsem od nich oznámení a hned jsem
jim poslala gratulaci. No, a jak se mají?
Představte si, jsou teď na líbánkách až v Thajsku.
Moje vnučka je teď taky v cizině, jeli se školou do Itá-
lie. Včera jsem od ní dostala pohled. Jsou tam jenom
na pár dní, ale uvidí Řím, Benátky i Florencii.
A kolik jí vlastně je? Ta už musí bejt velká. To už je
dlouho, co jsem ji viděla naposled.
Představte si, příští tejden jí bude 15. No, letí to,
paní Nová. V neděli máme oslavu, tak musím koupit
nějakej dárek, nějaký hezký přání a asi jí upeču dort.
Tak to máte radost, viďte? Ale slyšela jste, co je tady
nového? Ta mladá Králová ze třetího patra už má dítě,
kluka. A ten pan Čermák, jak byl tak dlouho nemoc-
nej, tak ten před měsícem umřel. Nemohla jsem jít
na pohřeb, tak jsem aspoň poslala kondolenci.
No to je mi líto. Naposled jsem s ním mluvila někdy
kolem Velikonoc. Vzpomínám si, že nám poslal přání,
tak jsem mu šla poděkovat...
Jo, jo, to je život... Jé, to už je hodin! Musim letět kou-
pit vánoční přání, než zavřou. Ještě jsem nenapsala
ještě Marii na Moravu. A kdybysme se neviděly, tak
přeju krásný svátky.
Vám taky. Šťastný a veselý!

CD1: Track 29

Máme rádi zvířata, zvířata, zvířata,
protože jsou chlupatá a mají hebkou srst, srst, srst, srst.
V zoologické zahradě, zahradě, zahradě
hledáme lva po bradě, ukousne vám prst, prst, prst.

Chybuje ten, kdo lvu skrz tu mříž svou ruku podá,
i když máme deset prstů, každýho je škoda.

Máme rádi zvířata, zvířata, zvířata,
protože jsou chlupatá a mají hebkou srst.

Chybuje ten, kdo lvu skrz tu mříž svou ruku podá,
i když máme deset prstů, každýho je škoda.

Máme rádi zvířata, zvířata, zvířata,
protože jsou chlupatá a mají hebkou srst (například
ježek).

CD1: Track 30

Prosím vás, můžete mi rozměnit stovku? Potřebuju
desetikorunu na vozík.
Nemůžu, nemám drobný. Rozmění vám tamhle
u pokladny.

CD1: Track 31

Včera jsem si tady u vás koupila tenhle sýr, a když
jsem ho doma rozbalila, viděla jsem, že je zkaženej.
Podívejte se, jak je tady zelenej!
Ale to je normální, to je takovej speciální typ!
Prosím vás, ale tady je napsáno: Spotřebujte do de-
sátého května. A včera bylo třináctýho!
Aha... No tak dobře. Chcete ho vyměnit za čerstvej,
nebo chcete vrátit peníze?

CD1: Track 32

Prosím vás, koupila jsem tady svetr, ale je mi moc
malej. Můžu ho vyměnit za větší?
Tady ne. Musíte jít do reklamací ve čtvrtym patře.
Tam vám vrátí peníze a tady si pak koupíte větší.
Máte účet?
Mám. A máte větší velikost?
Ano, máme M, L, a XL.

CD1: Track 33

Můžu vám nějak pomoct?
Prosím vás, já jsem si tady koupil televizi a ona teď
nějak nefunguje.
A co vám to dělá?
Když to zapnu, jde jenom zvuk, ale obraz nejde. Mu-
sím ji vždycky třikrát zapnout a vypnout, pak to začne
fungovat, ale obraz je nekvalitní.
Kdy jste ji kupoval? Máte ji v záruce?
Určitě. Kupoval jsem ji v dubnu. To je ještě v záruce, ne?
No, záruka je dva roky. Máte záruční list a účet?
Tady jsou.
Dobře. Musíme ji poslat do servisu. Zeptejte se
za týden.

CD1: Track 34

Ahoj Kláro!
No ne, čau, Moniko! Jak se pořád máš?
Ale no jo, furt stejně. A co ty? Hele, nemáš čas? Neza-
jdem si na kafe?
Já teď nemůžu, musím nakoupit a pak letím k holiči.
Co třeba v pondělí?
Moment, v pondělí je třetího, viď. Tak jo, to můžu.
A kdy se sejdem? Hodí se ti to ve dvě?
Ne, to nestihnu. Já ve čtvrt na tři teprve končím
v práci.
Tak v půl třetí? Nebo ve tři čtvrtě na tři?
Víš co, radši až ve tři.
Fajn, takže třetího dubna ve tři. To se dobře pamatu-
je, že jo?

No, to je fakt. To určitě nezapomenem. Tak se těším.
Ráda jsem tě viděla. Měj se!

CD1: Track 35

Haló?
Tady Ježek. Prosím vás, promiňte, ale nedomlouvali
jsme si schůzku na dvě hodiny? Já už tady v kavárně
čekám skoro půl hodiny.
Cože? A kolik je hodin?
Bude půl třetí.
Už !?! Promiňte, já jsem na to úplně zapomněl. Moc
se omlouvám. Už tam běžím!
Dobře. Sedím hned u dveří.
Jsem tam za pět minut. A ještě jednou se omlouvám!

CD1: Track 36

Dobrý den, paní doktorko. My jsme se měli dneska
odpoledne sejít kvůli té smlouvě, ale něco mi do toho
přišlo. Moc se omlouvám, že to měním, ale můžeme
se sejít jindy?
Hm, aha.... A kdy by se vám to hodilo? Já můžu až
šestnáctého odpoledne.
Moment, podívám se do diáře. Ne, bohužel šestnác-
tého nemůžu. (eee) Mohla byste sedmnáctého taky
odpoledne?
Ne, nemůžu, to už něco mám. A pak odjíždím na tři
dny mimo republiku. ... Prosím vás, zavolejte mi kon-
cem příštího týdne a nějak se domluvíme.
Dobře, zavolám. Mějte se hezky a na shledanou.

CD1: Track 37

Takže tady máte tu diplomovou práci. Chcete se ještě
jednou sejít a podívat se na to?
No to jste moc hodná, paní profesorko, ale já vás
s tím nechci zdržovat.
Ale to nezdržujete, klidně přijďte. Hodí se vám to
třeba druhého dubna?
Ano, to se mi hodí. Můžu přijít zase v jedenáct
hodin?
Raději v půl jedenácté, ano?
Dobře, tak druhého v půl jedenácté. A ještě jednou
děkuju, moc jste mi pomohla.

CD1: Track 38

No ne, jseš to ty? Už jsem tě neviděl sto let! Tak co,
jak žiješ?
Ale jo, v pohodě. A co ty?
Hele, nezajdem si na pivo?
Dneska nemůžu, ale třeba příští tejden.
A kdy? Co třeba v pátek?
V pátek? No, to se hodí, to mám zrovna narozeniny!
Cože, je to možný? Ty máš narozeniny třináctýho
dubna? Já taky!
No, to je dobrý, tak to spolu musíme voslavit! Tak se
sejdem v sedm večer U Tygra, jo?

CD1: Track 39

Vánoce, Vánoce přicházejí,
zpívejme přátelé,
po roce Vánoce, Vánoce
přicházejí, šťastné a veselé.

Proč jen děda říct si nedá,
tluče o stůl v předsíni
a pak běda marně hledá
kapra pod skříní.

Naše teta peče léta
na Vánoce vánočku,
nereptáme, aspoň máme
něco pro kočku.

Vánoce, Vánoce přicházejí,
zpívejme přátelé,
po roce Vánoce, Vánoce
přicházejí, šťastné a veselé.

Bez prskavek, tvrdil Slávek,
na Štědrý den nelze být
a pak táta s minimaxem
zavlažoval byt.

Tyhle ryby neměly by
maso míti samou kost,
říká táta vždy, když chvátá
na pohotovost.

Vánoce, Vánoce přicházejí,
zpívejme přátelé,
po roce Vánoce, Vánoce
přicházejí, šťastné a veselé.

Jednou v roce na Vánoce
strejda housle popadne,
jeho vinou se z nich linou
tóny záhadné.

Strejdu vida děda přidá
„Neseme vám noviny",
čímž prakticky zničí vždycky
večer rodinný.

Vánoce, Vánoce přicházejí,
zpívejme přátelé,
po roce Vánoce, Vánoce
přicházejí, šťastné a veselé.

A když sní se, co je v míse,
televizor pustíme,
v jizbě dusné všechno usne
k blaženosti mé.

Mně se taky klíží zraky
bylo toho trochu moc,
máme na rok na klid nárok
zas až do Vánoc.

Vánoce, Vánoce přicházejí,
zpívejme přátelé,
po roce Vánoce, Vánoce
přicházejí, šťastné a veselé.

CD1: Track 40

Pan Dubský přišel na návštěvu k Vrzalovým.

Dobrý den, pane profesore. Tak vás u nás vítám.
Našel jste to dobře?
No, trochu jsem zabloudil. Omlouvám se, že jdu
pozdě.
Ale to nevadí. Pojďte dál a odložte si. Tady máte
pantofle.
...
Tady to je pro paní a pro vás mám něco na zahřátí.
Jé, belgické pralinky! Ty mám moc ráda.
No ne, francouzské víno! Moc děkuju, ale to jste
nemusel. Tak prosím, posaďte se. Hned budeme ve-
čeřet. Můžu vám nalít pivo nebo víno? Máme červené
i bílé.

Tak trochu toho červeného. (eee) Promiňte, můžu si
odskočit?
Ano, ano, tady ty dveře hned vpravo.
...
Dobrou chuť. – Dobrou chuť. – Vám taky.
Mmmmm, to je opravdu výborné.
Nechcete přidat rýži nebo maso?
Ne, děkuju, to stačí. Bylo to moc dobré. Jste skvělá
kuchařka.
Jsem ráda, že vám chutnalo, ale to vařil manžel, já
moc nevařím.
...
Tak děkuju za hezký večer.
My děkujeme za návštěvu. Na shledanou a mějte se
hezky.
Vy taky. A brzy na shledanou.

CD1: Track 41

Petra s malým Lukáškem přišli na návštěvu
ke Zdeňce.

Ahoj! To jsem ráda, že vás vidím. Dejte si ty kabáty
tady na věšák a pojďte si sednout do obýváku.
...
Ty to tady máš *hezký*.
No, pořídila jsem si *nový* nábytek. *Hele*, ty si asi
dáš *kafe* a Lukášek čaj, viď? Mám tady k tomu něco
sladkýho. Máš rád dortíček, Lukášku?
Mám. A teto, můžu si vzít bonbón?
Ale Lukášku, to se nedělá! Nemusíš mít všechno, co
vidíš.
To je *dobrý*, nech ho. Na, *vem* si.
A jak se říká, Lukášku?
Děkuju. Mňam, ten je *dobrej*. A teto, můžu si vzít
ještě jeden?
Ne, ne, Lukáši, už máš dost. Zdeňko, prosím tě,
podej mi ubrousek. Kluk je *celej špinavej*. Fuj, ty *jseš*
ale prasátko!

CD1: Track 42

Až budu v důchodu, budu mít konečně víc času
na rodinu. Mám doma spoustu receptů, a tak bych
chtěla víc vařit, *péct* dorty a koláče pro vnuky, *no*
prostě *bejt* typická hodná babička. Ale nemyslete si,
že budu pořád jenom doma v kuchyni! Už jako holce
se mi líbily motorky a vždycky jsem nějakou chtěla.
Takže když budu zdravá, udělám si *řidičák* a koupím
si nějakou menší motorku. Taky bych si chtěla zapla-
tit *nějakej jazykovej* kurz. Jedna moje dcera je vdaná
v Anglii, tak bych se potřebovala líp domluvit s jejím
manželem. Když se budu pořádně učit, tak to za rok
zvládnu, ne? *No*, ale nejvíc ze všeho se těším, že si
konečně přečtu všechny ty knihy, *co* jsem vždycky
nakupovala, a nikdy na ně neměla čas.

CD1: Track 43

Až dodělám školu, musím *fakt* nejdřív ze všeho
konečně uklidit byt. Před maturitou jsem na to
vůbec neměla čas. Moc dlouho *vodpočívat teda* ale
nemůžu, *musim* se zase začít učit, protože v červnu
dělám zkoušky na *vysokou*, na biologii. Taky se chci
učit malovat – to je vedle biologie druhá věc, která
mě *strašně* moc baví. A chci si už konečně *dodělat*
ten *červenej* svetr, *co* pletu už dva roky. V srpnu pak
pojedu s kamarádkou na *nějakej* letní kurz aerobicu.
No, a když se nedostanu na *vysokou*, pojedu do Ně-
mecka nebo do Rakouska jako au-pair a aspoň se
pořádně *naučim* německy.

CD1: Track 44

Až budu starým mužem, budu staré knihy číst
a mladé víno lisovat,
až budu starým mužem, budu si konečně jíst tím,
koho chci milovat,
koupím si pergamen a štětec a tuš a jako čínský
mudrc sednu na břeh řeky
a budu starý muž, starý muž.

Až budu starým mužem, pořídím si starý byt a jedno
staré rádio,
až budu starým mužem, budu svoje místo mít u okna
kavárny Avion,
koupím si pergamen a štětec a tuš a budu pozorovat
lidi, kam jdou asi
a budu starý muž
a budu starý muž.

Až budu starým mužem, budu černý oblek mít
a šedou vázanku,
až budu starým mužem, budu místo vody pít lahodné
víno ze džbánku,
koupím si pergamen a štětec a tuš a budu mlčet,
jako mlčí ti, kdo vědí už,
starý muž, starý muž.

CD1: Track 45

No ne, Hanko, ty máš *novej* účes! Kdo ti to dělal?
Prosím tě, to je *strašný*. Byla jsem u holičky v tom
kadeřnictví v centru. Řekla jsem jí, že to nechci moc
ostříhat, jenom vpředu trochu zkrátit ofinu a vzadu
vlasy na krku. *No*, a podívej se, co mi udělala, jak to
mám *krátký*.
No jo, to já znám. Holičky nikdy člověka
neposlouchají. Ale nemáš to tak *strašný*, na léto to
bude *hezký*!

CD1: Track 46

Podívej se, mám *nový* šaty!
No ty jsou *fakt krásný*! Kdes je koupila?
Koupila jsem je v Tescu, ale byly mi moc *dlouhý*.
Nechala jsem si je zkrátit u švadleny.
Aha, *vidíš*, já bych potřebovala zkrátit džíny. Kolik to
stálo?
Jenom sto dvacet. Chceš na ni telefon? Je docela
levná a moc šikovná.

CD1: Track 47

Auuu! *Do háje!*
Co se stalo?
Zase mi upadl podpatek. Je tohle *možný*? Před
měsícem jsem si nechala ty boty opravit a už se zase
rozbily!
A nemůžeš je reklamovat?
No to právě nemůžu, ztratila jsem účet. Ale příště si
ho určitě nechám!

CD1: Track 48

No to snad není pravda! Podívej se na tu bundu. Teď
jsem ji *přines* z čistírny!
Co je? Já nic *nevidim*!
Ty nevidíš ten *flek*? Vůbec to nevyčistili! A přitom je to
tak *drahý*! *Musim* to tam dát znova a reklamovat to.

CD1: Track 49

...áni, mě bolí záda! Já už *nevim*, co s *tim* mám dělat.
... proč nejdeš na masáž? To by ti třeba pomohlo.
...y znáš *nějakýho dobrýho* maséra?
...o, u nás na sídlišti je jeden moc *šikovnej*. Byl jsem
...am *minulej tejden*, *strašně* mě *bolely* záda z volejba-
...u. Moc mi *pomoh*. Musíš si k němu taky zajít.
... *musim* se k němu objednat?
...usíš, má pořád plno. Dám ti telefonní číslo.

CD1: Track 50

...etos jsme byli s manželkou a naší roční dcerou Kris-
...ýnkou u moře na *francouzský* Riviéře. Jeli jsme tam
...a začátku června mimo hlavní sezónu, takže to bylo
...evnější. Bydleli jsme v hotelu v *malym* městě blízko
...annes. Hotel byl asi 5 minut od pláže, to bylo *skvě-*
...ý. V hotelu taky byl bazén, to bylo zase *dobrý* pro
...aši malou Kristýnku, protože tam bylo docela horko.
...a pokoji jsme měli taky malou kuchyňku, takže jsme
...i mohli vařit *francouzský* speciality sami. Restaurace
...am pro nás byly *hrozně drahý*. Další nevýhoda byla,
...e hotel byl hned vedle *velký* silnice, a tak tam byl
...v noci docela hluk. A pak ta cesta autem! Jeli jsme
...o z Liberce snad 20 hodin, to bylo *fakt* dost *náročný*.

CD1: Track 51

...listopadu jsem si splnila svůj dávný sen – podívat
...e do Thajska. Za měsíc jsme procestovali *všechny*
...ejzajímavější místa. Nejdřív jsme samozřejmě byli
...Bankoku. Pak jsme jeli na sever, kde jsme viděli
...ak starou thajskou kulturu, tak i krásnou přírodu.
...horách jsme navštívili tradiční vesnice, a dokonce
...sme jezdili na slonu. To byl zážitek! Potom jsme se
...eště zajeli podívat na tři dny do Kambodže. Poslední
...ýden jsme pak odpočívali u moře. Musím říct, že
...esta byla skvěle zorganizovaná. Měli jsme výborné-
...o průvodce, který toho o Thajsku *strašně* moc věděl.
...ohužel s námi bylo několik lidí, které to vůbec
...ezajímalo, pořád chtěli jenom nakupovat, chodit
...o barů nebo ležet na pláži. Myslím, že si vybrali
...patný zájezd. *Jo* a taky v jednom hotelu v Bankoku
...yly docela špinavé pokoje. Ale jinak si na ubytování
...emůžu stěžovat.

CD1: Track 52

...d té doby, co jsme s manželem v důchodu, každý
...ok někam cestujeme. Letos jsme se chtěli podívat
...o Skandinávie. Nakonec jsme se rozhodli pro
...ájezd lodí. Plavba začala v Dánsku a trvala celkem 6
...ýdnů. Během cesty jsme navštívili Dánsko, Švédsko
...Norsko. Nejvíc se nám asi líbilo severní pobřeží
...orska – krásná příroda, fjordy, zvířata. Problém
...yl, že jsme měli docela smůlu na počasí. Často
...ršelo a byla opravdu velká zima. Taky nám na lodi ze
...ačátku moc nechutnalo jídlo, jedli jsme pořád ryby.
...o pár dnech jsme si stěžovali kapitánovi a jídlo se
...epšilo. Jinak ta plavba lodí pro nás byla něco úplně
...ového, bylo to moc *fajn*. Poznali jsme tam spoustu
...ajímavých lidí a opravdu jsme si to užili. A na příští
...ok plánujeme další plavbu, tentokrát kolem Afriky.

CD2: Track 01

Pracuju jako manažer ve firmě Veltex a starám se
o export. Pracovní dobu mám od osmi do čtyř, ale
v práci jsem tak deset dvanáct hodin. Já vím, že
bych měl o víkendu odpočívat, manželka mi to taky
říká, ale nějak neumím „vypnout". Většinou ještě
dodělávám to, na co jsem během týdne neměl čas.
Poslední dobou mě dost často bolí hlava a žaludek
a nemám chuť k jídlu. Mám tolik práce, že se nejdřív
dostanu do postele tak v jednu ve dvě v noci. Ráno
bych ještě spal, ale musím do práce. Děti a manželka
si stěžujou, že mě skoro nevidí.

CD2: Track 02

Máme tři děti, s nejmladším jsem na mateřské
dovolené. Minulý rok jsem na tom byla špatně.
Přestěhovali jsme se do Prahy a ten nejmladší začal
být pořád nemocný. Děti se špatně adaptovaly
v nové škole a manžel začal podnikat a byl pořád
pryč. Pomáhala jsem mu s účetnictvím a pracovala
jsem i dvanáct hodin denně. Řeknu vám, že toho
na mě bylo moc. V noci jsem začala špatně spát
a pořád jsem měla pocit, že jsem něco nestihla
zařídit. Nakonec jsem si zašla k doktorovi a ten mi
dal nějaké léky na uklidnění. Taky jsem se domluvila
s manželem, že místo mě přijme účetní, a začala
jsem chodit na jógu. Pořád mám hodně práce, ale už
to zvládám líp.

CD2: Track 03

No, já pracuju jako instalatér a poslední dobou mám
strašně moc práce! Ve všední den se *nezastavim*, to
jsem v práci *vod* rána do večera, ale o víkendu zásad-
ně nikdy nepracuju. Všeho nechám a jedeme s man-
želkou na chatu. Když je hezky, rád chytám ryby,
hrajeme pingpong nebo chodíme plavat do řeky.
V zimě topíme v krbu, hraju na kytaru, zazpíváme si
nebo si zajdeme na pivo do hospody. To víte, *bohatej*
nejsem, ale život mám jen jeden, tak proč bych si ho
neužil!

CD2: Track 04

Prosím vás, já bych se chtěl objednat k panu
doktorovi na prohlídku.
Tak mi řekněte jméno a datum narození.

CD2: Track 05

Prosím, další!
Sestřičko, syn se řízl do prstu a hodně to krvácí.
Tak honem pojďte dál. Víte, kdy naposled dostal
injekci proti tetanu?

CD2: Track 06

Tak co potřebujete?
Spadla jsem a uhodila jsem se do hlavy. Pak jsem
zvracela a ta hlava mě pořád hrozně bolí.
Kdy se vám to stalo? To může být otřes mozku. Zavo-
lám sanitku a pojedete do nemocnice na vyšetření.

CD2: Track 07

Co se vám stalo?
Pane doktore, předevčírem jsem si dělal kávu a polil
jsem se horkou vodou. Spálil jsem si ruku.
Hm, *no* máte to hodně spálené. Měl jste přijít hned,

jak se vám to stalo. Dáme vám na to mast a obvaz.
A musíte dávat pozor na infekci!

CD2: Track 08

Včera jsem spadl na ledě. Strašně mě bolí noha.
Doufám, paní doktorko, že jsem si to nezlomil.
No jo no, může to být zlomené. Musíte na rentgen.
Sestřička vás tam odveze.

CD2: Track 09

Co je vám?
Dneska ráno jsem měla teplotu 38,5. Bolí mě v krku,
je mi špatně a taky trochu kašlu.
Otevřete ústa. Hm, to je angína. Musíte brát antibio-
tika, čtyřikrát za den jednu tabletu. Tady máte recept.
Až to doberete, přijdete na kontrolu. Chcete napsat
nemocenskou?

CD2: Track 10

Kdo je další? Tak pojďte do ordinace. Jakou máte
pojišťovnu? Máte kartičku?
Jakou kartičku?
Kartu zdravotního pojištění. Vy nejste pojištěný?
Ne, nejsem. Kde si můžu pojištění vyřídit?

CD2: Track 11

Když jsem byla malá, byla jsem hodně nemocná.
Měla jsem často kašel, bronchitidy a několikrát
i zápal plic. Doktorka mi na to pořád dávala
antibiotika, třeba desetkrát za rok. Pak mamince
někdo poradil, že máme jet k moři, ale minimálně
na tři týdny. Tak jsme jeli na dovolenou do bývalé
Jugoslávie. Padly na to všechny rodinné peníze, ale
úžasně mi to pomohlo.

CD2: Track 12

Asi před pěti lety mě pořád bolelo břicho, neměl
jsem chuť k jídlu a hodně jsem zhubnul. Šel jsem
k praktickému lékaři a ten mě poslal na onkologii
do nemocnice. Tam bohužel zjistili, že mám rakovinu
žaludku. Byl jsem na operaci a pak jsem chodil
na chemoterapii. Teď to vypadá, že se nemoc
zastavila a všechna vyšetření mám v pořádku.

CD2: Track 13

V létě jsem byla s manželem a synem na chatě. Ráno
jsem dělala čaj a nalila jsem vařící vodu do skleněné
konvice. Když jsem ji nesla na stůl, konvice se
rozbila a já jsem si polila obě stehna horkou vodou.
To byla bolest! Hned jsme zavolali sanitku a jela
jsem na speciální kliniku popálenin. Byla jsem tam
dva týdny. Ještě teď mám na obou stehnech velké
červené skvrny, a to už je to půl roku.

CD2: Track 14

Minulej rok jsem byl na horách a měl jsem tam dost
vážnej úraz. Byl jsem na sjezdovce na snowboardu
a narazil do mě jeden lyžař, *kterej* jel jako blázen.
Měl jsem zlomenou nohu v koleni a *těžkej* otřes
mozku. Naštěstí mě převezli rychle do nemocnice
a hned mě operovali. Půl roku jsem chodil
na rehabilitace a musel jsem chodit o berlích. Teď
už chodím skoro normálně, ale na snowboard si asi
ještě počkám.

CD2: Track 15

Manželovi se líbí jazz, tak mě přemluvil, abych s ním šla na koncert nějakého českoamerického jazzmana, *co* tady byl na turné. Mně se tedy jazz nikdy nelíbil, a tohle byla opravdu hrůza. Ale možná tomu nějak nerozumím. *No*, příště si rozmyslím, kam zase s manželem půjdu.

CD2: Track 16

Nedávno jsem si půjčil povídky Isaaca Bashevise Singera – nebo nevím, jestli se to nečte Zingera? Ten autor je polský Žid, který emigroval do Ameriky a popisuje život polských Židů v minulosti. Někde jsem se dočetl, že dostal Nobelovu cenu za literaturu. Něco tak skvělého jsem dlouho nečetl. Doporučuju!

CD2: Track 17

O víkendu jsem si znova půjčil Návrat idiota na *dívídíčku*. Režíroval to Saša Gedeon a *myslim*, že výborně. Viděl jsem to už *podruhý*, ale líbilo se mi to ještě víc než předtím. Hlavně se mi moc líbil scénář a kamera byla taky dobrá. Prostě *skvělej* film.

CD2: Track 18

Minulý týden jsme byli s přítelem na výstavě Bodies, to byla výstava lidských těl. To byl ovšem zážitek, to vám řeknu. Musela jsem odejít, ještě než jsem si to všechno prohlídla. *Hrozně* mně vadilo, když jsem si představila, že to vlastně byli živí lidi, a teď tam stojí jako exponáty a lidi na ně *koukají*. Příteli se ta výstava líbila a docela jsme se o tom pohádali.

CD2: Track 19

Zrovna včera jsem si koupil v antikvariátu první vydání Skácelovy Smuténky. Básničky čtu už od mládí a Skácela mám nejraději. Mám od něho doma skoro všechno, co napsal. Tahle knížka mi ještě chyběla do sbírky. Já vím, že dneska už poezii čte málokdo. Asi jsem výjimka, ale já poezii miluju.

CD2: Track 20

Já *teda* normálně dost poslouchám moderní muziku, hiphop, rap, reggae, skoro všechno. Před dvěma týdny mě ale rodiče přemluvili, abych s *nima* šla na operu. Šli jsme na Zápisky z *mrtvýho* domu, to je opera Leoše Janáčka podle Dostojevskýho románu. *To byla síla!* Nevěděla jsem, že Janáček je tak *dobrej*. Zpěváci i orchestr byli *úžasný*. Já snad *fakt* začnu chodit na operu!

CD2: Track 21

Kolik je na světě očí,
kolik je na světě snů,
kolik se koleček točí,
kolik je nocí a dnů?

Kolik je na světě moří,
kolik je na světě řek,
kolik je smutků a hoří,
kolik je rozlitých mlék?

Toho i toho je mnoho,
lidí a věcí a jmen.
Jediné slunce je jedno,
a to když vyjde, je den.

Kolik je na světě poupat,
kolik je na světě knih,
kolik je jezevčích doupat,
kolik je jezevců v nich?

Kolik je na světě školek,
kolik je na světě škol,
kolik je kluků a holek,
kolik je šlapacích kol?

Toho i toho je mnoho,
toho i toho je moc.
Jediné slunce je jedno,
a to když zajde, je noc.

CD2: Track 22

Máš dneska něco v plánu? Co *kdybysme* šli na nějakou výstavu?
Ne, mně se nechce. *Radši* bych šla do kina. Třeba v Palace Cinema *dávaj*…
Tak to ne, do multikina mě nedostaneš. Já tam *nesnášim* ty *šíleně dlouhý* reklamy a vadí mi ta neosobní atmosféra. *Koukni* se na *klubový* kina na internet.
…Hm, v Matu *dávaj nový* Almodóvara, to by mohlo *bejt zajímavý*. Co myslíš?
Jestli je to ten, co natočil Vše o mé matce, tak to bych šla, to se mi líbilo.
No, to je *von*. Tak v půl *sedmý* na *Karláku*, na zastávce dvaadvacítky.

CD2: Track 23

Prosím dva lístky někam dozadu doprostřed.
Ne, dozadu ne! Já jsem si zapomněl *brejle*.
Máme dva poslední lístky – jeden do první a druhý do třetí řady.
Do první řady je to *blbý*, nechci *lízat* plátno. A ani *bysme* neseděli spolu…
No, to je *fakt*. Tak co *teda* budeme dělat?
A co třeba zajít do videopůjčovny?

CD2: Track 24

Tak co si půjčíme? Co třeba X-man?
A co je to za film?
To je *takový* akční sci-fi.
To by mě asi nebavilo. (eee) Nechtěl by ses podívat na Kolju?
Hm, proč ne. Sice jsem to viděl, ale vlastně už si to moc nepamatuju.
....
Jé, to bylo *dojemný*. Skoro jsem brečela.
No, na mě to bylo trochu moc sentimentální.
To možná *jo*, ale taky *fakt působivý*. A ten příběh je dobře *napsanej*, *takovej lidskej*. A je tam spousta *vtipnejch* scén. Taky ses smál.
To *jo*. A *myslim*, že herci byli dobře *vybraný*. Ten *malej* kluk byl *skvělej*. Jenom asi dvě postavy se mi zdály dost *špatný*, ale to nebyly *důležitý* role.
Mně tam zase vadily ty *erotický* scény. To bylo na efekt. Ale ta hudba na konci byla nádherná. Co to bylo?
Prosim tě, ty neznáš Biblické písně od Dvořáka? Půjčím ti cédéčko, jestli chceš.

CD2: Track 25

Kdo je nejlepší člověk tvého života, Milane?
Tak nejlepší člověk, *jakýho* znám, je můj *děda*. *No*, nebyl to nikdy *takovej* ten *klasickej děda*, *kterej* čte vnoučatům pohádky a chodí na procházky. Můj děda byl inženýr, a i když je mu už přes sedmdesát,

je *strašně* aktivní a *podnikavej*. Má pořád spoustu práce a zájmů. Miluje detektivky, a když jsem byl menší, vždycky mi je večer na chatě vyprávěl. Je taky moc *šikovnej*. Naučil mě třeba vyrábět modely lodí a letadel. Na druhou stranu je strašně *puntičkářskej*, všechno musí mít na sto procent. Někdy mi s tím leze na nervy, ale většinou *musim* říct, že má pravdu.

CD2: Track 26

Co byste řekla na téma „nejlepší člověk mého života", Dano?
Tak nejlepší člověk, to *fakt* nevím, to je *fakt těžký*… Nevím, momentálně jsem na všechny kolem sebe dost naštvaná. .. Tak asi nejspíš moje učitelka angličtiny. Ta je *fakt* skvělá. Je úžasně kreativní, vtipná a zábavná, ani na moment se s ní nenudíme. V životě bych neřekla, že škola může být takhle *fajn*. *No*, na druhou stranu musím říct, že někdy je trochu moc upovídaná, nesystematická a nepořádná. Občas zapomíná kontrolovat domácí úkoly a jednou dokonce ztratila naše testy. Ale zase jsem se u ní naučila hodně mluvit. Díky ní se teď už nebojím komunikovat.

CD2: Track 27

Můžeš o někom říct, že je nejlepší člověk tvého života, Agáto?
Jasně, to je moje kamarádka Lucka. Já si moc nerozumím s *mámou* ani s *tátou*, naši se pořád hádají a nedá se s *nima* o ničem mluvit. Lucce můžu říct všechno, je úplně spolehlivá. Hodně mi pomáhá, protože já jsem dost stydlivá, ale ona je na rozdíl od mě taková energická a ctižádostivá. Lucka je prostě Někdo. *Fakt* je, že někdy je dost nafoukaná a umí být pěkně protivná, ale když jí to řeknu, dává si na to pozor.

CD2: Track 28

Mám dny, kdy vypadám skvěle,
a dny, kdy vypadám strašně,
však mám-li *bejt upřímnej*, musím říct,
že převažujou – no, znáš mě.

Mám dny, kdy jsem velmi vtipný,
a dny, kdy jsem velmi trapný,
však mám-li *bejt upřímnej*, musím říct,
že převažujou ty *špatný*.

V písni se zpívá, že život je náhoda,
a já si říkám: *ty vole*,
jak je to *možný*, že dva dny *ješ* nahoře
a potom tři *tejdny* dole?

Mám dny, kdy jsem velmi bystrý,
a dny, kdy jsem velmi tupý,
však mám-li *bejt upřímnej*, musím říct,
ty *druhý* se mi *ňák* kupí.

V písni se zpívá, že chvíli je sluníčko,
a chvíli že zase prší,
tak *nevim*, proč *musim furt* chodit v *gumáku*,
a všichni kolem jsou suší.

Mám dny, kdy jsem velmi svěží,
a dny, kdy jsem velmi tuhý,
však mám-li *bejt upřímnej*, musím říct,
že převažujou ty *druhý*.

CD2: Track 29

Internet nepoužívám příliš často, nejsem na něj zvyklý. V televizi se dívám na Kinobox, to je pořad o filmových novinkách, a samozřejmě na zprávy. Denně čtu Lidové noviny a taky odborný tisk: Český jazyk a literaturu a Literární noviny. Nikdy nečtu bulvární noviny a nechápu, jak můžou všechny ty skandály a aféry někoho bavit.

CD2: Track 30

No, já u internetu *sedim každej* den, *teda* když nejsem ve škole nebo nespím. Na *netu* hraju hry, stahuju si hudbu, chatuju s *kamarádkama* přes ICQ, čtu blogy a tak… *Strašně* často *koukám* na seriály v televizi, ty se mi *fakt* líbí. Noviny nečtu a *jedinej* časopis, *kterej vobčas* čtu, je časopis Můj pes. Máme totiž doma psa, *kterýho* miluju.

CD2: Track 31

No tak internet používám denně, nemohl bych bez něho *bejt*. Hledám si tam *zajímavý* informace z *mýho* oboru a čtu zprávy. Hodně *chodim* na YouTube, jsou tam *dobrý* videa. Televize mě *fakt* nezajímá, jsou tam samý *blbosti*. To si *radši půjčim* nebo koupím *dívídíčko* a pustím si ho na počítači. Časopisy a noviny moc nečtu, jenom *vobčas* si *půjčim vod táty* Auto-Moto.

CD2: Track 32

Moniko, mohla bys dojít na nákup?
Mami, já teď nemůžu. Musím psát ten projekt do školy na zítra.
Ale vždyť už to píšeš *celý* odpoledne. To to ještě nemáš *hotový*?
No, nevěděla jsem, jak začít. Tak jsem šla pro inspiraci na internet.
To nemyslíš vážně. Ty jsi ještě nezačala psát?
No… Ještě ne… Jenom jsem si přečetla *nový* maily a pak jsem chvíli chatovala s Alenou. Pomáhala jsem jí na *netu* něco najít.
To je mi *jasný*. Určitě jste celou dobu zase jen tak surfovaly.
Ale ne, hledaly jsme na Googlu a na Wikipedii něco do školy na dějepis. Přitom jsem náhodou našla *hezkej* program na učení *anglickejch* slovíček, tak jsem si ho stáhla a nainstalovala. *No* a pak jsem se dívala, co *dávaj* v kině. Zajímavě vypadá ten *novej* film s *Johnny* Deppem. Viděla jsem ukázku a taky jsem si stáhla jednu fotku. Upravila jsem ji ve Photoshopu a vytiskla. Podívej, *vtipný*, ne?
Hm, *no jo*, je *dobrý*… Ale co ten tvůj projekt?
Jo jo, hned začnu. Ale ještě si *musim* vypálit *nějaký cédéčka*, abych na to nezapomněla.
Tak takhle to dál nemá cenu. Já si beru tvůj notebook a ty piš tužkou!

CD2: Track 33

Chci psát Renatě *Řeřákový*. Nechceš jí něco vyřídit?
Ty máš e-mail na Renatu? Můžeš mi ho nadiktovat? Já jsem ho ztratila.
Tak si piš: renata.rehakova@centrum.cz

CD2: Track 34

Hele, tenhle parfém krásně voní.
Hm, ten je *fakt super*.
Ale je moc *drahej*. Tahle malá lahvička stojí 1850 korun!

Tak se na něj podívej na internetu, tam mají parfémy se slevou. *Myslim*, že to je www.parfemy.cz. Nebo tak nějak.

CD2: Track 35

Hele, víš, že už mám taky skype?
No, to je *skvělý*. Já ti večer zavolám.
Jak tě tam najdu?
Hm, to je *lehký*. Napíšeš tam moje jméno, to je Filip_Novotny, a tak mě najdeš.

CD2: Track 36

Pane profesore, nevíte, kde se dá v Kanadě sehnat učebnice Česky krok za krokem 2? Moje sestra ji nemůže sehnat.
Zkuste to na www.amazon.com nebo www.czech-books.com, psáno anglicky com.

CD2: Track 37

Dobrý den. Chtěl bych poslat dopis doporučeně.
A máte vyplněný podací lístek?
Ne, nemám.
Tak tady je, vyplňte si ho.
Musím vyplňovat všechno?
Ne, jenom odesílatele a adresáta.

CD2: Track 38

Dobrý den, já si jdu pro balík.
Máte s sebou oznámení? To je ten lístek, který vám přišel do schránky.
Ano, tady ho mám.
Moment… Ještě *občanku* nebo pas, prosím. … Takže to je 1085 korun.
1085? Ale já jsem si objednala knihy jenom za *tisícovku*.
85 korun je poštovné. A tady to prosím podepište.

CD2: Track 39

Jé, ahoj, Pierre. Jak žiješ? Ty teď bydlíš v Brně?
No, před měsícem jsme se přistěhovali. … Teď jdu do banky. Nevíš, jestli tam mají ještě otevřeno?
To nemám tušení.
To nevadí, *zkusim* to a *uvidim*. Ještě jsem si nestihl založit český účet, pořád používám francouzskou kartu.
To je dost nevýhodné, ne? Poplatky za převody z ciziny jsou drahé.
No, doufám, že už brzy budete mít euro. Tak já *letím*, aby mi nezavřeli. A zítra ještě *musim* na cizineckou policii, na úřad kvůli bytu, zařídit si pojištění…
Jo, to znám. Já když jsem bydlela ve Francii, tak jsem první měsíc jenom běhala po úřadech.

CD2: Track 40

Jak vám můžu pomoct?
Chtěl bych si založit účet.
Tak jako běžný účet vám můžu nabídnout Program Plus nebo Program Extra. Oba programy zahrnují otevření a vedení účtu zdarma, dále také internetové a telefonické bankovnictví a jednu běžnou platební kartu.
A jaký je mezi nimi rozdíl?
No, za Program Plus platíte 55 korun měsíčně a máte tam navíc dva výběry z bankomatu a dvě internetové transakce zdarma. Program Extra je dražší, stojí 95 korun, ale je tam pět výběrů a pět transakcí zdarma. Elektronické výpisy z účtu jsou zdarma, ale pokud

si přejete dostávat výpisy poštou, platíte navíc poštovné.
Hmm, tak asi ten Program Plus.
Takže prosím váš občanský průkaz nebo pas, abychom mohli uzavřít smlouvu.

CD2: Track 41

Dobrý den, co pro vás můžu udělat?
Dobrý den, prosím vás, já nemůžu najít kartu a bojím se, že mi ji někdo ukradl. Nevím, co mám dělat.
Takže já vás přepojím na naši bezpečnostní linku, tam si můžete kartu zablokovat.

CD2: Track 42

Tenhle dopis prosím normálně a tenhle doporučeně.
Máte vyplněný podací lístek?
Ano, tady.
28 korun. … A počkejte, tady ještě máte ten potvrzený lístek.

CD2: Track 43

Co pro vás můžu udělat?
Já bych chtěla zrušit účet. Co k tomu potřebuju?
Tak prosím číslo vašeho účtu, *občanku* nebo pas. A taky budu potřebovat vaši platební kartu.
A kolik to bude stát?
Zrušení účtu je zdarma, jenom zaplatíte poplatky za poslední měsíc.

CD2: Track 44

No a co bych s *tim* jako měla dělat? Podle mě nemá cenu dělat nic. Od toho máme politiky a platíme daně! Pomáhat by měly hlavně *velký* a *bohatý* firmy, *který* ničí životní prostředí. Já na to nemám peníze ani čas… Ne ne, na *nějaký* řeči o ekologii nevěřím, já nejsem naivní. Já myslím, že jeden člověk nemůže dělat nic.

CD2: Track 45

No, asi nic moc v tomhle směru nedělám, ale *snažim* se doma aspoň třídit odpad. Když vyhazuju odpadky, dávám do kontejneru zvlášť sklo, papíry a plasty. Taky se *snažím* šetřit vodou, protože je drahá. Jinak ale *fakt* nevím. Máme malé děti, takže jsme na tom s penězi dost špatně, a auto taky potřebujeme. Ale kdybych byla bohatá, dělala bych určitě víc. (eee) Třeba bych posílala peníze na sbírky pro země, kde se stala nějaká katastrofa nebo kde je hlad.

CD2: Track 46

No jasně, že s tím můžeme něco dělat, a nejenom můžeme, ale musíme! Za situaci na Zemi má zodpovědnost každý. Já osobně jsem si na dům pořídil solární panely místo klasického topení. Je to mnohem ekologičtější a čistší energie. Taky jsem v poslední době přestal používat auto. Jezdím tramvají nebo autobusem a autem jedu jenom v nejnutnějším případě.

CD2: Track 47

Kdybys byl králem a mohl mi dát
jen jakoby darem svoji zemi či stát,
když koupíš mi zámek a ze zlata štít
a sbírku všech známek, já nebudu chtít.
Vždyť já chci jen žít, jak žít se má, a o nic víc,
je to jen má touha šílená a té chci říct:

Závidím řekám, vidím je téct,
závidím chlebům, cítím je péct,
závidím ohňům voňavý dým,
závidím růžím a nepochodím,
závidím včelám medový ráj,
závidím dubnu, že přivádí máj.

Modrému mráčku volnost závidím
a to věc je zlá,
studentu v sáčku lásku závidím
a to věc je zlá.

Závidím cestám, že mohou vést,
závidím stromům okolo cest,
závidím loukám srpnový žár,
závidím horám potoků pár,
závidím houslím stříbrný hlas,
závidím mořím prostor a čas.

Modrému mráčku volnost závidím
a to věc je zlá,
studentu v sáčku lásku závidím
a to věc je zlá.

Závidím cestám, závidím jim,
závidím stromům, závidím jim,
závidím loukám, závidím jim,
závidím horám, závidím jim,
závidím houslím, závidím jim…

CD2: Track 48

Dnes bude oblačno až zataženo s občasným
sněžením nebo sněhovými přeháňkami, které budou
jen v nejnižších polohách přecházet ve smíšené.
Teploty budou slabě nad nulou. Bude foukat mírný
až čerstvý západní vítr, v nárazech kolem 15 metrů
za sekundu. Večer a v noci bude nadále oblačno až
zataženo s občasným sněžením. V nížinách budou
srážky smíšené. Noční teploty klesnou na 1 až mínus
3 stupně Celsia.

CD2: Track 49

Zítra bude oblačno až zataženo s častými
přeháňkami. Teploty se budou pohybovat od 18
do 22 stupňů. Nejvyšší noční teploty kolem 13
stupňů. Očekáváme mírný jihovýchodní vítr.

CD2: Track 50

Zítra očekáváme jasno na celém území České
republiky. Bude slunečno a velmi teplo. Vítr bude
slabý, severozápadní. Teploty ve dne vystoupí na 30
až 32 stupňů. V noci teploty klesnou na 20 stupňů.

CD2: Track 51

Zítra bude na našem území pokračovat příliv
studeného vzduchu ze severu. Bude jasno až
polojasno. Nejvyšší denní teploty mínus 7 až mínus
5 stupňů. Sníh se po celý den udrží i v nižších
polohách a ve městech.

CD2: Track 52

Zítra bude na naše území postupovat studená
fronta. Ráno očekáváme husté sněžení, a to zejména
ve vyšších polohách. Maximální teploty mínus 3
až 0 stupňů. Pozor: při teplotách kolem nuly se
na silnicích může tvořit náledí.

CD2: Track 53

Zítra bude polojasno až oblačno. Bude foukat silný
severní vítr o síle 50 až 70 kilometrů v hodině.
Český hydrometeorologický ústav varuje, že vítr
může během dne zesílit ve vichřici, která v nárazech
dosáhne až 100 kilometrů v hodině. Teploty přes den
vystoupí maximálně na 7 až 10 stupňů.

CD2: Track 54

No, tak podnikat jsem začal hned po revoluci v roce
1990. Vzali jsme si s manželkou půjčku v ban-
ce a za ni jsme si koupili malý obchod s ovocem
a zeleninou. Začátky pro nás nebyly vůbec lehké,
protože jsme s podnikáním samozřejmě neměli
žádné zkušenosti a všechno jsme se museli učit.
Naštěstí jsme na to byli dva. Já jsem se staral o ob-
chod a manželka dělala účetnictví a administrativu.
Obchod byl na dobrém místě, a tak jsme začali rychle
prosperovat. Je ale taky pravda, že první tři roky jsme
byli v práci od rána do večera i o víkendech a vůbec
jsme neměli dovolenou. Asi před pěti lety ale začali
stavět kousek od nás supermarket, a to jsem věděl,
že to bude pro nás moc velká konkurence. Obchod
jsme prodali ještě včas a vydělali jsme na něm docela
velké peníze, za které jsme si pořídili domek na kraji
města. Ještě nám zbylo i na důchod a další investice.
No a víte, co mě začalo bavit teď? Nakoupil jsem
nějaké akcie a obchoduju na burze.

CD2: Track 55

Asi rok potom, *co* jsem skončila školu, jsem se dvě-
ma kamarády založila reklamní agenturu. Nějaké ty
zkušenosti i kontakty jsme už měli a rozhodně nám
nechyběl entusiasmus a motivace. Hlavní problém
pro nás na začátku byly peníze. Podnikat jsme začali
v roce 1995 a první rok byl opravdu těžký. Abychom
co nejvíc ušetřili, jako kancelář jsme používali můj
byt. Všechny peníze jsme investovali do nejnověj-
ší techniky, abychom mohli konkurovat ostatním
firmám. *No* a tahle investice se nám vyplatila. Po roce
podnikání jsme si mohli pronajmout kancelář v cen-
tru města a přijmout další zaměstnance. Momen-
tálně má naše firma 60 lidí a pravidelně pracujeme
pro známé české a zahraniční značky. A naše plány
do budoucnosti? Tak určitě se chceme stát nejlepší
reklamní agenturou v republice.

CD2: Track 56

Od roku 2002 do roku 2007 jsem měl firmu, která
se specializovala na účetní, daňové a finanční
konzultace. Založit firmu pro mě nebyl žádný
problém, měl jsem zkušenosti i peníze do začátku.
Horší to bylo s kontakty. Měl jsem jenom drobné
klienty, ale žádnou velkou firmu, která by mě uživila.
Byla s tím spousta práce, a peníze skoro žádné.
Začátky jsou vždycky těžké, ale myslím, že já jsem
měl docela smůlu. Byl jsem pořád ve stresu, špatně
jsem spal, neměl jsem čas na rodinu… A když se
situace ani po pěti letech nezlepšila a já byl *čím* dál
tím víc frustrovaný, rozhodl jsem se s podnikáním
skončit. Našel jsem si práci v jedné velké bance, kde
pracuju jako finanční manažer, a jsem spokojený.
Můžu teď dělat věci, na které jsem při podnikání
neměl čas – začal jsem znova hrát basketbal a chodit
do divadla.

CD2: Track 57

AirTravel, dobrý den.
Dobrý den, chtěla bych rezervovat zpáteční letenku
z Prahy do Brna na úterý 19. března ráno.
A kdy chcete letět zpátky?
Čtvrtek 21. března dopoledne.
V úterý ráno tady máme jeden volný let – odlet
v 9:15, přílet v 10 hodin. Přejete si business, nebo
ekonomickou třídu?
Business třídu pro oba lety, prosím.
Ve čtvrtek jsou k dispozici dva lety, první v 5:15
a druhý v 10:25.
Tak ten pozdější. V kolik přiletí?
Přílet na Ruzyň je v 11:10. Cena letenky včetně le-
tištních poplatků a manipulačního poplatku je 5 725
korun. Na jaké jméno a adresu bude rezervace?
Rezervace bude na jméno Jan Koutecký, EMTEL s. r.
o., EM TEL všechno velkými písmeny, tak jak slyšíte.
Adresa je Vinohradská 12, Praha 2, 120 00. Fakturu,
prosím vás, pošlete na e-mailovou adresu: jkosova@
emtel.cz.
Dobře. Rezervace platí ode dneška a letenku musíte
zaplatit do deseti pracovních dnů.

CD2: Track 58

Hotel Diamant, prosím.
Ráda bych u vás rezervovala jednolůžkový pokoj
od 19. března.
Na kolik nocí?
Celkem na dvě noci. Kolik to bude stát?
Jednolůžkový pokoj stojí 1290 korun za noc.
Ještě by mě zajímalo, jestli je snídaně v ceně?
Ne, snídani účtujeme zvlášť. Cena jednolůžkového
pokoje se snídaní by byla 1390 korun. Na jaké jméno
bude rezervace?

CD2: Track 59

Taxislužba Alfa.
Chtěla bych objednat taxi na dva dny: jednak na 20.
a jednak na 21. března ráno před hotel Diamant.
A na kolik hodin to bude? A na jaké jméno a adresu?
Takže na jméno Koutecký, adresa je Hotel Diamant,
Janáčkovo náměstí 3. Dvacátého to bude v půl de-
váté. A dvacátého prvního… (eee) Prosím vás, za jak
dlouho se dostanete ráno od hotelu na letiště?
Ve všední den ráno do tři čtvrtě hodiny.
Takže dvacátého prvního ve čtvrt na devět.

CD2: Track 60

U Modré koruny. Co si přejete?
Ráda bych si u vás rezervovala stůl na středu
20. března.
Pro kolik lidí?
Minimálně pro 10. Půjde o pracovní oběd s klienty.
Pro obchodní schůzky si u nás taky můžete rezervo-
vat zvláštní salonek, jestli máte zájem. 20. března je
salonek k dispozici.
Ano, ano, to bude vhodnější. Takže ten salonek pro-
sím rezervovat na jednu hodinu.
Dobře. Ale prosím vás, tu rezervaci musíte ještě den
předtím telefonicky potvrdit. *Jo*, a na jaké jméno to
bude?

CD2: Track 61

Prosím vás, mně se asi ztratil kufr. Nenašel jsem ho na pásu. Můžete mi nějak pomoct?
Máte palubní lístek s lístkem k zavazadlu?
Ano, tady.
Moment, prosím, jen se podívám do databáze…
…
Bohužel tady u nás žádné ztracené zavazadlo nemáme… Musíme kontaktovat kancelář v místě odletu. Bude to chvíli trvat, než zjistíme, co se s vaším kufrem stalo. Až budeme něco vědět, ozveme se vám. Jaký máte telefon? A na jakou adresu vám ten kufr máme doručit?

CD2: Track 62

Promiňte, prosím vás, ale u mě v pokoji nefunguje topení ani neteče teplá voda. Co to má znamenat? Můžete s tím něco udělat?
No, moc vám se omlouváme, měli jsme v hotelu nějaké technické problémy. Teď už je všechno v pořádku. Topení by mělo začít fungovat každou chvilku a teplá voda bude do hodiny.
No, to je ale nepříjemné. Je tam velká zima a chtěl jsem se osprchovat.
Opravdu nás to velmi mrzí. Tak jako kompenzaci vám můžeme nabídnout 10% slevu z ceny ubytování.

CD2: Track 63

Prosím vás, já bych se chtěl zeptat, jestli jste v restauraci nenašli nějaký mobilní telefon. Musel jsem ho tam odpoledne zapomenout.
A kde jste ho asi nechal?
Určitě někde v salonku. Nevím přesně kde, možná zůstal na stole…
Počkejte chvilku, zeptám se kolegy.
…
Tak bohužel, kolega taky žádný mobil nenašel. Nemohl jste ho zapomenout někde jinde?

CD2: Track 64

Prosím vás, nechci dělat problémy, ale musím si stěžovat. Já jsem si objednal taxík na čtvrt na devět, ale on přijel skoro až v půl. Málem jsem přijel pozdě na letiště.
No, a kdy a odkud jste jel?
Bylo to dneska ráno od hotelu Diamant na Janáčkově náměstí.
Já o žádném zpoždění nic nevím. Naši řidiči jezdí vždycky včas! U nás určitě žádný problém nebyl! Nespletl jste se náhodou vy?

CD2: Track 65

Dobrý den, dámy a pánové, vítám vás na pravidelné lince Praha – Liberec. Předpokládaný příjezd do Liberce je 20 hodin a 5 minut. Já se jmenuji Jarka a během cesty se budu starat o vaše pohodlí. Za chvíli vám nabídnu denní tisk a časopisy, které jsou zdarma. Během cesty je vám k dispozici toaleta v dolní části autobusu. Přeji vám příjemnou cestu.

CD2: Track 66

Hlášení o zpoždění. Rychlík Eurocity 70 Antonín Dvořák ze Stanice Vídeň Südbanhof, pravidelný příjezd ve 23.10, bude o 20 minut opožděn. Vážení cestující, omluvte prosím zpoždění vlaku.

CD2: Track 67

Dámy a pánové, za několik minut přistaneme na letišti Šeremeťevo v Moskvě. Místní čas je 10 hodin 36 minut, venkovní teplota je 24 stupňů Celsia. Prosíme, vraťte se na svá sedadla a připoutejte se. Sedadla uveďte do bezpečnostní polohy. Během přistání vypněte všechna elektronická zařízení a nepoužívejte mobilní telefony.

CD2: Track 68

Dámy a pánové, Supercity Pendolino za několik minut zastaví ve stanici Pardubice hlavní nádraží. Loučíme se s cestujícími, kteří na této stanici vystupují, a přejeme jim příjemný pobyt. Na stanici lze využít možnosti přestupu na další vlakové spoje Českých drah. Pravidelný odjezd v 10 hodin, 21 minut.

CD2: Track 69

Tak, a teď bych vás ráda seznámila s našimi řidiči. Pan Bohumil a pan Aleš se budou starat o to, abychom na místo dorazili včas a bezpečně. Cestou budeme dělat pravidelné zastávky vždy po čtyřech hodinách. Nyní bych vám ráda řekla několik informací o cíli naší cesty.

CD2: Track 70

Dobrý den, dámy a pánové, hovoří k vám kapitán letadla Vítězslav Janota. Vítám vás na palubě letadla Českých aerolinií na pravidelné lince Praha – Londýn Gatwick. Právě jsme vystoupali do letové hladiny 10 400 metrů a letíme nad jihozápadním územím Německa. Venkovní teplota je mínus 40 stupňů, meteorologické podmínky jsou příznivé. Přeji vám příjemný let.

CD2: Track 71

Hele, ten motor nějak divně vrčí. Slyšíš to?
No jo, asi máme poruchu. Co budeme dělat?
Zastavíme a podívám se na to.
Copak ty tomu rozumíš? Nechceš s tím *radši* zajet do servisu?
Ale servis je daleko, kdoví jestli tam *dojedem*. Není tady někde něco blízko?
Hm, nevím.
Ne, počkej! V *tamhletom* domě bydlí jeden můj *známej*, ten autům rozumí. Zastav, podívám se, jestli je doma.

CD2: Track 72

Hele, nejedeš nějak moc rychle?
Ale ne, to je *dobrý*.
Počkej, jsme v obci a ty jedeš sedmdesátkou. To *teda* není *dobrý*!
Prosím tě, ty pořád něco máš! … A je, tamhle jsou *policajti*! Asi tam byl radar…
Dobrý den, pane řidiči. Vy jste překročil povolenou rychlost. Tak mi dáte 2000 korun.

CD2: Track 73

Hele, já vůbec nevím, kde jsme. Asi jsme zabloudili.
Počkej, podívám se do mapy. … Kde ta mapa je?
Asi jsem ji zapomněl doma.
No to je *teda dobrý*. Co budeme dělat?
Já nevím, zkusíme to najít, ne?
Ne, počkej. Já se zeptám *tamhletoho* pána. Snad nám poradí.

No tak jo, *no*.
A víš co, k narozeninám ti koupím *džípiesku*!

CD2: Track 74

No jo, no, za komunistů… *No* tak já jsem byl v KSČ, teda… jako v *komunistický* straně. Vstoupil jsem tam hned po válce, hned *eště* jako *mladej* kluk. Měl jsem pocit, že před válkou nám *kapitalistický* země (eee), že nám nepomohly proti Hitlerovi. *No* a taky před válkou byla ta krize, že *jo*, bylo to… bylo to *takový těžký*… A zdálo se nám, že komunismus může konečně *přinýst* takovou tu sociální spravedlnost. *Vo* těch *politickejch* procesech, *co* dělali Stalin a Gottwald, *vo* tom se tady nemluvilo, *no*. Až pak v těch *šedesátejch* letech se začalo víc mluvit *vo* tom, *jaký* chyby se staly, že je *jako* cenzura a tak… A když pak k nám v *osmašedesátým* přišli *ty* okupanti, že *jo*, tak jsem položil komunistickou legitimaci na stůl a povídám jim: Tak já *du* ze strany pryč, tohle já neto… neakceptuju. A z KSČ jsem vystoupil. *No jo, no*, syn pak měl problémy se školou, málem se nedostal na *vysokou*, že *prej* táta vystoupil ze strany a tak. Musel jít do práce, dva roky pracoval, a až pak se tam dostal a vystudoval *chémii*. …*No*, a když pak přišla ta revoluce v tom *osmdesátým devátým*, tak jsem se bál, že…. že se zase vrátí *takovej* ten *tvrdej* kapitalismus…. Ale kdepak, *no* teď se lidi *maj* dobře, *maj* auta, ledničky, domy, jídla a pití je v těch supermarketech všude plno, to zas *jo*.

CD2: Track 75

No, tak, jak se žilo za komunistů… Tak já myslím, že materiálně jsme na tom byli docela dobře. Jídlo bylo, oblečení se sice shánělo, ale taky bylo, nebyli jsme nějak extrémně chudá země. Ale co pro mě bylo nejhorší, to byla ta nesvoboda, rozumíte, takovej ten pocit, že nemůžete normálně říct, co si myslíte: že chodíte v neděli do kostela, že čtete nějakou knihu, třeba samizdat od Havla, že váš bratr, *kterej* emigroval do Kanady, se má stokrát líp než vy, a tak. Doma jsme říkali něco *jiného* a ve škole nebo na schůzi taky něco *jiného*. Taky když jste chtěli normálně pracovat a dělat kariéru, třeba jako doktor nebo vědec, tak jste museli vstoupit do KSČ… To byla taková … taková schizofrenie. Člověk se bál říct, co si myslí.
No a pak v polovině *osmdesátejch* let konečně začaly *nějaký ty* reformy. Já jsem chodila na demonstrace… To víte, že jsem měla strach, my jsme byli okupovaná země a režim ty demonstrace dost tvrdě potlačoval. V lednu 89 nás honili policajti na *Václaváku*, to nikdy nezapomenu. *No* a když pak přišel listopad… teda já… *já byla* tak šťastná, jak snad nikdy v životě. Já opravdu myslím, že ta svoboda teď za to stojí, i když jsou problémy… Teď máme svobodu, a to je hlavní.

CD2: Track 76

No, jak se žilo za komunistů…. Můj *táta* říká, že za komunistů bylo líp, že měl *každej* práci a že jsme se neměli špatně. *Von* je teď bez práce, je *nezaměstnanej*. Já mu *říkám*, aby si udělal *nějakej* rekvalifikační kurz, ale *von* jen sedí u televize a nadává. *Táta* taky říká, že lidi měli víc času, teď že *každej* jenom pracuje a nemá na nic čas. Tak já nevím… Já sama si *teda ten* komunismus moc nepamatuju, bylo mi devět, když byla v *osmdesátým devátým* revoluce. Pamatuju si jenom, že ve škole byly *takový červený* plakáty a *máma* dost často něco sháněla, třeba banány nebo mandarinky na Vánoce, nebo *tuzexový* bony na džíny. A jednou nebyl toaletní papír, no to byla *sranda*, to je dneska *neuvěřitelný*.

No, možná má *táta* v něčem pravdu, ale na *druhý* straně já už si nedovedu představit, že bych třeba nemohla normálně cestovat. Nebo že bych musela kvůli práci nebo škole třeba vstoupit do *tý* KSČ a *bejt* nějaká komunistka... To muselo *bejt fakt strašný.*

CD2: Track 77

Tak co, Jano, jak žiješ?
Ále, je to *v háji.* Za dva týdny maturuju, ale vůbec nic *neumim. Do prčic,* proč já jsem se nezačala učit dřív! Neblázni, to se ti jenom zdá. Já si taky pamatuju, jak jsem před maturitou šílela, nespala, nejedla... A pak to bylo úplně *v pohodě.* To zvládneš, neboj! A kam půjdeš po *gymplu*?
Asi někam na *vejšku,* jestli udělám *přijímačky.*

CD2: Track 78

Kampak jdete, paní Slabá?
Vedu dceru do školky. Chodíme tam už od září.
A jak se jí tam líbí?
No, nejdřív se jí tam nelíbilo, ale teď už si zvykla.
A co váš syn?
Ten už chodí do školy, do první třídy.

CD2: Track 79

Jé, to je *super*! Hurá! Já se snad *zbláznim* radostí!
Co se děje, Zuzano?
Dostala jsem se na *vejšku*!
Ty vado, to je *skvělý,* gratuluju! A co budeš dělat za obor?
Angličtinu a ruštinu.

To je na *peďáku*?
Ne, na *Karlovce* na *fildě.*

CD2: Track 80

Určitě v Praze, to je nejkrásnější město na světě! Když jsem poprvé přijela do Prahy, byla jsem nadšená. Tolik památek, historie, příběhů! Přečetla jsem o Praze snad všechno, navštívila jsem *všechny známý* i *neznámý* místa, musela jsem všechno vidět. Kamarádi říkají, že znám Prahu líp než většina Čechů. Asi na tom něco bude, protože kdykoliv potřebujou s něčím o Praze poradit, jdou za mnou... Praha mě ale vždycky dokáže překvapit. Když jsem byla v Praze asi rok, myslela jsem, jak už tady všechno znám. Jednou mě ale kamarád vzal na Karlův most asi v pět hodin ráno, nikde žádný turista, jen mlha, ticho, stíny. To mě naprosto okouzlilo. Praha je prostě magická.

CD2: Track 81

Já už deset let bydlím v Brně a neměnil bych za nic na světě! Moje manželka pochází z jižní Moravy, kde žije celá její rodina. Máme to tam kousek, často k nim jezdíme na návštěvu, a to se vždycky těším, protože lidi tam jsou *strašně přátelský* a *srdečný.* Když potřebujete, tak vám vždycky někdo pomůže. Lidi se tam rádi baví – slaví tradiční svátky, zpívají, tancujou, a to je něco pro mě. Cítím se tam jako doma. Moraváci mi hodně připomínají lidi z Brazílie. *No,* je *fakt,* že samba a cimbálovka k sobě mají trochu daleko, a slivovici v Brazílii taky nemáme, ale jinak jsme z jednoho těsta.

CD2: Track 82

V České republice mě samozřejmě fascinuje všechno, co se týká historie a architektury. Tu tady máte tak bohatou. Jakmile máme s manželem čas, vyrazíme si na nějaký hrad nebo zámek. To je něco úplně jiného než u nás. Byli jsme už na Konopišti, na Křivoklátě, na Hluboké, v Kroměříži, v Lednici... To u nás v Americe není! Doma máme takovou speciální mapu hradů a zámků a tam si modrou tužkou zatrháváme, kde jsme byli. Mapa už je celá modrá, ale my ještě neviděli ani polovinu všech hradů a zámků. To je neuvěřitelné, kolik jich je! *No,* a taky je dobré, že hrady a zámky jsou často někde na kopci. Poznáváme českou historii a ještě přitom sportujeme!

CD2: Track 83

Já jsem *nejradši* v přírodě. Kdykoliv můžu, *sbalim* batoh, vezmu kolo a jedu ven z města. V Česku je spousta krásných míst, ale mně se líbí hlavně na horách – na Šumavě, v Krušných horách, Beskydech nebo v Jeseníkách. V létě tam *jezdim* na kole, na podzim a v zimě *chodim* na túry nebo na běžky, když je sníh. Líbí se mi vaše turistické značky. Je to perfektní systém. Stačí si koupit turistickou nebo cyklistickou mapu a nikde se neztratíte. Letos mě ale čeká nový zážitek – pojedu s kamarády poprvé na vodu. Tak doufám, že to bude zábava a že si to užiju.

Výběrový slovníček

Zkratky a symboly používané ve výběrovém slovníčku

substantivum rodu mužského životného (maskulinum animatum)	*OČ*	výrazy typické pro běžně mluvenou nebo obecnou češtinu	* sloveso s nepravidelnostmi v prézentní konjugaci nebo v -l formě
substantivum rodu mužského neživotného (maskulinum inanimatum)	*dial.*	dialekt (nářečí)	*impf.* imperfektivní, nedokonavé sloveso
substantivum rodu ženského (femininum)	-e-	mobilní e	*pf.* perfektivní, dokonavé sloveso
substantivum rodu středního (neutrum)	-ů-	ů, které v deklinaci alternuje s o	*pl.* plurál

česky	anglicky / English	německy / deutsch	rusky / по русски

A

česky	anglicky / English	německy / deutsch	rusky / по русски
ačkoli	although	obwohl	хотя
Afričan, Afričanka	African	Afrikaner, Afrikanerin	африканец, африканка
Alpy *pl.*	Alps	Alpen	Альпы
Američan, Američanka	American	Amerikaner, Amerikanerin	американец, американка
Amerika	America	Amerika	Америка
anděl	angel	Engel	ангел
anglický	English	englisch	английский
Angličan, Angličanka	Englishman	Engländer	англичанин
angličtina	English	Englisch	английский язык
arabština	Arabic	Arabisch	арабский язык
Argentina	Argentina	Argentina	Аргентина
armáda	army	Armee	армия
Asie	Asia	Asien	Азия
aspoň	at least	mindestens, zumindest	хотя бы
Athény *pl.*	Athens	Athen	Афины
aukce	auction	Auktion	аукцион
Australan, Australanka	Australian	Australier, Australierin	австралиец, австралийка
Austrálie	Australia	Australien	Австралия
australský	Australian	australisch	австралийский
aut	out	out	аут
automechanik	mechanic	Automechaniker	автомеханик
autoopravna	garage	Autowerkstatt	автомастерская
avšak	however	wie auch immer	однако
až	when, till, until	sobald, bis	до, как только, аж

B

česky	anglicky / English	německy / deutsch	rusky / по русски
babi *OČ*	grandma	Oma, Großmutter	баба, бабушка
bačkora	slipper	Hausschuh	тапок
bacha *OČ* = pozor	look out! watch out!	Aufpassen!	Осторожно!
bankéř, bankéřka	banker	Bankier	банкир
bankovka	bank-note	Banknote	банкнота
barák *OČ* = dům			
barvit *impf.*	colour/color dye	färben	красить
báseň	poem	Gedicht	стихотворение
básnička = báseň	poem	Gedichtlein	стишок
bát* se *impf.*	to be afraid	Angst haben, sich fürchten	бояться
bavit *impf.*	to entertain, to enjoy	jmdn. unterhalten	развлекать
bavit se *impf.*	to chat, to talk	sich unterhalten, Spaß haben	развлекаться, разговаривать
běhat *impf.*	to run	laufen, rennen	бегать
během	during	während	в течение, во время
Benátky *pl.*	Venice	Venedig	Венеция
benzín	petrol, gas	Benzin	бензин
benzínový	petrol, gas	Benzin-	бензиновый
berle	crutch	Krücke	клюка, костыль
bezdětný	childless	kinderlos	бездетный
bezdomovec, bezdomovkyně	homeless person	Obdachloser, Obdachlose	бездомный, бомж, бездомная
bezmocný	helpless	hilflos	беспомощный
beznaděj	despair	Hoffnungslosigkeit	отчаяние
beznadějný	hopeless	hoffnungslos, verzweifelt	безнадёжный, отчаянный
bezpečnostní pás	safety belt	Sicherheitsgurt	ремень безопасности
bezstarostný	careless	sorglos	беззаботный

česky	anglicky / English	německy / deutsch	rusky / по русски
běžet *impf.*	to run	laufen, rennen	бежать
běžný	usual, current	gewöhnlich, laufend, fortlaufend	обычный, текущий
bída	poverty	Leid, Kummer	беда, горе
biskup	bishop, pontiff	Bischof	епископ
bizarní	bizarre	bizarr	странный, причудливый
bižuterie	jewellery	Bijouterie, Schmuck	бижутерия
blahopřání	congratulation	Gratulation	поздравление
blahopřát* *impf.*	to congratulate	gratulieren	поздравлять
blázen	lunatic, nut, fool	Verrückter	сумасшедший
bláznit *impf.*	to fool around	Unsinn treiben	сумасбродствовать
blaženost	beatitude	Wonne, Glückseligkeit	блаженство
blbě	stupidly	blöd, schlecht	глупо, плохо
blbý	stupid, jerked, bloody	blöd, dumm	глупый, идиотский
blinkr *OČ*	blinker	Blinker	блинкер, указатель поворота
blýskat se *impf.*	to sparkle, to glitter	blitzen, funkeln	сверкать
bohatnout* *impf.*	to get rich	reicher werden	богатеть, наживаться
bohatší	better off	reicher als	богаче чем
bohatý	rich, abundant	reich	богатый
bojovat *impf.*	to fight	kämpfen	бороться
bolest	pain	Schmerz	боль
bolet *impf.*	to pain, to hurt	schmerzen	болеть
Bombaj	Bombay	Bombay	Бомбей
bon	coupon, voucher	Coupon, Schein	купон, чек
bonboniéra	box of chocolates	Pralinenschachtel	коробка конфет
bourat *impf.*	to demolish, to take down	einreißen, abbauen	разваливать, рушить
bouřka	storm	Gewitter	гроза
brada	chin	Bart, Kinn	борода, подбородок
brácha *OČ*	brother, bro	Bruder	брат, братан
branka	wicket, gate, goal	Tor	ворота, гол
brát* si *impf.*	to take	nehmen	брать
Brazilec, Brazilka	Brazilian	Brasilianer, Brasilianerin	бразилец, бразилианка
Brazílie	Brazil	Brasilien	Бразилия
brazilský	Brazilian	brasilianisch	бразильский
brigáda	temporary work	Praktikum, Zeitarbeit, Arbeitseinsatz	временная работа, стажировка
brigádník	brigadier, temporary worker	Zeitarbeiter	временный работник
brusle *pl.*	skates	Schlittschuhe, Inliner	коньки, ролики
bruslit *impf.*	to skate	Schlittschuh laufen, skaten	кататься на коньках, на роликах
brýle *pl.*	glasses	Brille	очки
brzda	brake	Bremse	тормоз
brzo = brzy			
brzy	soon, early	früh, bald	рано, скоро
břeh	bank, shore	Ufer	берег
budík	alarm clock	Wecker	будильник
budoucnost	future	Zukunft	будущее
bufet	buffet	Imbiss, Café mit Selbstbedienung	буфет, бар
buchta	cake	Hefekuchen	пирог из дрожжевого теста
bunda	jacket, anorak	Jacke	куртка
burza	stock exchange	Börse	биржа
buřt	short smoked sausage	Wurst	колбаса
bydliště	place of residence	Wohnort	местожительство
bystrý	quick, smart	schnell	быстрый
být* zvyklý *impf.*	to be used to	gewohnt sein	быть привыкшим
být* ... roků/let *impf.*	to be ... years old	...... Jahre alt sein	мне/тебе..... ...... года/ лет, быть ...... возраста
být* dobře/špatně *impf.*	to be well/bad	gut/schlecht sein	хорошо/плохо
být* líto *impf.*	to be sorry	Leid tun	сожалеть
být* na řadě *impf.*: jsem na řadě	to be someone´s turn: it´s my turn	an der Reihe sein: ich bin an der Reihe, ich bin dran	быть следующим (в очереди): я следующий, моя очередь
být* zima/teplo *impf.*	to be hot/cold	kalt/warm sein	холодно/тепло
bytový	residential, housing	wohn-, Wohnungs-	жилищный, жилой

C

cestovatel, cestovatelka	traveller	Reisender, Reisende	путешественник, путешественница
cíl	destination, goal, aim	Ziel	цель
církev	church (denomination)	Kirche (Institution)	церковь (институция)

česky	anglicky / English	německy / deutsch	rusky / по русски
cizinecká policie	foreign police	Ausländerpolizei, Fremdenpolizei	полиция, ведающая делами иностранцев
couvat *impf.*	to back up, to reverse	rückwärts fahren, weichen	ехать задним ходом, сдавать назад
couvnout* *pf.*	to back up, to reverse	rückwärts fahren, weichen	поехать задним ходом, сдать назад
ctižádostivý	ambitious	ambitioniert, ehrgeizig	тщеславный
cukroví	sweets	Süßigkeiten	сладости
cvičení	exercise	Übung	упражнение
cvičit *impf.*	to exercise	üben	упражняться

Č

česky	anglicky / English	německy / deutsch	rusky / по русски
časopis	magazine	Zeitschrift	журнал
část	part	Teil	часть
částka	sum, amount	Betrag	сумма, количество
Čech, Češka	Czech	Tscheche, Tschechin	чех, чешка
čekárna	waiting room	Wartezimmer, Warteraum	комната ожидания
čekat *impf.*	to wait, to expect	warten	ждать
čelo	forehead	Stirn	лоб
čepice	hat, cap	Mütze	шапка
čerstvý	fresh	frisch	свежий
čert	devil	Teufel	чёрт
Česká republika	Czech Republic	Tschechische Republik	Чешская Республика
Česko = Česká republika	---	Tschechien	Чехия
český	Czech	tschechisch	чешский
čeština	Czech	Tschechisch	чешский язык
Čína	China	China	Китай
Číňan, Číňanka	Chinese	Chinese, Chinesin	китаец, китаянка
činnost	activity	Aktivität, Funktion	деятельность, функция
čínský	Chinese	chinesisch	китайский
čínština	Chinese	Chinesisch	китайский язык
číslovka	numeral	Numerale, Zahlwort	числительное
číst* *impf.*	to read	lesen	читать
čistírna	dry cleaners	Reinigung	химчистка
čistit *impf.*	to clean	putzen	чистить
článek	article, paper study	Artikel, Aufsatz	статья
čočka	lentil, lens	Linse, Kontaktlinse	чечевица, линза, контактная линза
čočkový	lentil	Linsen-	чечевичный, линзовый
čtvereční (metr)	square (meter)	Quadrat (meter)	квадратный (метр)
čtyřicítka	forty	die Vierzig	сорок, сороковка
čtyřka	four	die Vier	четвёртка
čumák	snout	Schnauze	морда, нос (у зверей)

D

česky	anglicky / English	německy / deutsch	rusky / по русски
daňové přiznání	tax return, income declaration	Steuererklärung	налоговая декларация
dánština	Danish	Dänisch	датский язык
dar	present, gift	Geschenk	подарок
dát *pf.*	to give, to put	geben	дать
dát přednost *pf.*	to give way, to prefer	vorlassen, vorziehen	пропустить, предпочесть
datum	date	Datum	дата
dav	crowd	Masse, Menschenmenge, Getümmel	толпа, масса
dávat *impf.*	to give, to put	geben	давать
děda *OČ*	grandpapa, granddad	Opa, Großvater	дед, дедушка
dech	breath	Atmung, Atem	дыхание, дух
děj	action, plot	Handlung	действие
dějepis	history	Geschichte	история
dějiny *pl.*	history	Geschichte	история
dějství	act	Akt, Handlung	акт, действие
děkovat *impf.*	to thank	danken	благодарить
delegát	delegate	Abgeordneter, Delegierte	депутат, делегат
delfín	dolphin	Delphin	дельфин
dělník, dělnice	worker	Arbeiter, Arbeiterin	рабочий, работница
deník	diary, daily newspaper	Tagebuch, Tageszeitung	дневник, ежедневная газета
děsit *impf.*	to frighten	Angst machen	пугать
desítka	ten	die Zehn	десятка
deštník	umbrella	Regenschirm	зонт
dětská sedačka	car seat (for a child)	Kindersitz	детское сиденье

česky	anglicky / English	německy / deutsch	rusky / по русски
dětský	childish, childlike	Kinder-, kindlich, kindisch	детский
dětský domov	orphanage	Kinderheim	детский дом
devítka	nine	die Neun	девятка
díl	part, unit, episode	Folge, Teil	часть, серия
diplomová práce	dissertation, thesis	Diplomarbeit	дипломная работа
díra	hole	Loch	дыра
dirigent	conductor	Dirigent	дирижёр
dít* se impf.	to happen	geschehen, zugehen	происходить, делаться
divák	spectator, onlooker	Zuschauer	зритель
divit se impf.	to wonder, to be surprised	sich wundern	изумляться, недоумевать
dívka	girl	Mädchen	девочка
divný	strange, odd	seltsam, wunderlich, wundersam	странный, чудной, удивительный
dlouhodobě udržitelný rozvoj	sustainable development	langfristige Entwicklung	долгосрочное развитие
dlouhodobý	long-term	langzeitig, langfristig	длительный, продолжительный
dluh	debt	Schuldbetrag, Rest	долг
dno	bottom	Grund, Boden	дно
doba	time, times, epoch	Zeit	время
dobrodružství	adventure	Abenteuer	приключение
dobrota	goodness, delicacy	Gediegenheit, Gutmütigkeit, Leckerbissen	доброта, лакомство
dodělat pf.	to finish	fertigmachen, zu Ende bringen	доделать, докончить
dodělávat impf.	to finish	fertigmachen, zu Ende bringen	доделывать, заканчивать
docházet impf.	to arrive, to come, to catch up, to run out	zugehen, vorkommen, ausgehen	доходить, случаться, заканчиваться
dojatý	touched, moved	bewegt, gerührt	тронутый, умилённый
dojem	impression	Eindruck	впечатление
dojemný	touching, moving	beeindruckend, bewegend, rührend	трогательный, впечатляющий, умилительный
dojít* pf.	to arrive, to come, to catch up, to run out, to reach (a place)	ankommen, vorkommen, gehen, erreichen	дойти, случиться, закончиться, сходить, добраться
doklad	document, certificate	Dokument, Beleg, Urkunde	документ, свидетельство
dokonavý	perfective	perfektiv, vollendet	совершенный вид
dokud	as long as, before	solang, bevor	пока, до тех пор пока
dolar	dollar	Dollar	доллар
domlouvat se impf.	to decide on, to agree on	sich verabreden, sich einigen	договариваться, соглашаться
domluvit se pf.	to decide on, to agree on	sich verabreden, sich einigen	договориться, согласиться
domnívat se impf.	to suppose, to assume	vermuten, voraussetzen	предполагать, считать
donutit pf.	to force, to compel	zwingen, nötigen	принудить, заставить
dopadat impf.	to fall down, to work out	fallen, ausfallen, ausschauen	застигать, обходиться, получаться
dopadnout* pf.	to fall down, to work out	fallen, ausfallen, ausschauen	застигнуть, обойтись, получиться
doplnit pf.	to refill, to fill in	auffüllen, ergänzen, vervollständigen	дополнить, придать, добавить
doplňovat impf.	to refill, to fill in	auffüllen, ergänzen, vervollständigen	дополнять, придавать, добавлять
doporučený dopis	registered letter	Empfehlungsschreiben	рекомендация
doporučit pf.	to recommend	empfehlen	порекомендовать, посоветовать
doporučovat impf.	to recommend	empfehlen	рекомендовать, советовать
dopravní prostředky	means of transport	Transportmittel	средства передвижения
dopravní spojení	(traffic) connection	Verkehrsverbindung	средства связи, транспортные средства
dopravní zácpa	traffic jam	Verkehrstau	автомобильная пробка
doprovázet impf.	to accompany, to see off	begleiten	провожать, сопровождать
doprovodit pf.	to accompany, to see off	begleiten	проводить
dorazit pf. (někam)	to finish off, to reach, to arrive	eintreffen, ankommen	докончить, добраться, прийти
dosáhnout* pf.	to reach, to touch	erzielen, erreichen, vermögen	добиться, достичь, достать
dosahovat impf.	to reach, to touch	erzielen, erreichen, vermögen	добиваться, достигать, доставать
dosavadní	up to now, existing	bestehend, bisherig	нынешний, до сих пор существовавший / действительный
dostatečný	sufficient	ausreichend, genügend	достаточный, удовлетворительный
dostihy pl.	horse racing	Pferderennen	скачки
dotovat impf.	to donate	dotieren	дотировать, ассигновать
doupě	den	Höhle	нора, берлога
dovolená adj.	holidays, vacation	Urlaub	отпуск
dovolený	permissible, allowed	erlaubt, zulässig	позволенный, разрешённый
dovolit si pf.	to afford, to take liberty	sich erlauben	позволить себе
dovolovat si impf.	to afford, to take liberty	sich erlauben	позволять себе
doživotní	lifelong	lebenslang	пожизненный
drahý	expensive, dear	teuer, lieb	дорогой
drak	dragon	Drache	дракон
dramatik, dramatička	playwright, dramatist	Dramatiker, -in Bühnendichter, -in	драматург
Drážďany pl.	Dresden	Dresden	Дрезден

česky	anglicky / English	německy / deutsch	rusky / по русски
drůbež	poultry	Geflügel	домашняя птица
drvoštěp	logger, lumber jack	Holzarbeiter	дровосек
dřevěný	wooden	Holz-, aus Holz	деревянный
dřevo	wood	Holz	дерево (материал), древесина
dřív = dříve			
dříve	earlier, previously	früher	раньше
duch	spirit, ghost	Geist	дух
důchodce, důchodkyně	pensioner	Rentner, Rentnerin	пенсионер, пенсионерка
dusit *impf.*	to steam, to suffocate	unterdrücken, würgen, dünsten	подавлять, душить, тушить
důsledek	consequence	Folge, Auswirkung, Ergebnis	следствие, результат
dusný	sticky, sultry, stifling	schwül, stickig	душный
důstojný	dignified	würdevoll, würdig	достойный, солидный, степенный
dušený	braised, stewed	gedämpft, gedünstet	приглушённый, тушёный
Dušičky *pl.*	All Souls Day	Allerseelen	праздник всех Святых, день поминовения усопших
dvacítka	twenty	die Zwanzig	двадцатка
dvojče	twin	Zwilling	близнец
dvojice	couple, pair	Paar, Pärchen	чета, пара
dvojka	two	die Zwei	двойка
dýchat *impf.*	to breathe	atmen	дышать
džbánek	pitcher	Krug	кружка

E

česky	anglicky / English	německy / deutsch	rusky / по русски
Egypťan, Egypťanka	Egyptian	Ägypter, Ägypterin	египтянин, египтянка
ekolog, ekoložka	ecologist	Ökologe, Ökologin	эколог
elektrický spotřebič	electric appliance	Elektrogerät	электроприбор
Evropa	Europe	Europa	Европа
Evropan, Evropanka	European	Europäer, Europäerin	европеец, европейка
evropský	European	europäisch	европейский

F

česky	anglicky / English	německy / deutsch	rusky / по русски
figurka	figurine	Figur, Marionette	фигура, марионетка
Filipíny *pl.*	Philippines	Philippinen	Филиппины
Fin, Finka	Finn	Finne, Finnin	финн, финка
Finsko	Finland	Finnland	Финляндия
finský	Finnish	finnisch	финский
flaška *OČ* = láhev			
flegmatik, flegmatička	phlegmatic person	Phlegmatiker, -in	флегматик
flek *OČ*	stain	Fleck, Makel	пятно
foukat *impf.*	to blow	wehen, pusten, blasen	дуть
fousy *pl.* = vousy			
Francie	France	Frankreich	Франция
Francouz, Francouzka	Frenchman	Franzose, Französin	француз, француженка
francouzský	French	französisch	французский
francouzština	French	Französisch	французский язык
frank	franc	Franc	франк
fráze	phrase	Phrase	фраза
freska	fresco	Freske	фреска
fronta	front, line, queue	Front, Schlange	фронт, очередь
fyzika	physics	Physik	физика

G

česky	anglicky / English	německy / deutsch	rusky / по русски
generace	generation	Generation	поколение
Ghana	Ghana	Ghana	Гана
gratulovat *impf.*	to congratulate	gratulieren	поздравлять
grilovaný	barbecued, grilled	gegrillt	поджаренный на решетке, на огне
grilovat *impf.*	to grill, to broil	grillen	поджаривать на решетке, на огне
guma	rubber, eraser	Radiergummi, Haargummi, Kaugummi	ластик, резинка, жвачка
gumák *OČ*	waterproof coat	wasserfester Gummimantel	водонепроницаемый прорезиненный плащ
gumový	rubber	aus Gummi, Gummi-	из резины, резиновый
gymnázium	grammar school	Gymnasium	гимназия

H

česky	anglicky / English	německy / deutsch	rusky / по русски
háj	grove	Hain, Gehölz	роща
hajzl	creep, bastard	Klo, Toilette	нужник, туалет
halenka	blouse	Bluse	блуза
hasič, hasička	fireman, fire-fighter	Feuerwehrmann, -frau	пожарник
hausbót	houseboat	Hausboot	лодка, приспособленная для жилья
hauso	Hauso	Hausa	язык хауса
házet *impf.*	to throw, to cast	werfen, schleudern	бросать, кидать
hektický	hectic	hektisch	лихорадочный, изнурительный
heslo	slogan, password	Passwort	пароль
hindština	Hindi	Hindi	язык хинди
historik, historička	historian	Historiker, - in	историк
hlas	voice, vote	Stimme	голос
hlasitý	loud	laut	громкий
hlášení	report, announcement	Bericht, Meldung, Ansage	отчёт, доклад, сведение
hlavně	mainly	vor allem, Hauptsache	главным образом, особенно, в основном
hlediště	auditorium	Zuschauerraum, Auditorium	зрительный зал, аудитория
hluboký	deep	tief	глубокий
hluk	noise	Lärm	шум
hned	immediately, at once	sofort	сразу, сейчас же
hnusný	disgusting	ekelhaft, abscheulich	гадкий, гнусный
hodina	hour	Stunde	час
hodinář, hodinářka	watchmaker	Uhrenmacher, - in	часовщик
hodinářství	watchmaker´s (shop)	Uhrmacherhandwerk, Uhrengeschäft, Uhrenwerkstatt	часовое ремесло, часовой магазин, часовая мастерская
hodinky	watch	Armbanduhr	наручные часы
hodiny	clock	Uhr	часы
hodit *pf.*	to throw, to cast	werfen, schleudern	бросить, кинуть
hodit se *impf.*	to fit, to be OK (time)	passen, taugen, sich eignen	подходить, годиться
hodnota	value	Wert, Betrag, Währung	величина, ценность, стоимость
hodný	good, kind	gut, nett	хороший
holič, holička	hairdresser, barber	Barbier	цирюльник, парикмахер
holit *impf.*	to shave	rasieren	брить
holka	girl	Mädchen	девочка
Honduras	Honduras	Honduras	Гондурас
horolezec, horolezkyně	alpinist, mountaineer	Bergsteiger, -in	альпинист, альпинистка, скалолаз
hořčice	mustard	Senf	горчица
hoře	grief	Gram, Kummer	скорбь, горе, печаль
hořlavý	flammable	entzündbar, brennbar	огнеопасный, сгораемый, горючий
hotově	in cash	bar zahlen	наличкой, наличные
hotový	finished, prepared, ready	fertig	готовый
housle *pl.*	violin	Fiedel, Geige, Violine	скрипка
hrací deska	game board	Spielbrett	игровая доска
hráč, hráčka	player	Spieler, -in	игрок
hradní	castle	Burg-	относящееся к замку, крепости
hranice	border	Grenze, Schranke	граница, черта
hraný	played	gespielt, spiel-	сыгранный, игровой
hrát* *impf.*	to play, to act	spielen	играть
hrdina, hrdinka	hero, heroine	Held, Heldin	герой, героиня
hrnek	cup	Tasse, Napf, Töpfchen	кружка, горшочек
hrob	grave	Grab	могила
hromada	pile	Haufen, Berg, Menge	уйма, груда, масса
hroutit se *impf.*	to break down	zusammenbrechen, einstürzen	разваливаться, разрушаться
hrozit *impf.*	to threaten	drohen	грозить, угрожать
hrudník	chest, thorax	Brustkorb	грудная клетка
hruška	pear	Birne	груша
hruškový	pear	aus Birne, Birnen-	грушевый
hřbitov	cemetery	Friedhof	кладбище
hřeben	comb	Kamm	гребень, расчёска
hříčka	game, play, pun	Spielerei, Spielzeug, Witz	забава, игрушка, шутка
hřiště	field	Spielplatz, Sportplatz, Spielfeld	игровая, спортивная площадка
hřmět *impf.*	to thunder	donnern	грохотать, громыхать
hubnout* *impf.*	to lose weight	abnehmen	худеть
hudební výchova	musical education	Musikerziehung	музыкальное воспитание, обучение
hudebník, hudebnice	musician	Musiker, Musikerin	музыкант
hůř = hůře			

česky	anglicky / English	německy / deutsch	rusky / по-русски
hůře	worse	schlimmer	хуже
hustý	dense, thick	dick, dicht, fett, cool	густой, плотный, крутой
hvězda	star	Stern	звезда
hymna	anthem	Hymne	гимн
hypotéka	mortgage	Hypothek	ипотека, ссуда

Ch

charakteristický	characteristic	charakteristisch, ausgeprägt	характерный, свойственный
charitativní	charitable	karitativ	благотворительный
chata	hut, summer cottage	Hütte, Wochenendhaus	дача, загородный дом
chatař, chatařka	logger	Bewohner, -in des Wochenendhauses	дачник, дачница
chemie	chemistry	Chemie	химия
chirurg	surgeon	Chirurg	хирург
chlapec	boy	Junge	мальчик
chlebíček	sandwich	belegtes Brot	бутерброд
chodba	hallway, corridor	Flur	коридор
chodec, chodkyně	pedestrian, walker	Fußgänger, -in	пешеход
chodník	pavement, sidewalk	Fußgängerweg, Bürgersteig	пешеходная дорожка, тротуар
cholerik, cholerička	choleric person	Choleriker, -in	холерик
Chorvat, Chorvatka	Croat	Kroate, Kroatin	хорват, хорватка
chování	behaviour	Verhalten	поведение
chovat (zvířata) impf.	to breed (animals)	züchten, aufziehen	разводить, выращивать
chovat se impf.	to behave	sich benehmen	вести себя
chudnout* impf.	to become poor	verarmen	беднеть, нищать
chudoba	poorness, poverty	Armut, Dürftigkeit	беднота, нищета
chutnat impf.	to taste	schmecken, probieren	быть вкусным, пробовать
chůze	walking, tread	Schritt, Gang	шаг, походка
chvátat impf.	to rush, to speed	sich beeilen, eilen, hasten	поторапливаться, торопить, мчаться
chvíle	while, moment	Weile, Zeit, Moment	момент, минута, время
chybět impf.	to lack, to be missing	fehlen, mangeln	отсутствовать, не хватать
chytat impf.	to catch	fangen, greifen, angeln	хватать
chytit pf.	to catch, to grab	fangen, greifen, angeln	схватить, поймать

I

Indie	India	Indien	Индия
Indonésie	Indonesia	Indonesien	Индонезия
ingredience	ingredient	Ingredienz	ингредиент
intenzívní	intensive	intensiv	усиленный, интенсивный
Island	Iceland	Island	Исландия
Ital, Italka	Italian	Italiener, Italienerin	итальянец, итальянка
Itálie	Italy	Italien	Италия
italský	Italian	italienisch	итальянский

J

Japonec, Japonka	Japanese person	Japaner, Japanerin	японец, японка
Japonsko	Japan	Japan	Япония
japonský	Japanese	japanisch	японский
japonština	Japanese	Japanisch	японский язык
jasný	bright, clear	klar	ясный
jednání	manner, negotiation	Tagung, Besprechung, Verhandlung	переговоры, обсуждение
jednička	one	die Eins	единица
jednobarevný	monochromatic	einfarbig	одноцветный
jednoduchý	simple, easy	einfach, unkompliziert	простой, несложный
jednohubka	"one-bite" cocktail snack	Häppchen	маленькие закуски
jednorázový	disposable, one-off	einmalig	одноразовый, однократный
jednosměrný	one-way	Einbahn-	односторонний
jednovaječný	"one-egg", identical	eineiig	однояйцовый
jehla	needle	Nadel	игла
jesle pl.	crib, nursery, infant-school	Krippe, Kinderhort	ясли, детские ясли
ještěže	luckily	glücklicherweise, zum Glück	к счастью
jeviště	stage, scene	Bühne, Szene	сцена, арена
jezdecký	equestrian	Reiter-	всадник, верховой
jezevčí	badger	Dachs-	барсуковый, барсучий
jezevec	badger	Dachs	барсук

česky	anglicky / English	německy / deutsch	rusky / по русски
Ježíš	Jesus	Jesus	Иисус
jídelna	dining room, cafeteria	Kantine, Mensa, Esszimmer	столовая, буфет
jih	south	Süden	юг
Jihoafrická republika	South Africa	Republik Südafrika	Южно-Африканская Республика
jinak	otherwise, differently	sonst, anders	иначе, по-другому
jít* (chemie) impf.: jde mi chemie	...: I am good at chemistry	klappen: mit Chemie klappt es bei mir	даваться: химия мне легко даётся
jít* impf.	to go (on foot), to walk	gehen	идти
jizba	room	Stube	изба, комнатка
jízda	journey ride drive	Fahrt, Tour	проезд, езда
jízdenka	ticket, season ticket	Fahrkarte	билет, проездной билет
jízdní řád	timetable schedule	Fahrplan	расписание, график
Jokohama	Yokohama	Yokohama	Йокохама
jseš OČ = jsi			

K

česky	anglicky / English	německy / deutsch	rusky / по русски
kadeřník, kadeřnice	hairdresser	Friseur, Friseurin	парикмахер
kafe OČ = káva			
kalhotky	panties, knickers	Schlüpfer, Slip	трусы, трусики, плавки
Kalkata	Calcutta	Kalkutta	Калькутта
kámen	stone, rock	Stein	камень
kamenný	stone, stony	aus Stein, Stein-	каменный
kamna pl.	stove	Ofen	печь
Kanada	Canada	Kanada	Канада
kanadský	Canadian	kanadisch	канадский
kanál	drain, canal, channel	Kanal, Graben	канал
Kanárské ostrovy pl.	Canary Islands	Kanarische Inseln	Канарские острова
kantýna	cafeteria, canteen	Kantine, Mensa	столовая, буфет
kapka	drop	Tropfen	капля
kapsa	pocket	Tasche	карман
kapuce	hood, cape	Kapuze	капюшон
karavan	trailer	Karawane, Caravan	караван, дача-прицеп
kastelán, kastelánka	warden	Burgvogt, -in, Kastellan, -in	кастелян, смотритель крепости, замка
každoroční	annual, yearly	jährlich	ежегодный
kecat impf. OČ	to prattle, to gas, to chat	quatschen, faseln	болтать, трепаться
kelímek	(plastic) cup	(Plastik) Becher	(пластиковый) стаканчик
Keňa	Kenya	Kenia	Кения
kladivo	hammer	Hammer	молоток
kladný	positive	positiv, zusagend	положительный, благоприятный
klávesnice	keyboard, fingerboard	Klaviatur, Tastatur	клавиатура
klesat impf.	to drop, to lose height, to decline, to descend	sinken, abfallen, zurückgehen, stürzen	опускаться, падать, снижаться, убывать
klesnout* pf.	to drop, to lose height, to decline, to descend	sinken, abfallen, zurückgehen, stürzen	опуститься, упасть, снизиться, убыть
kleště pl.	pincers, pliers	Zange	щипцы, клещи
klíč	key	Schlüssel	ключ
klid	rest, calmness, calm	Ruhe	тишина
klidný	restful, calm	ruhig	тихий
klinika	clinic	Klinik	клиника
klížit se impf. (oči)	to close (eyes) slowly, to have heavy eyelids	die Augen fallen zusammen	слипаться (о глазах)
klobouk	hat	Hut	шляпа
klouzat* impf.	to skim, to slide, to slip	rutschen, gleiten, schleifen	скользить, ползти
kluk	boy	Junge	мальчик
kmen	tribe, stem	Stamm, Stock	племя, основа (слова), ствол
knihomol	bookworm	Bücherwurm	книголюб, книжный червь (дословно)
knoflík	button, push, button	Knopf, Taste	пуговица, кнопка
kocour	tomcat	Kater	кот
kočárek	pram, stroller	Kinderwagen	детская коляска
kočka	cat	Katze	кошка
Kodaň	Copenhagen	Kopenhagen	Копенгаген
koláč	pie, cake	Kuchen	пирог, булочка
koleda	carol	Weihnachts- oder Osterlied	веселая песня к Рождеству или Пасхе

česky	anglicky / English	německy / deutsch	rusky / по русски
koleno	knee	Knie	колено
kolo	wheel, bike	Rad, Fahrrad	колесо, велосипед
komora	chamber, pantry	Kammer, Zimmer, Abstellraum	коморка, комнатка, кладовая
komplex méněcennosti	inferiority complex	Minderwertigkeitskomplex	комплекс неполноценности
konat se *impf.*	to take place, to be held	stattfinden	состояться
koncovka	ending	Endung	окончание
kondolence	condolence	Kondolenz	соболезнование
koně *pl.*	horses	Pferde, Rosse	кони, лошади
konečně	finally, at last	endlich, zum Schluss	наконец, в конце
konkurent	competitor	Konkurrent	конкурент
kontaktní čočka	contact lens	Kontaktlinse	контактная линза
konvenční	conventional, formal	konventionell, konventional	условный, договорный, конвенциональный
konzerva	tin, can	Dose, Konserve	консервы, консервная банка
konzervatoř	academy, conservatory	Konservatorium	консерватория
kopat* *impf.*	to dig, to kick	graben, stoßen, kicken, treten	копать, рыть, пинать
kopec	hill	Hügel	холм, бугор
kopírka	copier	Kopiergerät	копировальный аппарат
kopnout* *pf.*	to dig, to kick	graben, stoßen, kicken, treten	копнуть, вырыть, пнуть
korálek	bead	Glasperle	бисер, бусинка
Korejec, Korejka	Korean	Koreaner, Koreanerin	кореец, кореянка
korupce	corruption	Korruption	подкуп, коррупция
korzo	promenade	Promenade, Bummel	бульвар, прогулка
kořen	root	Wurzel, Stamm	корень, основа
kost	bone	Knochen	кость
kostkovaný	chequered	kariert	клетчатый, в клетку
kostým	suit, costume	Anzug	костюм
koš	basket	Korb	корзина, короб
košile	shirt	Hemd	рубаха, рубашка
kotník	ankle, knuckle	Knöchel	лодыжка, щиколотка
koukat (se) *impf. OČ*	to look	gucken, schauen	смотреть, глядеть
kouknout* (se) *pf. OČ*	to look	gucken, schauen	посмотреть, поглядеть
koule	ball	Kugel, Ball	шар, мяч
kouř	smoke	Rauch	дым
kouřit *impf.*	to smoke	rauchen	курить
kousek	piece, bit	Stück, Stückchen, Teil	кусочек
kout	corner	Ecke, Winkel	уголок
kouzelný	charming, magic	zauberhaft, Zauber-	обаятельный, волшебный
kouzlo	charm, magic, spell	Charme, Zauber	очарование, волшебство
kov	metal	Metall	металл
kovový	metal	aus Metall, Metall-	металлический, сделанный из металла
koza	goat	Ziege	коза
kožený	leather	aus Leder, Leder-	кожаный
kožich	fur coat	Pelzmantel, Fellmantel	шуба, тулуп
krabice	box, case	Box, Büchse, Dose	коробка, шкатулка
kraj	edge	Rand, Region, Gegend	край, район, местность
krájet *impf.*	to cut, to slice, to carve	schneiden	резать
krajina	country, countryside, landscape	Bereich, Gegend, Landschaft	область, страна, пейзаж
králík	rabbit	Kaninchen	кролик
kralovat *impf.*	to rule (as a king)	regieren	царствовать
království	kingdom	Königreich	царство
krást* *impf.*	to steal, to thieve	stehlen, klauen	красть
kraťasy *pl. OČ*	shorts	Shorts	шорты
krátký	short, brief	kurz	короткий
kráva	cow	Kuh	корова
krb	fireplace	Kamin, Herd	камин, печь, очаг
krejčí	tailor	Schneider	портной
krejčovství	tailor´s	Schneiderei	ателье мод
krémový	creamy	Creme-, aus Creme	кремовый, из крема
kreslený	drawn	Zeichen-, gezeichnet	начерченный, нарисованный
kreslit *impf.*	to draw	zeichnen	чертить, рисовать
Kristus	Christ	Christus	Христос
kromě	apart from, besides	außer	кроме
kronika	chronicle	Chronik	хроника
kroupa	hail	Graupe	крупа

česky	anglicky / English	německy / deutsch	rusky / по русски
krtčí	mole	Maulwurf-	кротовый
krtek	mole	Maulwurf	крот
krytý	covered	gedeckt, überdacht	крытый, под крышей
křeček	hamster	Hamster	хомяк
křeslo	armchair	Sessel	кресло
křesťan, křesťanka	Christian	Christ, Christin	христианин, христианка
křesťanský	Christian	christlich	христианский
křesťanství	Christianity	Christentum	христианство
křižovatka	crossroads	Kreuzung	перекресток
Kuba	Cuba	Kuba	Куба
kubánský	Cuban	kubanisch	кубинский
kufr	suitcase, boot, trunk	Koffer	чемодан
kuchař, kuchařka	cook	Koch, Köchin	повар
kuchařka	cook, cookbook	Kochbuch	книга рецептов
kuchyňská linka	kitchen counter and cabinets	Einbauküche	кухня со встроенным оборудованием
kulatý	round, rounded	rund	круглый
kulečník	billiards	Billard	бильярд
kůň	horse	Pferd	конь
kuriózní	unusual, quaint	kurios, seltsam	курьёзный, странный
kurzíva	italic	kursiv	курсивный шрифт
kuřák	smoker	Raucher	курящий, курильщик
kůže	skin	Haut, Leder	кожа, шкура
kuželka	skittle	Kegel	кегли
květináč	flowerpot	Blumentopf	цветочный горшок
květovaný	flowered	geblümt	цветастый
kyselý	sour	sauer	кислый

L

česky	anglicky / English	německy / deutsch	rusky / по русски
lázeňský	spa	Bad-, thermal	курортный
lázně pl.	spa	Bad, Therme	курорт
léčení	cure, course of treatment	Kur	лечение
léčit impf.	to cure	ärztlich behandeln, kurieren	лечить, исцелять
legrace	fun	Spaß	забава
legrační	funny	ulkig	забавный
lehátko	lounger	Liege	лежанка
lékárnička	first-aid box	Verbandkasten	аптечка
lékař, lékařka	doctor, physician	Arzt, Ärztin	врач
let	flight	Flug	полёт, рейс
létání	flying	Fliegen	летание, полёт
létat impf.	to fly	fliegen	летать
letět impf.	to fly	fliegen	лететь
levý	left	links	левый
lézt* impf.	to climb	klettern, (be)steigen	лезть, взбираться
lhostejný	indifferent	gleichgültig	равнодушный
-li	if	ob	ли
líbánky pl.	honeymoon	Flitterwochen	медовый месяц
Libanon	Lebanon	Libanon	Ливан
Libanonec, Libanonka	Lebanese (person)	Libanese, Libanesin	ливанец, ливанка
libanonský	Lebanese	libanesisch	ливанский
líbit se impf.	to like, to love, to enjoy	gefallen, mögen	нравиться
libra	pound	Pfund	фунт (стерлингов)
lidový	folk	Volks-	народный
lidská práva pl.	human rights	Menschenrechte	права человека
lidský	human	Menschen-	человеческий
límec	collar	Kragen	воротник
linout* se impf.	to waft	rieseln, rinnen, strömen	струиться
Lipsko	Leipzig	Leipzig	Лейпциг
lisovat impf.	to press	pressen, quetschen	давить, сжимать
lít* impf.	to pour	gießen	лить, проливать
lodžie	balcony, loggia	Loggia	лоджия
loft	loft	Speicher, Dachgeschoss	чердак, квартира под крышей
loket	elbow	Ellbogen	локоть
Londýn	London	London	Лондон
louka	meadow	Wiese, Aue	луг

česky	anglicky / English	německy / deutsch	rusky / по русски
loupat *impf.*	to peel off	schälen	шелушить, чистить
lýtko	calf	Wade, Unterschenkel	икра
lžíce	spoon	Löffel	ложка
lžička	tea spoon	Teelöffel	ложечка

M

maják	lighthouse	Leuchtturm	маяк
majetek	property, possession	Besitz, Vermögen	имущество
majitel, majitelka	keeper, holder, owner,	Inhaber, Inhaberin	владелец
makléř	broker, stockbroker	Makler	маклер, посредник
malebný	picturesque, scenic	malerisch, farbenreich	живописный, красочный
málokde	hardly anywhere	selten wo	редко где
málokdo	hardly anybody	selten jemand	редко кто
málokdy	hardly ever	selten	редко, изредка
malost	smallness	Kleinigkeit	малость, мелочь
malovaný	painted	gemalt, Mal-	расписной, писаный
máma *OČ*, mamka *dial.*	mummy, mamma	Mama	мама
manželství	marriage	Ehe	брак, супружество
marka	mark	Marke	марка
masáž	massage	Massage	массаж
masér, masérka	masseur, massagist	Masseur, -in	массажист
masový	mass, wholesale	Fleisch-, aus Fleisch	мясной
masožravec	carnivore	Raubtier	хищник
mast	ointment	Salbe	мазь
mateřská dovolená	maternity leave	Mutterschaftsurlaub	декретный отпуск
mateřská škola	kindergarten	Kindergarten	детский сад
mateřský	maternal	Mutter-	материнский
matka	mother	Mutter	мать
maturita	graduation	Abitur	выпускные экзамены
maturovat *impf.*	to take the leaving exam	Abitur machen	сдавать выпускные экзамены
mávat *impf.*	to wave	winken	махать
medaile	plaque, medal	Medaille	медаль
melancholik	melancholic person	Melancholiker	меланхолик
měnit *impf.*	to change, to shift	ändern, wechseln	менять, обменивать
menšina	minority	Minderheit	меньшинство
menza	student's canteen, refectory	Mensa	столовая для студентов
mexický	Mexican	mexikanisch	мексиканский
Mexičan, Mexičanka	Mexican	Mexikaner, Mexikanerin	мексиканец, мексиканка
Mexiko	Mexico	Mexiko	Мексика
mezinárodní	international	international	международный
míč	ball	Ball	мяч
míchat *impf.*	to stir, to blend	rühren, mischen	мешать, месить
mikina	sweatshirt	Sweatshirt	хлопчатобумажный трикотажный свитер
milenec, milenka	lover	Geliebter, Geliebte	любовник, любовница
milý	dear, kind, nice	lieb, nett	милый
miminko	baby	Baby, Säugling	младенец
mince	coin	Münze, Kleingeld	монета, мелочь
minulost	past	Vergangenheit	прошлое
mírný	mild, moderate	mäßig	умеренный
místnost	room	Raum	помещение
místo	place	Platz, Stelle, vOrt	место
mít* tušení *impf.*	to have idea	Ahnung haben	иметь понятие
míti* = mít* *impf.*	to have	haben, besitzen	иметь, владеть
mlčet *impf.*	be silent	schweigen	молчать
mléčný	milky	aus Milch, milchig, Milch-	молочный, млечный
mlha	fog	Nebel, Dunst	мгла, туман
Mnichov	Munich	München	Мюнхен
moc	power	Macht	власть
modlitba	prayer	Gebet	молитва
mokrý	wet	nass	мокрый, сырой
Mongolsko	Mongolia	Mongolei	Монголия
mořský	marine	See-, Meeres-	морской
Moskva	Moscow	Moskau	Москва
motiv	motive	Motiv, Beweggrund	мотив

česky	anglicky / English	německy / deutsch	rusky / по русски
moudrý	wise	weise, klug	мудрый
možnost	possibility	Möglichkeit	возможность
mrak	cloud	Wolke	облако, туча
mrakodrap	skyscraper	Wolkenkratzer	небоскрёб
mrskat *impf.*	to lash, to slash, to whip	peitschen	хлестать
mrzet *impf.*	to be sorry	Leid tun	сожалеть, жалеть
mrznout* *pf.*	to freeze	frieren, frosten	мёрзнуть, зябнуть
mudrc	wise man, magus, sage	Weise	мудрец
myčka	washing machine	Spülmaschine	посудомоечная машина
myčka aut	car wash	Autowaschanlage	автомойка
myš	mouse	Maus	мышь
myšlenka	thought, idea	Gedanke, Idee	мысль

N

česky	anglicky / English	německy / deutsch	rusky / по русски
nabírat *impf.*	to scoop, to gather, to fill, to take on, to fill with	schöpfen, füllen	набирать
nabízet *impf.*	to make an offer, to propose	anbieten	предлагать
náboženský	religious	religiös	религиозный
náboženství	religion	Religion	религия
nabrat* *impf.*	to scoop, to gather, to fill, to take on, to fill with	schöpfen, füllen	набрать
nadchnout* *pf.*	to enthuse	begeistern, inspirieren	привести в восторг, вдохновить
nadšenec	enthusiast	Schwärmer, Enthusiast	энтузиаст, вдохновлённый
nafoukaný	stuck-up, bigheaded	aufgeblasen, überheblich	тщеславный, напыщенный
náhle	suddenly	plötzlich	внезапно
náhoda	chance, coincidence	Zufall	случай, случайность
náhodou	accidentally, by chance	zufällig	случайно
nahrát* *pf.*	to record	aufnehmen, aufzeichnen	записать
nahrávat *impf.*	to record	aufnehmen, aufzeichnen	записывать
nacházet *impf.*	to find	finden, entdecken	находить, обнаруживать
nacházet se *impf.*	to be located	sich befinden	находиться
najednou	at once	gleichzeitig, zugleich, plötzlich	одновременно, неожиданно
nájem	rent, tenancy	Miete, Pacht	аренда
najíst* se *pf.*	to have a meal	sich satt essen	наесться
najít* *pf.*	to find	finden	найти
nakládat *impf.*	to load, to pickle, to put	einlegen, aufladen	засаливать, грузить
nakonec	in the end, eventually	endlich, schließlich	наконец
nakrájet *pf.*	to cut, to slice	schneiden	нарезать
nakreslit *pf.*	to draw	zeichnen	начертить
náladový	moody	launisch	человек настроения
náledí	slippery ice	Glatteis	гололёд
nalezený	found	der gefundene	найденный, обнаруженный
nalít* *pf.*	to pour, to infuse	eingießen, einschenken	налить
nalívat *impf.*	to pour, to infuse	eingießen, einschenken	наливать
naložit *pf.*	to load, to pickle, to put	einlegen, aufladen	засолить, погрузить
námořník, námořnice	sailor	Seemann, Seefrau	моряк, морячка
nandat *pf.*	to put on	rüberziehen, drauflegen, anziehen, aufsetzen	натянуть, набрать, одеть
nandávat *impf.*	to put on	rüberziehen, drauflegen, anziehen, aufsetzen	натягивать, набирать, одевать
naneštěstí	unfortunately	leider, unglücklicherweise	к сожалению
nanic	for nothing	umsonst, schlecht	ни к чему, зря, плохо
nápad	idea	Einfall, Idee	мысль, идея
nápadně	conspicuously	auffällig, auffallend	заметно, выразительно, броско
napadnout* *pf.*	to attack, to occur	überfallen, angreifen	напасть
nápadný	conspicuous	auffällig, auffallend	выразительный, броский
napětí	tension, suspense	Spannung	напряжение
napínavý	thrilling	spannend	напряжённый, увлекательный
náplast	plaster	Pflaster	пластырь
napsat* *pf.*	write	schreiben	написать
náraz	hit, bump	Aufprall, Zusammenstoß	удар, столкновение
narazit *pf.*	to hit, to bump	zusammenstoßen, treffen	столкнуться, встретить
narážet *impf.*	to hit, to bump	zusammenstoßen, treffen	сталкиваться, встречать
náročný	demanding	anspruchsvoll	требовательный
narodit se *pf.*	to be born	geboren werden	родиться
národnost	nationality	Nationalität	национальность
nárok	pretension, claim	Anspruch, Anrecht	требование, право

česky	anglicky / English	německy / deutsch	rusky / по русски
narození	birth	Geburt	рождение
narozeniny *pl.*	birthday	Geburtstag	день рождения
nařídit *pf.*	to order, to command	verordnen, veranlassen	постановить, поручить
nařizovat *impf.*	to order, to command	verordnen, veranlassen	постановлять, поручать
následovat *impf.*	follow	folgen, befolgen	следовать
následující	following	folgend	следующий
nastoupit *pf.*	to start, to get on (public transport)	einsteigen (bei Transportmitteln), antreten	войти, вступить, сесть (транспорт)
nastupovat *impf.*	to start, to get on (public transport)	einsteigen (bei Transportmitteln), antreten	входить, вступать , садиться (транспорт)
nastydlý	having a cold	erkältet	простуженный
naštvaný	annoyed	verärgert, beleidigt, böse	злой, обиженный
naštvat* *pf.*	to annoy	ärgern, beleidigen	разозлить, обидеть
natírat *impf.*	to paint, to colour, to color	einsalben, streichen	натирать, мазать, красить
natřít* *pf.*	to paint, to colour, to color	einsalben, streichen	натереть, намазать, покрасить
naučit se *pf.*	to learn	lernen, erlernen	научиться
náušnice	earring	Ohrringe	серьги
navíc	above that, extra, moreover	zusätzlich, überdies, extra	дополнительно
návrat	return	Rückkehr	возвращение
návrh	suggestion, proposal	Vorschlag	предложение, эскиз
návrhář, návrhářka	designer	Designer, -in	модельер
navždycky	forever	für immer	навсегда
název	name	Name, Bezeichnung	название
názor	opinion	Meinung	мнение, взгляд
nazpaměť	by heart	auswendig	наизусть
nebezpečí	danger	Gefahr	опасность
nedokonavý	imperfective	imperfektiv, unvollendet	несовершенный вид
nedostatek	lack, shortage	Mangel	недостаток
nehet	fingernail, nail	Nagel	ноготь
nejistota	uncertainty	Unsicherheit	неуверенность
nejistý	uncertain	unsicher	неуверенный
nejlépe	best	am besten	лучше всего
nejlíp = nejlépe			
nejspíš	most probably	am ehesten	скорее всего
nejvyšší	highest, upmost	oberste, höchste	самый высокий
neklidný	restless	unruhig	беспокойный, суетливый
němčina	German	Deutsch	немецкий язык
Němec, Němka	German	Deutscher, Deutsche	немец, немка
Německo	Germany	Deutschland	Германия
nemovitost	property, real, estate	Immobilie	недвижимость
němý	mute	stumm	немой
Nepál	Nepal	Nepal	Непал
nepořádný	untidy, messy	unordentlich, schlampig	неряшливый, неаккуратный
nepromokavý	waterproof	wasserfest	водонепроницаемый
nerv	nerve	Nerv	нерв
nést* *impf.*	to carry	tragen	нести
nešťastný	unhappy	unglücklich	несчастный
nezaměstnanost	unemployment	Arbeitslosigkeit	безработица
nezaměstnaný	unemployed	arbeitslos	безработный
nezávislost	independence	Unabhängigkeit	независимость
nezdvořilý	impolite	unhöflich	невежливый
neziskový	non-profit	nonprofit, unkommerziell	некоммерческий
neznámý	unknown	unbekannt	неизвестный
ničit *impf.*	destroy	zerstören, tilgen	разрушать, ломать
Nigérie	Nigeria	Nigeria	Нигерия
Nigerijec, Nigerijka	Nigerian	Nigerianer, Nigerianerin	нигериец, нигерийка
nízký	low	niedrig	низкий
nohavice	trouser leg, pant leg	Hosenbein	брючина, штанина
Nor, Norka	Norwegian	Norweger, Norwegerin	норвежец, норвежка
nosit *impf.*	to carry, to wear	tragen	носить
Nový Zéland	New Zealand	Neuseeland	Новая Зеландия
nuda	boredom	Langeweile	скука, тоска
nudit *impf.*	to bore	langweilen	докучать, утомлять
nudný	boring	langweilig	скучный, нудный
nutit *impf.*	to force, to impel	zwingen, drängen	принуждать, заставлять
nutný	necessary	notwendig, dringend	необходимый, срочный
nůž	knife	Messer	нож

O

česky	anglicky / English	německy / deutsch	rusky / по русски
občanka *OČ* = občanský průkaz			
občanská válka	civil war	Bürgerkrieg	гражданская война
občanský	civil, civic	zivil, bürgerlich	гражданский
občanský průkaz	identity card	Personalausweis	паспорт
obdivovat *impf.*	to admire	bewundern	восхищаться
obdivuhodný	admirable	bewundernswert	достойный восхищения
období	period	Zeitalter, Phase, Zeitraum	эпоха, эра
obec	township, community, municipality, village	Gemeinde, Ort, Gemein-, Kommunalwesen	община, местное самоуправление
obecenstvo	public, audience	Publikum	публика, зрители
obecná čeština (=OČ)	Colloquial Czech	Umgangssprache Tschechisch	разговорный чешский язык
obejít* se (bez) *impf.*	to get by, to do (without)	ohne etwas auskommen	обходиться
obejít* *pf.*	to go around	umgehen	обойти
obejmout* *pf.*	to hug, to embrace	umarmen	обнять, обхватить
obeplout* *pf.*	to sail around, to circumnavigate	umsegeln, umschiffen	оплыть
obchodník, obchodnice	businessman, businesswoman	Geschäftsmann, Geschäftsfrau	бизнесмен, бизнесвумен
obilí	corn	Korn, Getreide	зерно, жито, хлеб
objet* *pf.*	to go around	umfahren, bereisen	объехать, обвести
objevit *pf.*	to discover	entdecken, erfinden	обнаружить, открыть
objevit se *pf.*	to appear	erscheinen, auftauchen	появиться, показаться
objevovat *impf.*	to discover	entdecken, erfinden	обнаруживать, изобретать
objevovat se *impf.*	to appear	erscheinen, auftauchen	появляться, показываться
objíždět *impf.*	to go around	umfahren, bereisen	объезжать, обводить
oblast	area, region	Gegend, Region	область, регион
oblečení	clothes	Kleidung	одежда
oblek	suit	Anzug, Kostüm	костюм
oblékat *impf.*	to dress	anziehen, aufsetzen	одевать, надевать
obléknout* *pf.*	to dress	anziehen, aufsetzen	одеть, надеть
obletět *pf.*	to fly around	umfliegen, umrunden	облететь
obohacovat *impf.*	to enrich	bereichern	обогащать
obohatit *pf.*	to enrich	bereichern	обогатить
obor	discipline, field, subject	Fach, Disziplin (im Sport)	предмет, отрасль
obout* *pf.*	to put on shoes	Schuhe anziehen	обуть
obouvat *impf.*	to put on shoes	Schuhe anziehen	обувать
obracet (se) *impf.*	to turn	(sich) wenden, umdrehen, bekehren	обращать(ся), поворачивать(ся)
obrat	turn, turnover	Umsatz, Wende, Drehung	оборот, обращение
obrátit (se) *pf.*	to turn	(sich) wenden, umdrehen, bekehren	обратить(ся), повернуть(ся)
obrazovka	screen	Bildschirm, Display	экран, дисплей
obrovský	huge, giant	riesig	огромный
obsadit *pf.*	to occupy, to annex	besetzen	занять, захватить
obsazovat *impf.*	to occupy, to annex	besetzen	занимать, захватывать
obsluha	service, waiting	Bedienung	обслуживание
obtížný	hard, difficult	schwer, schwierig	тяжкий, обременительный
obuv	footwear, shoes	Schuhe	обувь
obvaz	dressing, bandage	Verband, Binde	повязка, бинт
obvyklý	common, customary	üblich, geläufig	обычный, привычный
obyčejný	ordinary, common	üblich, gewöhnlich	обыкновенный
ocas	tail	Schwanz	хвост
ocet	vinegar	Essig	уксус
očekávat *impf.*	to await, to expect	erwarten	ожидать
oční	ocular, optic	Augen-	глазной
odborný	technical, expert, professional	Fach-, fachkundig, fachlich, beruflich	профессиональный, специальный
odehrát se* *pf.*	to take place, to be enacted	sich abspielen, stattfinden	произойти
odehrávat se *impf.*	to take place, to be enacted	sich abspielen, stattfinden	происходить
odhodlání	resolution	Entschlossenheit	решимость, готовность
odkládat *impf.*	to put off, to postpone, to delay	ablegen, weglegen, verschieben, hinauszögern	откладывать, снимать (пальто, шляпу...)
odložit *pf.*	to put off, to postpone, to delay	ablegen, weglegen, verschieben, hinauszögern	отложить, снять (пальто, шляпу...)
odpočinek	rest, relaxation	Erholung, Rast	отдых
odpověď	answer, reply	Antwort	ответ
odpovědět* *pf.*	to answer, to reply	antworten	ответить
odpovídat *impf.*	to answer, to reply	antworten	отвечать
odskočit si *pf.*	*lit.:* to "jump aside" – to go to the bathroom	die Toilette aufsuchen, „kurz verschwinden"	идти в туалет, «отлучиться»

česky	anglicky / English	německy / deutsch	rusky / по русски
odstoupit *pf.*	to retire from, to leave, to resign, to abdicate	zurücktreten, austreten, verlassen, abdanken	отступить, отказаться , оставить должность
odstupovat *impf.*	to retire from, to leave, to resign, to abdicate	zurücktreten, austreten, verlassen, abdanken	отступать, отказываться , оставлять должность
odtáhnout* *pf.*	to drag away, to troop away, to withdraw, to tow	abziehen, abrücken, wegziehen	отступить, оттянуть, откатить
odtahovat *impf.*	to drag away, to troop away, to withdraw, to tow	abziehen, abrücken, wegziehen	отступать, оттягивать, откатывать
odtažení (auta)	towing (of a car)	(Auto) Abschleppung	отвоз машины
oheň	fire, flame, blaze	Feuer	огонь
ohňostroj	fireworks	Feuerwerk	салют, фейерверк
oholit *pf.*	to shave	rasieren	обрить
ochladit se *pf.*	to get cold	sich abkühlen, kalt werden	остыть, охладиться
ochlazovat se *impf.*	to get cold	sich abkühlen, kalt werden	остывать, охлаждаться
ochoz	gallery	Galerie	площадка, галерея
ochrana	protection	Schutz, Obhut, Sicherung	охрана, защита
okamžik	moment	Augenblick, Moment	мгновение, миг, момент
okolí	surroundings	Umgebung, Umwelt	окрестность, округа, окружающая среда
okouzlený	fascinated, spellbound	verzaubert, bezaubert	очарованный
okouzlit *pf.*	to spellbind, to captivate	verzaubern, bannen	очаровать, пленять
okouzlovat *impf.*	to spellbind, to captivate	verzaubern, bannen	очаровывать, пленять
okružní cesta	cruise	Rundreise, Rundweg	круиз, прогулка
oloupat *pf.*	peel	schälen	очистить, почистить
omáčka	sauce, gravy	Soße	соус
omezit *pf.*	to limit, to restrict	begrenzen, beschränken	ограничить, притеснить
omezování	infringement	Begrenzung, Beeinträchtigung	ограничение, ущемление
omezovat *impf.*	to limit, to restrict	begrenzen, beschränken	ограничивать, притеснять
omlouvat se *impf.*	to apologize, to give an excuse	sich entschuldigen	извиняться
omluvit se *pf.*	to apologize, to give an excuse	sich entschuldigen	извиниться
onemocnět *pf.*	to fall ill	krank werden, erkranken	заболеть
opakovaný	repeated, recurrent	wiederholt	повторный, многократный
opatrně	cautiously, carefully	vorsichtig	осторожно
opět	again	wieder	вновь, опять
opilý	drunk	betrunken, berauscht	выпивший, пьяный
opisovat *impf.*	to copy	kopieren, abschreiben	списывать
opona	curtain	Vorhang	занавес
opravář	repairman	Monteur	техник
opravdový	real, genuine	echt, wirklich, tatsächlich	действительный, настоящий
opravit *pf.*	to repair, to mend, to fix	berichtigen, reparieren	исправить, починить
opravna	repair shop	Reparaturwerkstatt	ремонтная мастерская
opravovat *impf.*	to repair, to mend, to fix	berichtigen, reparieren	исправлять, чинить
opsat* *pf.*	to copy	kopieren, abschreiben	списать
optika	optics	Optik	оптика
ordinace	surgery	Praxis, Sprechzimmer	хирургия, приём больных
osamělost	loneliness, seclusion, solitude	Einsamkeit	одиночество
osamělý	lonely, lonesome	einsam, allein	одинокий, уединённый
oslava	celebration	Fest, Feier	праздник, торжество
oslavit *pf.*	to celebrate	feiern	отпраздновать, отметить
oslavovat *impf.*	to celebrate	feiern	праздновать, отмечать
oslovení	address	Anrede, Ansprache	обращение
oslovit *pf.*	to address	anreden, ansprechen	обратиться
oslovovat *impf.*	to address	anreden, ansprechen	обращаться
osmička	eight	die Acht	восьмёрка
osoba	person	Person	лицо, особа, персона
osobně	personally	persönlich	лично, индивидуально
osobnost	personality	Persönlichkeit	личность, особа
ostrov	island	Insel	остров
ostrý	sharp	scharf	острый
ostříhat *pf.*	to cut, to have one's hair cut	schneiden, scheren	стричь
ostýchavý	shy	schüchtern, scheu	стеснительный
osud	fate	Schicksal	судьба
otec	father	Vater	отец
oteplování	warming	Erwärmung	потепление
otírat *impf.*	to wipe	wischen, reiben	вытирать, стирать
otrávit *pf.*	to poison, to annoy	vergiften, nerven	отравить, надоесть
otravný	boring, irritating	giftig, widerlich	отравленный, надоедливый
otravovat *impf.*	to poison, to annoy	vergiften, nerven	отравлять, травить, надоедать

česky	anglicky / English	německy / deutsch	rusky / по русски
otřes mozku	concussion	Gehirnerschütterung	сотрясение мозга
otřít* pf.	to wipe	wischen, reiben	вытереть, стереть
ovce	sheep	Schaf	овца
ovládat impf.	to control	beherrschen, steuern	владеть, управлять
ovládat se impf.	to control oneself	sich beherrschen	владеть собой, сдерживаться
ovládnout* pf.	to control	beherrschen, steuern	овладеть, поработить
ovládnout* se pf.	to control oneself	sich beherrschen	овладеть собой, сдержаться
ovlivnit pf.	to influence	beeinflussen	повлиять
ovlivňovat impf.	to influence	beeinflussen	влиять, воздействовать
označený	denoted, marked	angezeigt, markiert	обозначенный, отмеченный
označit pf.	to denote, to mark	anzeigen, markieren	обозначить, отметить
označovat impf.	to denote, to mark	anzeigen, markieren	обозначать, отмечать
oznámení	announcement	Anzeige, Annonce	объявление
oženit se pf.	to get married, to marry	heiraten (bei Männern)	жениться

P

česky	anglicky / English	německy / deutsch	rusky / по русски
padat impf.	to fall	fallen	падать
Pákistán	Pakistan	Pakistan	Пакистан
palec	thumb	Daumen	большой палец
pálení	burning	Brand	ожог, пожар
pálit impf.	to burn	brennen, anzünden	жечь
památka	memory	Andenken, Erinnerung	памятник, память
pamatovat (si) impf.	to remember	erinnern	помнить
panelák	panel house	Plattenbau	панельный дом
pantofel	slipper	Hausschuh, Pantoffel	домашние тапочки
pár	couple, pair	Paar	пара
parazit	parasite	Parasit	паразит
pařba	booze	Schmaus, Fete	пирушка
Paříž	Paris	Paris	Париж
pásek	belt	Gürtel, Band, Streifen	ремешок, пояс, полоса
patro	floor	Stock, Etage	этаж
patřit impf.	belong	gehören	принадлежать
pavouk	spider	Spinne	паук
pecka	stone, pip	Stein, Kern	косточка
péct* impf.	to bake	backen, braten	печь, запекать
pečený	roasted, baked	gebacken, gebraten	жареный, печённый
pečlivý	careful	behutsam, achtsam	заботливый
Peking	Beijing, Pekin(g)	Peking	Пекин
pěna	mousse, foam, lather	Schaum	пена, мусс
peněženka	wallet, purse	Brieftasche	кошелёк
pěnit impf.	to foam	schäumen	взбивать, накипать
pergamen	parchment	Pergament	пергамент
pero	feather	Feder	перо
peřina	quilt, comforter	Federbett, Federdecke	перина
pěstovat (obilí)	to grow (corn)	anbauen, kultivieren	выращивать
pestrý	bright, coloured	bunt	пёстрый
pětka	five	die Fünf	пятёрка
pevný	firm, strong	fest, fix, haltbar	жёсткий, крепкий
píchat impf.	to poke, to prick, to jab	stechen	колоть, жалить
píchnout* pf.	to poke, to prick, to jab	stechen	уколоть, ужалить
píseň	song	Lied	песня
písnička = píseň			
pít* impf.	drink	trinken	пить
plakát	poster	Poster	плакат
plakat* impf.	to weep, to cry	weinen	плакать
plast	plastic material	Plaststoff	пластик, пластмасса
plastový	plastic	Plastik-, aus Plastik	пластиковый
plat	salary	Gehalt	заработок, оклад
plavání	swimming	Schwimmen	плавание
plavba	voyage, sail	Schifffahrt, Seereise	плавание, рейс
plavky pl.	bathing suit	Badehose, Badeanzug	купальные плавки, купальник
plazmový	plazma	Plasma-, aus Plasma	плазменный
pláž	beach	Strand	пляж
ples	ball	Ball	бал
pleť	complexion skin	Haut	кожа

česky	anglicky / English	německy / deutsch	rusky / по русски
plná čára	"full line", no passing line	durchgezogene Linie	сплошная линия
plná penze	full board	Vollpension	полный пансион
plnoštíhlý	fuller figured, plump	vollschlank	статный
plný	full	voll	полный
plout* impf.	to float, to sail	segeln, steuern, schwimmen	плыть (на корабле)
plyn	gas	Gas	газ
plzeňský	Pilsner	Pilsner	пильзенский
pobavit se pf.	to have fun	Spaß haben	развлечься
pobyt	stay, visit	Aufenthalt	пребывание, жительство
počet	number	Nummer, Zahl, Anzahl	число, количество
počítačový	computer	Computer-	компьютерный
počkat pf.	to wait	warten	подождать
podat pf.	to hand	geben, reichen	подать
podávat impf.	to hand	geben, reichen	подавать
poděkování	thanks, acknowledgment	Dank, Danksagung	спасибо, благодарность
poděkovat pf.	to thank	danken, sich bedanken	поблагодарить
podezřelý	suspect	verdächtig	подозрительный
podkolenky pl.	knee socks	Kniestrümpfe	гольфы, чулки до колен
podkroví	loft-room	Dachgeschoss	чердак, квартира под крышей
podlaha	floor	Fußboden	пол
podmínka	condition	Bedingung	условие
podnebí	climate	Klima	климат
podnik	enterprise	Unternehmen, Betrieb	предприятие, завод
podnikat impf.	to enterprise	unternehmen, wirtschaften	предпринимать
podnikatel, podnikatelka	entrepreneur	Unternehmer, Unternehmerin	предприниматель, предпринимательница
podnikavý	enterprising	unternehmerisch, betriebsam	деловой, предприимчивый
podobat se impf.	to look like, to resemble	(sich) ähneln	подобать, быть похожим
podobenství	parable	Gleichnis, Parabel	притча, подобие
podobný	similar	ähnlich	похожий
podpatek	heel	Absatz (bei Schuhen)	каблук
podpis	signature	Unterschrift	подпись
podporovat impf.	to support	unterstützen	поддерживать
podpořit pf.	to support	unterstützen	поддержать
podrobný	detailed	ausführlich, detailliert	подробный
podusit pf.	to steam	unterdrücken, würgen, dünsten	подавить, задавить, потушить
podzemní	underground	unterirdisch, Underground-	подземный, подпольный
pogratulovat pf.	to congratulate	gratulieren	поздравить
pohádat se pf.	to quarrel	sich streiten	поссориться, поспорить
pohádka	fairytale	Märchen	сказка
pohled	look, sight, view	Sicht, Ansicht, Blick	вид, взгляд
pohlednice	postcard	Postkarte, Ansichtskarte	открытка
pohoda	peace, contentment, well being	Behaglichkeit	покой, уют, порядок
pohodář, pohodářka	laid-back person	ein ruhiger Mensch	спокойный человек
pohodlný	comfortable	gemütlich, bequem	уютный, удобный
pohodový	peaceful, cool, easy	friedlich, ruhig, locker	мирный, спокойный
pohotovost	emergency	Bereitschaft	дежурство
pohovor	job interview	Besprechung, Gespräch	собеседование, беседа
pohromadě	together	zusammen	вместе
pohrozit pf.	to threaten	drohen	пригрозить, погрозить
pohyb	motion, movement	Bewegung, Rührung	движение
pohyblivý	mobile, movable	mobil, beweglich	подвижный, передвижной
pohybovat impf.	to move	bewegen	двигать, шевелить
pocházet impf.	to come from	stammen	происходить
pochybovat impf.	to doubt	zweifeln	сомневаться
pojištění	insurance	Versicherung	страхование
pojištěný	insured	versichert	застрахованный
pokaždé	always	immer, jedes Mal	каждый, всякий раз
pokecat (si) pf. OČ	to chat	plaudern, schwatzen	поболтать, потрепаться
pokoj	peace, room	Zimmer	комната
pokud	as far as, as long as	wenn, soweit, solange	если, насколько, поскольку
Polák, Polka	Pole	Pole, Polin	поляк, полячка
pole	field	Feld	поле
poledne	noon	Mittag	полдень
polední	midday	Mittags-, mittägig	полуденный, обеденный
políbit pf.	to kiss	küssen	целовать

česky	anglicky / English	německy / deutsch	rusky / по русски
police	shelf	Regal, Fach	полка, стеллаж
policie	police	Polizei	полиция
poliklinika	polyclinic, health centre	Klinik, Poliklinik	поликлиника
politický	political	politisch	политический
poloha	position	Lage, Stellung, Position	местоположение, позиция
polopenze	half board	Halbpension	полупансион
poloviční	half	halb	пол-, половинный
Polsko	Poland	Polen	Польша
pomáhat *impf.*	to help	helfen	помогать
pomalu	slowly	langsam	медленно, понемногу
pomlázka	Easter whip, Easter presents	Name eines Osterbrauchs	название Пасхальной традиции
pomník	monument	Denkmal	памятник
pomoct* *pf.*	to help	helfen	помочь
ponožka	sock	Socke	носок
popadnout* *pf.*	to grasp, to grab	packen, greifen	схватить, схватиться
popisovat *impf.*	to describe	beschreiben	описывать
popovídat (si) *pf.*	to chat	plaudern, schwatzen	потолковать, поболтать
poprava	execution	Exekution, Hinrichtung	казнь, расстрел
popravit *pf.*	to execute	hinrichten, exekutieren	казнить
popravovat *impf.*	to execute	hinrichten, exekutieren	казнить
poprvé	for the first time	erstens, erstmals	во-первых, впервые
popřát* *pf.*	to wish	wünschen, gratulieren	пожелать, поздравить
popsat* *pf.*	describe	beschreiben	описать
poptávka	demand (for goods)	Nachfrage, Anfrage	спрос, запрос
porada	meeting	Beratung, Besprechung	совещание
porod	childbirth, delivery	Entbindung, Niederkunft	роды
porodit *pf.*	to give birth	entbinden, gebären	родить
porodnice	maternity hospital	Entbindungsklinik	родильный дом
poroučet *impf.*	to order	befehlen, anweisen	распоряжаться
porozumět *pf.*	to understand	fassen, verstehen	понять, осмыслить
portugalština	Portuguese	Portugiesisch	португальский язык
poručit *pf.*	to command	befehlen	поручить, наказать
porušit *pf.*	to break, to violate	brechen, zerstören	нарушить, разрушить
porušování	breaking, violating	Verletzung, Übertretung	нарушение
porušovat *impf.*	to break, to violate	brechen, zerstören	нарушать, разрушать
pořad	programme	Programm, Reihe	программа, ход
pořádaný	hold, organised	ordentlich	аккуратный
pořádat *impf.*	to hold, to organise	organisieren	организовывать, делать
pořádek	order, tidiness	Ordnung	порядок
pořídit si *pf.*	to acquire	anschaffen, zulegen	завести, приобрести
pořizovat si *impf.*	to acquire	anschaffen, zulegen	заводить, приобретать
posel	messenger	Abgesandte, Bote	курьер, посол
posezení	sitting	Sitzen	сидение, посиделки
posilovna	fitness centre	Fitnesszentrum	фитнес-центр
poslání	mission	Beruf, Berufung, Mission	миссия, назначение
posouzení	assessment	Beurteilung, Begutachtung	оценка, обсуждение
postarat se *pf.*	to take care	sich sorgen, kümmern	позаботиться
postava	figure	Figur, Gestalt	фигура, стан
postěžovat si *pf.*	to complain	sich beschweren	пожаловаться
postižený	handicapped	behindert, betroffen	инвалидный, пострадавший
postoj	pose, attitude	Einstellung, Haltung	отношение, подход
postoupit *pf.*	to progress, to proceed, to reach	fortschreiten, aufsteigen	развиться, подняться, продвинуться вперёд
postupně	gradually	allmählich, schrittweise	постепенно
postupovat *impf.*	to progress, to proceed, to reach	fortschreiten, aufsteigen	развиваться, подниматься, идти вперёд
poštovní schránka	mailbox	Postfach, Mailbox	почтовый ящик
poštovní směrovací číslo	zip code, post code	Postleitzahl	почтовый индекс
potápěč, potápěčka	diver	Taucher, Taucherin	водолаз, ныряльщик
potěšený	pleased	erfreut	обрадованный, рад
potkat *pf.*	to meet	treffen	встретить
potkávat *impf.*	to meet	treffen	встречать
potraviny *pl.*	foodstuffs, groceries	Lebensmittel	продукты
potvrdit *pf.*	to confirm	zustimmen, bestätigen	подтвердить
potvrzovat *impf.*	to confirm	zustimmen, bestätigen	подтверждать
poukázka	voucher	Kassenschein, Blank	бланк, перевод
poupě	bud	Knospe	бутон

česky	anglicky / English	německy / deutsch	rusky / по русски
poušť	desert	Wüste	пустыня
pouštět *impf.*	to let go, to switch on	los lassen, steigen lassen	отпускать, запускать
pouze	only	nur, lediglich	всего, лишь, только
použití	use	Nutzen, Anwendung	применение
povaha	character	Charakter, Wesen	характер, нрав
povahový	(of) character	Charakter-, charakteristisch	характерный, типичный
povídat *impf.*	to tell	erzählen	рассказать
povídat si *impf.*	to talk, to chat	sich unterhalten	разговаривать
povinnost	duty	Pflicht	обязанность
povinný	obligatory	verpflichtend, Pflicht-	обязательный
povolání	profession, occupation	Beruf, Berufung	призвание, профессия
povolit *pf.*	to allow	erlauben, billigen	разрешить, позволить
povolovat *impf.*	to allow	erlauben, billigen	разрешать, позволять
pozdě	late	spät	поздно
pozdrav	greeting	Gruß	привет, поклон
pozdravovat *impf.*	to greet, to say hello	grüßen	приветствовать
pozemek	site	Grundstück, Anwesen	участок, усадьба
poznat *pf.*	to recognize	erkennen, kennen lernen	познать, узнать
poznávat *impf.*	to recognize	erkennen, kennen lernen	познавать, узнавать
pozor	attention! look out!	Vorsicht! Achtung!	Осторожно! Внимание!
pozorovat *impf.*	to watch, to observe	beobachten, verfolgen	следить, наблюдать
pozvánka	invitation card	Einladung	приглашение
požádat *pf.*	to ask, to require	anfragen, beantragen	попросить, подать прошение
požár	fire, conflagration	Brand, Feuer	пожар, огонь
prababička	great-grandmother	Urgroßmutter	прабабушка
pracák *OČ* = pracovní úřad			
práce	work	Arbeit	работа
prací prášek	washing powder	Waschpulver	стиральный порошок
pracovní	working, operational	Arbeit-, arbeits-	рабочий
pracovní úřad	registry office	Arbeitsamt	бюро по трудоустройству
pracovník	worker, labourer	Arbeiter	работник, труженик
pradědeček	great-grandfather	Urgroßvater	прадедушка
prádlo	laundry	Wäsche	бельё
pramen	headspring, source	Quelle	источник
prarodič	grandparent	Großeltern, Ureltern	бабушка и дедушка
prasátko	pigling	Ferkel, Ferkelchen	поросёнок
prase	pig	Sau, Schwein	свинья, поросёнок
prášek	powder, pill	Puder, Pulver	пудра, порошок
pravděpodobně	probably	wahrscheinlich	наверное, вероятно
pravěký	prehistorical	altertümlich	доисторический
pravidelně	regularly	regelmäßig	регулярно
pravidelný	regular	regelmäßig	регулярный
právník, právnička	lawyer, jurist	Anwalt, Anwältin	адвокат, законовед
právo	right	Recht	право
pravý	right, real, genuine	recht, echt, richtig	правый, правильный, настоящий
praxe	practice, experience	praktische Erfahrung	практика, опыт
prázdniny *pl.*	holidays, vacation	Ferien	каникулы
prdel	ass	Arsch	задница
prej *OČ* = prý			
prestižní	prestigious	angesehen	престижный
prevence	prevention	Prävention, Vorbeugung	предупреждение, профилактика
proběhnout* *pf.*	to run through, to take place	verlaufen	пройти, пробежать
probíhat *impf.*	to run through, to take place	verlaufen	проходить, пробегать
probírat *impf.*	to go through/over	durchnehmen, durchgehen	проходить, пробирать
probouzet *impf.*	to wake up	aufwecken	будить
probrat* *pf.*	to go through/over	durchnehmen, durchgehen	пройти, пробрать
probudit *pf.*	to wake up	aufwecken	разбудить
proces	process	Prozess, Gang, Verfahren	процесс
procvičit *pf.*	to exercise thoroughly	durchüben	поупражняться
procvičovat *impf.*	to exercise thoroughly	durchüben	упражняться
prodejce	vendor	Händler, Verkäufer	торговец, продавец
prodělat *pf.*	to endure, to go through, to undergo	durchmachen, verlieren, durchlaufen, unterliegen	проделать, перенести, потерять
prodělávat *impf.*	to endure, to go through, to undergo	durchmachen, verlieren, durchlaufen, unterliegen	проделывать, переносить, терять
prodloužit *pf.*	to prolong, to extend, to lengthen	verlängern	продлить
prodlužovat *impf.*	to prolong, to extend, to lengthen	verlängern	продлевать

česky	anglicky / English	německy / deutsch	rusky / по-русски
profese	profession	Beruf	профессия
prohlídka	inspection, examination	Besichtigung, Kontrolle	обзор, осмотр, проверка
prohrát* pf.	to lose, to gamble away	verlieren	проиграть
prohrávat impf.	to lose, to gamble away	verlieren	проигрывать
projednat pf.	to discuss	besprechen, abhandeln	обсудить, рассмотреть
projednávat impf.	to discuss	besprechen, abhandeln	обсуждать, рассматривать
projet* pf.	to go through	durchfahren	проехать
projíždět impf.	to go through	durchfahren	проезжать
proklamovat impf.	to proclaim	proklamieren	прокламировать
promoce	graduation	Diplomverleihung	вручение диплома
promovat impf.	to be awarded one's degree, to graduate	promovieren, einen Abschluss machen	заканчивать учебное заведение
pronájem	hire	Miete, Vermietung	наём, прокат
pronajímat impf.	to let rent	vermieten, verpachten	сдавать в аренду
pronajímat si impf.	to rent, to lease	mieten, pachten	брать в аренду
pronajmout* pf.	to let rent	vermieten, verpachten	сдать в аренду
pronajmout* si pf.	to rent, to lease	mieten, pachten	взять в аренду
pronásledovat impf.	to chase, to haunt	verfolgen, hetzen	преследовать, гонять
propiska	ballpoint	Kugelschreiber	шариковая ручка
prosba	request	Bitte, Anfrage	просьба
proslulý	famous, renowned	berühmt, rennomiert	известный, знаменитый
prostor	space	Raum	пространство
prostředek	medium, remedy, means	Mittel, Mitte	средство, середина
prostřednictvím	by means of	mittels, mit Hilfe	посредством
prošít* pf.	to sew through	durchnähen	прошить
prošívat impf.	to sew through	durchnähen	прошивать
protisměr	opposite direction	Gegenrichtung	противоположное направление
protivný	disagreeable, horrid, nasty	widerlich, ekelhaft	противный, несносный
protokol	protocol, transcript	Protokoll	протокол, запись
provokovat impf.	to provoke	provozieren	провоцировать
provoz	working service, traffic flow	Betrieb, Verkehr	работа, движение
prožít* pf.	to live through	durchmachen, durchleben	пережить
prožívat impf.	to live through	durchmachen, durchleben	переживать
prsa pl.	breast	Brust	грудь
prst	finger, toe	Finger, Zeh	палец
pršet impf.	to rain	regnen	идёт дождь
prudký	sweeping, rash, rapid	heftig, rasch, wirbelig	бурный, быстрый
pruhovaný	striped	gestreift	полосатый
průkaz	certificate card	Ausweis	пропуск
průměrně	in average	durchschnittlich	всреднем, средне
průměrný	average	durchschnittlich, mittelmäßig	средний, посредственный
průmysl	industry	Industrie, Gewerbe	индустрия, промышленность
průmyslový	industrial	Industrie-, gewerblich	промышленный
průvod	procession, parade	Umzug, Prozession	шествие, парад
průvodce, průvodkyně	guide	Führer, -in, Begleiter, -in	проводник, проводница, экскурсовод
průzkum veřejného mínění	opinion poll	Meinungsumfrage	опрос населения
prý	allegedly	sei, angeblich, man sagt	мол, дескать
přát* impf.	to wish	wünschen, gönnen	желать
přátelský	friendly	freundlich, freundschaftlich	дружеский, приветливый
přebírat impf.	to examine, to sort through, to pick over, to take/steal	sortieren, auslesen, übernehmen	отбирать, перебирать, заимствовать
přebrat* pf.	to examine, to sort through, to pick over, to take/steal	sortieren, auslesen, übernehmen	отобрать, перебрать, позаимствовать
přece	yet now	doch, gleichwohl, immerhin	ведь, всё-таки, однако
přečíst* pf.	to read over	durchlesen, ablesen	прочитать
předevčírem	the day before yesterday	vorgestern	позавчера
především	first of all	zunächst, vor allem	прежде всего
předchozí	previous	vorherig, vorig, letzter	предыдущий
předjíždět	to pass, to overtake	überholen	обгонять
předmět	object	Gegenstand, Objekt	предмет
předminulý	the ... before	vorletzter, vorvergangen	позапрошлый, давно прошедший
přednáška	lecture	Vorlesung	лекция, доклад
předpis	regulation rule, prescription	Vorschrift	предписание, устав
předpověď	prediction, forecast	Vorhersage, Prognose	предсказание, прогноз
předsíň	lobby, hall	Diele, Flur, Vorhalle	прихожая
představení	performance	Aufführung, Vorführung	представление
představit se pf.	to introduce oneself	sich jmdm. vorstellen	представиться

česky	anglicky / English	německy / deutsch	rusky / по русски
představit si *pf.*	to imagine	sich vorstellen	представить себе
představovat se *impf.*	to introduce oneself	sich jmdm. vorstellen	представляться
představovat si *impf.*	to imagine	sich vorstellen	представлять себе
přehánět *impf.*	to exaggerate	übertreiben	преувеличивать
přeháňka	shower	Regen-, Schneeschauer	ливень
přehled	view, survey, outline	Übersicht, Überblick	обзор, перечень
přehnaný	exaggerated	übertrieben	преувеличенный
přehnat* *pf.*	to exaggerate	übertreiben	преувеличить
přehrávač	music player	Musikplayer	плейер, проигрыватель
přechod	pedestrian crossing	Fußgängerübergang	пешеходный переход
přechylování	changing according to the gender	Bezeichnung der Berufe etc. nach dem Geschlecht	обозначение в зависимости от пола
přejatý	adopted	Lehn-, übernommen	перенятый, приёмный
přejezd	(railway) crossing	(Bahn-) Überführung, Übergang	проезд, переезд
překládat *impf.*	to translate	übersetzen	переводить
překonání	overcoming	Überwindung	преодоление
překonat *pf.*	to conquer, to overcome	überwinden	преодолеть
překonávat *impf.*	to conquer, to overcome	überwinden	преодолевать
překvapený	surprised	überrascht	удивлённый, поражённый
překvapivý	surprising	überraschend	поразительный
přeletět *pf.*	to fly over, to fly across	überfliegen	перелететь
přeložit *pf.*	to translate	übersetzen	перевести
přemýšlet *impf.*	think	überlegen, nachdenken	думать, раздумывать
přendat *pf.*	to shift, to put somewhere else, to move, to transfer	verlegen, umlegen	переложить
přendávat *impf.*	to shift, to put somewhere else, to move, to transfer	verlegen, umlegen	перекладывать
přepadávat *impf.*	to assault	überfallen, einbrechen	нападать
přepadnout* *pf.*	to assault	überfallen, einbrechen	напасть, нагрянуть
přeplavat* *pf.*	to swim across	durchschwimmen, durchqueren	переплыть
přeplout* *pf.*	to sail across	durchsegeln, übersegeln	переплыть
přeposílat *impf.*	to forward	senden, weiterleiten	пересылать
přeposlat* *pf.*	to forward	senden, weiterleiten	переслать
přepych	luxury	Pracht, Prunk, Luxus	роскошь
přerušit *pf.*	to interrupt	unterbrechen	прервать
přerušovaná čára	"interrupted line", passing line	unterbrochene Linie	прерывистая линия
přerušovaný	broken, discontinuous	unterbrochen	прерушенный
přerušovat *impf.*	to interrupt	unterbrechen	прерушать
přesčas	overtime	Überstunden	сверхурочная работа
přesolený	overly salty, too salty	versalzen	пересоленный
přespat* *pf.*	to oversleep	über Nacht bleiben	переночевать
přespávat *impf.*	to oversleep	über Nacht bleiben	ночевать
přespříští	the ... after next	übernächste	через день, год...
přestat* *pf.*	to stop, to cease, to quit	anhalten, innehalten, aufhören, abbrechen	остановиться, перестать, затихнуть
přestávat *impf.*	to stop, to cease, to quit	anhalten, innehalten, aufhören, abbrechen	останавливаться, переставать, затихать
přestavba	reconstruction	Umbau, Rekonstruktion	перестройка, реконструкция
přestavět *pf.*	to rebuild	umbauen, rekonstruieren	перестроить
přestávka	break, interval, pause	Pause, Unterbrechung	перемена, пауза
přestavovat *impf.*	to rebuild	umbauen, rekonstruieren	перестраивать
přestěhovat se	to move house	umziehen	переехать
přesto	nevertheless, even so	trotzdem, dennoch	несмотря на
přestoupit *pf.*	to transfer, to trespass, to change (on public transport)	umsteigen (öffentliches Verkehr)	пересесть (транспорт
přestože	notwithstanding	obwohl	хотя
přestupovat *impf.*	to transfer, to trespass, to change (on public transport)	umsteigen (öffentliches Verkehr)	пересаживаться (транспорт)
přešít* *pf.*	to alter (clothes)	ändern (Kleidung)	перешить
přešívat *impf.*	to alter (clothes)	ändern (Kleidung)	перешивать
převádět *impf.*	to lead across, to transfer	überführen, übertragen	перевозить, переносить
převážit *pf.*	to outweigh, to outbalance	überwiegen	превзойти, перевесить
převažovat *impf.*	to outweigh, to outbalance	überwiegen	перевешивать, превосходить
převést* *pf.*(peníze)	to lead across, to transfer	überweisen (Geld)	перевести (деньги)
převlékat *impf.*	to change clothes	umkleiden, umziehen	переодевать
převléknout* *pf.*	to change clothes	umkleiden, umziehen	переодеть
převod	transfer	Überweisung, Übertragung	перевод, перенос, трансфер
převyprávět *pf.*	to paraphrase	neu-, nacherzählen	пересказать

česky	anglicky / English	německy / deutsch	rusky / по русски
převypravovat *impf.*	to paraphrase	neu-, nacherzählen	пересказывать
přežít* *pf.*	to survive	überleben	выжить
přežívat *impf.*	to survive	überleben	выживать
příběh	story, tale	Geschichte, Vorfall	история, происшествие
příbuzný	related, relative	verwandt, Verwandte	родной, родственный, родственник
příčina	cause, reason	Grund, Anlass	причина, повод
přidat *pf.*	to add	hinzufügen, dazutun	добавить, придать
přidávat *impf.*	to add	hinzufügen, dazutun	добавлять, придавать
příchod	arrival, coming	Ankunft, Eintreffen	прибытие, наступление
příjem	income	Einkommen, Einnahme	доход, заработок
příjmení	last name, surname	Nachname	фамилия
příkaz	command, instruction	Kommando, Gebot, Anweisung	веление, инструкция, заповедь
přikázaný	commanded, ordered	angeordnet	порученный
přikázat* *pf.*	to order, to command	anordnen	велеть, поручить
přikazovat *impf.*	to order, to command	anordnen	повелевать, поручать
příklad	example	Beispiel	пример
příležitost	opportunity, chance	Gelegenheit	возможность, случай
přinášet *impf.*	to bring	bringen, holen	приносить
přinést* *pf.*	to bring	bringen, holen	принести
případ	case	Vorfall	дело, происшествие
připálený	burnt	angebrannt	горелый
příplatek	surcharge, supplement, excess fare	Zuschuss, Aufschlag, Nachzahlung	надбавка, доплата
připravit *pf.*	to prepare, to get ready	vorbereiten	подготовить
připravovat *impf.*	to prepare, to get ready	vorbereiten	подготавливать
přírodní	natural, organic	natürlich	естественный
přírodopis	biology	Biologie	биология
přísada	additive	Zutat, Ingredienz	добавка, заправка
přísnost	strictness	Genauigkeit, Strenge	точность, строгость
přísný	strict	genau, hart, strikt, streng	точный, строгий
přispět *pf.*	to contribute	beisteuern, beitragen	посодействовать
přispívat *impf.*	to contribute	beisteuern, beitragen	содействовать
přistání	landing	Landung, Anlegestelle	приземление, причал
přistát* *pf.*	to land	landen, anlegen	приземлиться, пристать
přistávat *impf.*	to go down	landen, anlegen	приземляться, приставать
přístroj	appliance, device	Gerät, Instrument	устройство, инструмент
přístup	access, approach	Einstellung, Zugang	подход, доступ, допуск
přistýlka	extra bed	Extrabett	запасная кровать
přišít* *pf.*	to sew on	annähen	пришить
přišívat *impf.*	to sew on	annähen	пришивать
přitom	at the same time	zugleich, dabei	в то же время, наряду
přivážet *impf.*	to carry, to take	bringen	привозить
přivézt* *pf.*	to carry, to take	bringen	привезти
přízemí	ground floor	Erdgeschoss, Parkett	первый этаж
přiznat *pf.*	to admit/confess	zugeben	признать
přiznávat *impf.*	to admit/confess	zugeben	признавать
psát* *impf.*	to write	schreiben	писать
PSČ	zip code	PLZ, Postleitzahl	почтовый индекс
ptát se *impf.*	to inquire, to ask	fragen (sich)	спрашивать
puberta	adolescence	Pubertät	подростковый возраст
půda	soil attic	Dachboden	чердак
pudl	poodle	Pudel	пудель
půjčit *pf.*	to lend	leihen, verleihen	одолжить, занять
půjčovat *impf.*	to lend	leihen, verleihen	давать в долг, взаймы
půlnoc	midnight	Mitternacht	полночь
pumpa	pump	Pumpe	насос, колонка
pumpař	gas station attendant	Mitarbeiter an einer Tankstelle	автозаправщик, автоколонщик
punčocháče *pl.*	pantyhose, tights	Strumpfhose, Strümpfe	колготки, чулки
puntičkářský	pedantic, meticulous	pedantisch, pingelig	педантичный, мелочный
puntíkovaný	spotted	gepunktet	в точках, в точку
působivý	impressive, catchy	eindrucksvoll, effektvoll	впечатляющий
pustit *pf.*	to let go, to switch on	loslassen, einschalten	пустить, впустить, включить
pustý	desolate	verödet, öde, wüst	глухой, опустелый
půvabný	graceful	reizend, anmutig	изящный, обаятельный
pyžamo	pyjamas, pajamas	Pyjama, Schlafanzug	пижама

česky	anglicky / English	německy / deutsch	rusky / по русски

radši = raději			
ráj	paradise	Paradies	рай
Rakousko	Austria	Österreich	Австрия
Rakušan, Rakušanka	Austrian	Österreicher, Österreicherin	австриец, австрийка
rameno	shoulder	Schulter	плечо
raut	reception, after-party	Bufet	раут
recept	recipe, prescription	Rezept	рецепт
renomovaný	prestigious	renommiert	знаменитый, известный
represe	repression	Repression	репрессия, подавление
reproduktor	loud-speaker	Lautsprecher	рупор
reptat *impf.*	to grumble, to grouch	meckern, murren, nörgeln	придираться, ворчать
ret	lip	Lippe	губа
režim	regime	Regime	режим
režisér, režisérka	film director	Regisseur	режиссёр
rodič	parent	Elternteil	один из родителей
rodit *impf.*	to give birth	gebären	рожать
rodit se *impf.*	to be born	geboren werden	рождаться
rolník, rolnice	peasant, farmer	Bauer, Bäuerin	крестьянин, крестьянка
román	novel	Roman	роман
rovný	straight	gerade	ровный, прямой
rozbíjet *impf.*	to break, to smash	zerbrechen	разбивать
rozbít* *pf.*	to break, to smash	zerbrechen	разбить
rozbitý	broken	zerbrochen	разбитый
rozcuchaný	dishevelled	zerzaust, verworren	растрёпанный
rozdat *pf.*	to give away, to distribute, to hand around	austeilen, verschenken, verteilen	раздать, раздарить
rozdávat *impf.*	to give away, to distribute, to hand around	austeilen, verschenken, verteilen	раздавать, раздаривать
rozdělení	distribution	Aufteilung, Trennung	разделение
rozdělený	divided	geteilt, gespalten, getrennt	разделенный
rozdělit *pf.*	to divide	verteilen, aufteilen	поделить, разделить
rozdělovat *impf.*	to divide	zerteilen, verteilen	делить, разделять
rozdílně	differently	verschieden, geteilt	различно
rozdílný	different	verschieden, geteilt	различный, несходный
rozebírat *impf.*	to take to pieces, to dismantle, to analyse	zergliedern, zerlegen, abbauen, analysieren	разбирать, анализировать
rozebrat* *pf.*	to take to pieces, to dismantle, to analyse	zergliedern, zerlegen, abbauen, analysieren	разобрать, проанализировать
rozednít se *pf.*	to dawn	Tag werden, dämmern	рассвести
rozednívat se *impf.*	to dawn	Tag werden, dämmern	светать
rozeznat *pf.*	to tell apart, to distinguish	auseinander halten	различить
rozeznávat *impf.*	to tell apart, to distinguish	auseinander halten	различать
rozhodně	decisively, definitely, decidedly	entschieden	безусловно
rozhodnout* se *pf.*	to make up one's mind, to decide	sich entscheiden	решить, решиться
rozhodovat se *impf.*	to make up one's mind, to decide	sich entscheiden	решать, решаться
rozkázat* *pf.*	to order/command	befehlen	приказать
rozkazovat *impf.*	to order/command	befehlen	приказывать
rozmazlený	spoiled	verwöhnt	избалованный
rozpočet	budget	Budget, Haushalt	бюджет
rozšířit *pf.*	to spread, to extend	erweitern, ausdehnen	расширить, увеличить
rozšiřovat *impf.*	to spread, to extend	erweitern, ausdehnen	расширять, увеличивать
roztřídit *pf.*	to sort out	sortieren, aufteilen	распределить
rozumět *impf.*	to understand	verstehen	понимать
rozvádět se *impf.*	to divorce	sich scheiden lassen	разводиться
rozvařený	overcooked	zerkocht, überkocht	разваренный
rozvedený	divorced	geschieden	разведённый
rozvést* se *pf.*	to divorce	sich scheiden lassen	развестись
rozvoj	development	Entwicklung, Entfaltung	развитие
rozzlobit *pf.*	to make angry, upset	verärgern	разозлить
rozzuřený	furious, enraged	wütend, rasend	яростный, гневный
rukáv	sleeve	Ärmel	рукав
rukavice	glove	Handschuhe	рукавицы
Rus, Ruska	Russian	Russe, Russin	русский, русская
rusalka	fairy	Meerjungfrau, Nixe	русалка
Rusko	Russia	Russland	Россия
růst* *impf.*	to grow	wachsen	расти

česky	anglicky / English	německy / deutsch	rusky / по русски
rušit *impf.*	to disturb	zerstören, stören	разрушать, мешать
rušný	busy	rege, lebhaft, betriebsam	шумный, оживлённый
ruština	Russian	Russisch	русский язык
různý	different, various	unterschiedlich	разный, различный
růže	rose	Rose	роза
rybník	pond	Weiher, Teich	пруд
rychle	quickly, fast	schnell	быстро
rychlý	quick, fast	schnell	быстрый

Ř

česky	anglicky / English	německy / deutsch	rusky / по русски
řadový	ordinal regular	Reihen-, einfach	рядовой, простой
řešení	solution	Lösung	решение
řešit *impf.*	to solve	lösen	решать
řezat* *impf.*	to cut	schneiden	резать
říct* *pf.*	to say, to tell	sagen	сказать
řidičák *OČ* = řidičský průkaz			
řidičský průkaz	driver's license	Führerschein	шофёрские права
řídit *impf.*	to drive, to operate, to control	Auto fahren, leiten, regeln	водить машину, заведовать
řídký	thin	dünn, dünnflüssig, licht	редкий, жидкий, тощий
říkat *impf.*	to say, to tell	sagen	говорить
Řím	Rome	Rom	Рим
říznout* *pf.*	to cut	schneiden	порезать

S

česky	anglicky / English	německy / deutsch	rusky / по русски
sádra	plaster, gypsum	Gips	гипс
sahat *impf.*	to reach, to extend	berühren, reichen	касаться, протягивать
sáhnout* *pf.*	to reach, to extend	berühren, reichen	коснуться, протянуть
sako	jacket, undercoat	Sakko, Jacke	пиджак
sám, sama	by oneself	selbst	сам, сама
samet	velvet	Samt	бархат
sametový	velvet	samten	бархатный
samostatnost	independence	Selbständigkeit	независимость
samostatný	independent	selbständig, unabhängig	независимый
samota	solitude	Einsamkeit	одиночество
sandál	sandal	Sandale	босоножка, сандалий
sangvinik	person of sanguine temperament	Sanguiniker	сангвиник
sanitka	ambulance	Krankenwagen	скорая помощь
saponát	detergent	Reinigungsmittel	очищающее средство
sázet se *impf.*	to bet, to stake	wetten, setzen	спорить, делать ставку
sázka	bet, stake	Wette, Einsatz, Totto-Lotto	спор, ставка, лото
sběratel, sběratelka	collector	Sammler	коллекционер
sbírat *impf.*	to pick, to gather, to collect	sammeln	собирать
sbírka	collection	Sammlung	коллекция
scéna	theater scene	Szene	сцена
scénář	script	Drehbuch	сценарий
sebrat* *pf.*	to pick, to gather, to collect	sammeln	собрать
sedací souprava	living room set	Sitzgarnitur	гарнитур диван, кресла
sedačka *OČ* = sedací souprava			
sedadlo	seat	Sitz, Stuhl	сиденье
sedět *impf.*	to sit, be seated	sitzen	сидеть
sedmička	seven	die Sieben	семёрка
ségra *OČ*	sister, sis	Schwester	сестра (разг.)
sehnat* *pf.*	to get	bekommen, auftreiben	достать, приобрести
sejít* se *pf.*	to meet, to meet up	sich treffen, sich versammeln	встретиться, собраться
sen	dream	Traum	сон
sepisovat *impf.*	to write up	beschreiben, aufschreiben	описывать, дописывать
sepsat* *pf.*	to write up	beschreiben, aufschreiben	описать, дописать
setkat se *pf.*	to meet, to come across	sich treffen	встретиться
setkávat se *impf.*	to meet, to come across	sich treffen	встречаться
setmět se *pf.*	to get dark	dunkel werden	потемнеть, стемнеть
sever	north	Norden	север
seznam	list	Liste, Verzeichnis	список, содержание
seznámit se *pf.*	to meet, to get acquainted with	kennen lernen	познакомиться
seznamovat se *impf.*	to meet, to get acquainted with	kennen lernen	знакомиться

česky	anglicky / English	německy / deutsch	rusky / по русски
shánět *impf.*	to hunt for	auftreiben	добывать, разыскивать
shora	from above	von oben	сверху
scházet se *impf.*	to meet, to meet up	sich treffen, sich versammeln	встречаться, собираться
schod	stair	Stufe	ступень
schody *pl.*	staircase	Treppe	лестница
schopnost	ability	Fähigkeit	способность
schůze	meeting, session	Treffen	заседание, собрание
schůzka	appointment, date, meeting	Treffen, Termin, Date	встреча, свидание
sice	otherwise	anderenfalls, sonst	иначе
sídliště	housing estate	Ort, Sitz	населённый пункт
síla	strength, force	Stärke	сила
silný	strong	stark	сильный
Silvestr	New Year's Day	Neujahr, Silvester	Новый год
síň	hall	Halle, Saal, Diele	зал, прихожая
sirup	syrup	Sirup	сироп
sjezd	downhill, reunion	Tagung, Kongress	съезд, конгресс
sjezdovka	downhill course	Abfahrtstrecke, Piste	трасса спуска, спуск
skákat* *impf.*	to jump, to leap	springen, hüpfen	прыгать, скакать
skála	rock	Fels	скала
sklad	store	Lager	склад
skládat *impf.*	to compose, to fold, to put together	dichten, zusammenlegen, lagern	сочинять, складывать
skladatel	composer	Komponist, Dichter	композитор, поэт
skladba	composition	Komposition, Werk	произведение
skleněný	glass	Glas-, aus Glas, gläsern	стеклянный
sklenice	glass	Glas	стакан, банка, рюмка
sklenička = sklenice			
sklep	cellar	Keller	погреб
sklo	glass	Glas	стекло
sklokeramická deska	glass ceramic stove top	Glaskeramikplatte	стеклокерамическая плита
skočit *pf.*	to jump, to leap	springen	прыгнуть, сбегать
skoro	almost, nearly	fast, beinahe	почти, едва ли
skříň	wardrobe	Schrank	шкаф
skříňka	cabinet	Schrein, Kasten	шкафчик, ящик
skupina	group	Gruppe	группа
skvělý	splendid, wonderful	großartig, ausgezeichnet	чудесный, отличный
skvrna	spot	Fleck, Makel	пятно
slabý	weak	schwach, kraftlos	слабый, бессильный
slavit *impf.*	to celebrate	feiern	отмечать, праздновать
slavnost	celebration	Fest, Feierlichkeit	торжество, праздник
slavný	famous	berühmt	знаменитый
slepý	blind	blind	слепой
slétat se *impf.*	to fly, to flock together	zusammenfliegen	слетаться
sletět se *pf.*	to fly, to flock together	zusammenfliegen	слететься
slipy *pl.*	briefs, underpants	Höschen, Slip	трусы, плавки
sloh	style	Schreibart, Stil	слог, стиль
Slovák, Slovenka	Slovak	Slowake, Slowakin	словак, словачка
Slovensko	Slovakia	Slowakei	Словакия
Slovinec, Slovinka	Slovene, Slovenian	Slowene, Slowenin	словенец, словенка
slovní druh	part of speech	Wortart	часть речи
slovní zásoba	vocabulary, lexicon	Wortschatz	словарный запас
složení	composition, structure	Komposition, Struktur	композиция, структура
složenka	voucher	Geldüberweisung	денежный перевод
složit *pf.*	to compose, to fold, to put together	verfassen, zusammenlegen, entladen	сочинить, сложить, составить, сгрузить
složit *pf.*	to compose	komponieren	сочинить
sluchátko	earphone	Telefonhörer	телефонная трубка
slunečník	beach umbrella	Sonnenschirm	солнечный зонт
slušet *impf.*	to suit	passen, stehen	идти, быть к лицу
slušný	decent	anständig, fein	порядочный, приличный
služba	service	Dienst	служба, услуга
smát* se *impf.*	to laugh	lachen	смеяться
smazat* *pf.*	to rub out, to delete, to wipe out	löschen, wischen, reiben	стереть
smazávat *impf.*	to rub out, to delete, to wipe out	löschen, wischen, reiben	стирать
smažený	fried	gebraten, frittiert	жареный, фри
smažit *impf.*	to fry	braten, frittieren, backen	жарить

česky	anglicky / English	německy / deutsch	rusky / по русски
směr	direction	Richtung	направление
smět *impf.*	may, can	dürfen	сметь
smích	laughter	Lachen, Gelächter	смех, хохот
smíšený	mixed	gemischt	смешанный
smokink	tuxedo, dinner jacket	Smoking	смокинг
smrad	stink, smell	Gestank	вонь, смрад
smyk	hydroplaning, skid	Schleudern, Scheren	буксовка, пробуксовка
smysl	meaning, sense	Sinn, Bedeutung	смысл, значение
snad	perhaps, maybe	vielleicht	может быть, возможно
sněžit *impf.*	to snow	schneien	идёт снег, снежить
sníh	snow	Schnee	снег
sníst* *pf.*	to eat up	aufessen	съесть
snížit *pf.*	to lower	senken, kürzen	снизить, понизить
snižovat *impf.*	to lower	senken, kürzen	снижать, понижать
socialistický	socialist, socialistic	sozialistisch	социалистический
sociální dávky *pl.*	social welfare, allowances	Sozialleistungen	социальные пособия
sociální zařízení	sanitary facilities	Sanitätsanlage	санитарное устройство
socha	statue, sculpture	Statue, Skulptur, Plastik	статуя, скульптура
Somálec, Somálka	Somali	Somalier, Somalierin	сомалиец, сомалийка
sombrero	sombrero	Sombrero	сомбреро
sortiment	range, assortment	Sortiment	ассортимент
soubor	file, collection, ensemble	Datei, Sammlung, Sammelband	файл, сборник
současně	at the same time, concurrently	gegenwärtig, gleichzeitig	ныне, одновременно
současnost	present	Gegenwart	настоящее
součást	part, component	Bestandteil	компонента, часть
soud	court, judgement	Gericht	суд
soudce, soudkyně	judge	Richter, -in	судья
souhlasit *impf.*	to agree	übereinstimmen, billigen	соглашаться, одобрять
soukromý	private	privat	частный
sourozenec	sibling	Geschwister	брат или сестра
soustrast	condolence	Beileid, Anteilnahme	соболезнование
soutěž	contest, competition	Wettbewerb, Wettkampf	конкурс, соревнование
soutok	confluence	Zusammenlauf, -fluss	слияние, стечение
sova	owl	Eule	сова
sovětský	Soviet	sowjetisch	советский
spadnout* *pf.*	to fall down	fallen, runterfallen	упасть, спасть
spálit *pf.*	to burn up	verbrennen	сжечь, спалить
spánek	sleep, slumber	Schlaf, Schläfe	сон, дремота, висок
spěchat *impf.*	to hurry	eilen, hasten	спешить, стремиться
spisovatel, spisovatelka	writer	Schriftsteller, -in	писатель, писательница
spisovná čeština (= SČ)	standard Czech	Standardtschechisch	литературный чешский язык
spodní prádlo	underwear, underclothes	Unterwäsche	нижнее бельё
Spojené státy americké *pl.*	United States of America	Vereinigte Staaten von Amerika	Соединённые Штаты Америки
spojení	connection	Verbindung, Anschluss	объединение, связь
spojka	conjunction, clutch	Konjunktion, Kupplung	союз, сцепление
spokojeně	contentedly, happily	zufrieden	довольно, спокойно
spokojit se *pf.*	to content oneself	sich zufrieden geben	удовлетвориться
spokojovat se *impf.*	to content oneself	sich zufrieden geben	быть довольным, довольствоваться
společenský	social, sociable	gesellschaftlich, gesellig	общественный, общительный
společně	together	zusammen, gemeinsam	вместе, сообща
společnost	society	Gesellschaft	общество
spolehlivý	reliable	zuverlässig, solide	надёжный
spolu	together	zusammen	вместе
spolužák	classmate	Klassenkamerad	одноклассник
sporák	cooker	Herd	плита
spořit *impf.*	to save up	sparen	копить, сберегать
spousta	a lot, lots	Menge, Flut	масса, множество
spravit *pf.*	to repair, to fix, to govern	reparieren	исправить, починить
správný	right, correct	richtig	правильный
spravovat *impf.*	to repair, to fix, to govern	reparieren	исправлять, чинить
sprcha	shower-bath	Dusche	душ
sprchový	shower	Dusch-	душевой
srazit se *pf.*	to collide, to shrink	zusammenstoßen	столкнуться
srážet se *impf.*	to collide, to shrink	zusammenstoßen	сталкиваться
srážky *pl.*	showers	Niederschläge	осадки

česky	anglicky / English	německy / deutsch	rusky / по русски
Srb, Srbka	Serb	Serbe, Serbin	серб, сербка
srdečný	cordial, hearty	herzlich	сердечный
stáhnout* pf.	to pull off, to shut down	runterziehen, runterladen	снять, скачать (комп.)
stahovat impf.	to pull off, to shut down	runterziehen, runterladen	снимать, скачивать
stálý	permanent	beständig, dauernd	постоянный
stan	tent	Zelt	палатка
stánek	stall, stand, kiosk	Stand, Schalter, Kiosk	стоянка, киоск
starat se impf.	to take care	sich sorgen, kümmern	заботиться, хлопотать
starostlivý	thoughtful	fürsorglich	заботливый
stáří	age, old age	Alter, hohes Alter	возраст, старость
stát* se pf.	to become, to happen, to occur	werden, passieren	стать, случиться, произойти
statek	farm	Gut, Hof	имение, хозяйство
státní občanství	citizenship	Staatsangehörigkeit	гражданство
státní zkouška	degree examinations	Staatsexamen	государственный экзамен
státnice OČ = státní zkouška			
stav	state, condition	Zustand,	состояние, положение
stávat se impf.	to become, to happen, to occur	werden, passieren	становиться, случаться, происходить
stavět impf.	to build	bauen	строить
stáž	schooling, clerkship, residency	Schulung, Praktikum	стажировка
stehno	thigh	Schenkel, Keule	ляжка, ножка, бедро
stejný	same, identical	gleich, derselbe	одинаковый, такой же
stereotyp	stereotype	Stereotyp	стереотип
stezka	path	Pfad, Weg, Steg	дорожка, тропа
stěžovat si impf.	to complain	sich beschweren	жаловаться
stíhat impf.	to catch up	verfolgen, fangen	настигать, преследовать, ловить
stihnout* pf.	to catch up	verfolgen, fangen	настигнуть, поймать, схватить
stížnost	complaint	Beschwerde, Protest	жалоба
stmívat se impf.	to be getting dark	dämmern, dunkel werden	темнеть, смеркаться
stopař, stopařka	hitch-hiker	Hitchhicker, Pfadfinder, -in	следопыт, сталкер
stovka	hundred	die Hundert	стовка
strach	fear, dread, fright	Angst, Furcht, Bammel	страх, боязнь, жуть
strana	page	Seite	страница
stránka = strana			
strašidelný	scary, spooky	gespenstisch, gruselig	страшный, жуткий
strašidlo	monster, ghost	Geist, Gespenst, Monster	призрак, привидение
stravenka	meal ticket	Lebensmittelschein, Verzehrbon	купон на продукты питания
strávit pf.	to spend, to digest	verbringen, verdauen	провести, усвоить
strčit pf.	to push	stoßen, stecken, schieben	толкнуть, засунуть
strejda OČ = strýc			
strkat impf.	to push	stoßen, stecken, schieben	толкать, засовывать
strýc, strýček	uncle	Onkel	дядя
středisko	centre	Zentrum, Treffpunkt	центр, пункт, бюро
střední	middle	mittel	средний
střední škola	high school	Mittelschule	средняя школа
střecha	roof	Dach	крыша
stříbrný	silver	silbern	серебряный
stříbro	silver	Silber	серебро
střih	pattern cut	Schnitt, Zuschnitt	покрой, стрижка
stříhat impf.	to cut (with scissors)	schneiden	резать, кроить, стричь
střihnout* pf.	to cut (with scissors)	schneiden	подрезать, скроить, подстричь
stydlivý	shy	schüchtern	стеснительный
suchý	dry	trocken	сухой
sukně	skirt	Rock	юбка
sundat pf.	to take down, to take off	runternehmen, absetzen	снять
sundávat impf.	to take down, to take off	runternehmen, absetzen	снимать
svačina	brunch, snack	Zwischenmahlzeit	полдник
svatba	wedding	Hochzeit	свадьба
svatební	wedding	Hochzeits-	свадебный
sváteční	jolly	feierlich, festlich	праздничный, парадный
svébytnost	originality, independence	Eigenart	самобытность
svědek	witness	Zeuge	свидетель
svědit impf.	to itch	jucken, kribbeln	чесаться
svět	world, earth	Welt, Erde	мир, свет
světlo	light	hell	светло
světlý	light	hell	светлый

česky	anglicky / English	německy / deutsch	rusky / по русски
světový	worldly, global	Welt-, global	мировой, глобальный
světoznámý	worldwide	weltbekannt, weltberühmt	всемирно известный
svézt* pf.	to give a lift, ride	fahren, bringen	подвезти, свезти
svěží	fresh	frisch	свежий
svlékat impf.	to undress	ausziehen, auskleiden	раздевать
svléknout* pf.	to undress	ausziehen, auskleiden	раздеть
svoboda	freedom, liberty	Freiheit	свобода
svobodný	free	frei	свободный
svrbět impf.	to itch	jucken	зудеть
Sýrie	Syria	Syrien	Сирия
syrový	raw	roh	сырой
sýrový	cheesy	Käse-, aus Käse	сырный

Š

česky	anglicky / English	německy / deutsch	rusky / по русски
šaty pl.	dress, clothes	Kleidung, Kleid	одежда, платье
šéfkuchař, šéfkuchařka	chef	Chefkoch, Chefköchin	шеф-повар
šestka	six	die Sechs	шестёрка
šetřit impf.	to save up	sparen, schonen	экономить, беречь
šikovný	skilled, handy	geschickt	способный, ловкий
šílenství	madness	Irrsinn, Wahnsinn	безумие, безумство
šílet impf.	to go mad, to run amok	wahnsinnig werden	безумствовать
široký	wide	weit	широкий
šít* impf.	to sew	nähen	шить
škodit impf.	to harm	schaden	вредить
škodlivý	harmful	schädlich	вредный
školení	schooling	Schulung, Fortbildung	обучение, подготовка
školka	kindergarden	Kindergarten	детский сад
školné	school fee, school tuition	Studiengebühren	плата за обучение
šlapací kolo	pedal bike	Tretrad	самокат
Španěl, Španělka	Spaniard	Spanier, Spanierin	испанец, испанка
Španělsko	Spain	Spanien	Испания
španělský	Spanish	spanisch	испанский
španělština	Spanish	Spanisch	испанский язык
špendlík	pin	Stecknadel	булавка
šperk	jewel	Edelstein, Schmuck	драгоценность
špičatý	pointed, spiked	spitz	острый, колкий
špičková kvalita	top quality	Spitzenqualität	высшее качество
šroubovák	screwdriver	Schraubenzieher	отвёртка
šroubovat impf.	to screw	schrauben	ввенчивать, ввёртывать
šťastný	happy	glücklich	счастливый
štěstí	happiness, luck	Glück	счастье
štětec	brush	Bürste, Pinsel	щётка, кисть
štít	gable, shield	Zange, Schild	щипец, щит
štvát* impf.	to chase, to annoy	aufhetzen, reizen	натравливать, злить
švadlena	dressmaker	Schneiderin, Näherin	швея
švédský	Swedish	Schwedisch	шведский
švédský stůl	buffet	Büffet	шведский стол

T

česky	anglicky / English	německy / deutsch	rusky / по русски
tágo	cue	Queue, Billardstock	кий
tajemství	secret, mystery	Geheimnis, Mysterium	секрет, тайна
tajnost	secret	Geheimnis, Heimlichkeit	секрет
takže	so	so, also, nun	так
tanec	dance	Tanz	танец
Tanzánie	Tanzania	Tansania	Танзания
táta OČ, taťka dial.	dad, father	Vater, Papa	отец, папа
téct* impf.	to flow	fließen	течь
tehdy	then, now	damals, dann	тогда
těhotný	pregnant	schwanger	беременный
technika	technology, technique	Technik	техника
tekutina	liquid	Flüssigkeit	жидкость
tělo	body	Körper	тело
tělocvik	gymnastics, PT	Gymnastik, Sport	гимнастика, спорт
tenkrát	then, at the time	damals, da	тогда, в тот раз

česky	anglicky / English	německy / deutsch	rusky / по русски
tepláky *pl.*	tracksuit	Trainingsanzug	тренировочный костюм
teplo	warmth	Wärme	тепло, теплота
terč	target	Ziel, Kreis	цель, круг
termín	term	Termin	срок, термин
těstovinový	pasta	aus Teig	макаронный
těstoviny *pl.*	pasta	Teigwaren	макаронные изделия
těšit se *impf.*	to forward to	sich freuen	радоваться
tetování	tattoo	Tätowierung, Tattoo	татуировка
tetovat *impf.*	to tattoo	tätowieren	татуировать
textilní	textile	textil	текстильный
ticho	silence	still	тихо
tisícovka	thousand	Tausender	тысяча
točit se *impf.*	to rotate, to turn	rotieren, sich drehen	вертеться
tolik	so many, so much	so viel, so sehr	столько
tón	tone	Ton, Laut, Intonation	тон, звук, интонация
topit se *impf.*	to drown	sinken, ertrinken	тонуть, утопать
totalitní	totalitarian	totalitär	тоталитарный
totiž	namely	nämlich	то есть, именно
továrna	factory	Werk, Fabrik	завод, фабрика
transakce	transaction	Transaktion	перевод, трансакция
trapas	blunder, faux-pas	Blamage, Peinlichkeit	промах, грубая ошибка
trapný	embarrassing	peinlich	стыдный, неприятный, неудобный
trávit *impf.*	to digest, to spend	verbringen, verdauen	проводить, усваивать
trenýrky *pl.*	shorts	Trainingshose	спортивные шорты
trest	punishment	Strafe, Bestrafung	штраф, наказание
trh	market	Markt, Messe	рынок, базар, ярмарка
tričko = triko			
triko	T-shirt	T-Shirt	футболка
trojka	three	die Drei	тройка
troska	wreck, ruin	Wrack, Ruine	развалины, руины
trouba	oven	Ofen	духовка
truhlář	carpenter	Schreiner, Tischler	столяр
trvalý	lasting, permanent	dauernd, Dauer-	постоянный
trvat *impf.*	to remain, to last	dauern, beharren	длиться, настаивать
třetina	third	Drittel	треть
třicítka	thirty	die Dreißig	тридцатка, тридцаток
třída	class, classroom	Klasse	класс
třídit *impf.*	to classify, to categorize, to sort	klassifizieren, ordnen, sortieren	классифицировать, сортировать
tučný	fat, greasy	fett, dick, schmalzig	жирный, толстый
tuhý	stiff, rigid	zeh, starr, fest	тугой, жесткий
tupý	dull	dumpf, stumpf, dumm	тупой, глухой, глупый
Turecko	Turkey	Türkei	Турция
tuš	Indian ink	Tusche	тушь
tužka	pencil	Bleistift, Stift	карандаш
tvar	form, shape	Form, Gestalt, Formation	форма, конфигурация
tvaroh	cottage cheese	Quark	творог
tvář	cheek, face	Gesicht, Wange	лицо, щека
tvorba	creation	Schöpfung, Schaffen	творение, творчество
tvořit *impf.*	to create	schaffen, erschaffen	творить
tvrdit *impf.*	to claim/insist	behaupten, versichern	утверждать, твердить
tvůrce, tvůrkyně	creator	Schöpfer, -in	творец
tykání	using informal address	Anrede mit „du"	общение на «ты»
tykat *impf.*	to use informal address	duzen	быть на «ты»
typický	typical	typisch	типичный
tyrkysový	turquoise	türkis	бирюзовый

U

ubytování	accommodation	Unterkunft	жильё, убежище
účast	participation	Teilnahme, Anteilnahme	присутствие, участие
učebna	schoolroom	Klassenraum, Lehrzimmer	класс, кабинет
účel	purpose	Zweck, Ziel	назначение, цель
učení	teaching doctrine, apprenticeship	Lehre, Kurs, Studium	учение, обучение, курс, урок
účes	hairdo, hairstyle	Frisur	причёска
účetní, účetní	accountant	Buchführer, Buchhalter, -in	бухгалтер
účetnictví	accountancy	Rechnungswesen	бухгалтерия

česky	anglicky / English	německy / deutsch	rusky / по русски
učiliště	training institution	Bildungsinstitution	училище
učit se *impf.*	to learn	lernen	учиться
účtovat *impf.*	to charge	berechnen	предъявлять счёт
událost	event	Ereignis	событие
udržet *pf.*	to hold, to keep	halten, behalten, erhalten	удержать, соблюсти
udržovat *impf.*	to hold, to keep	halten, behalten, erhalten	удерживать, соблюдать
uhodit *pf.*	to strike, to hit	schlagen, hauen	ударить
uchazeč	applicant	Bewerber, Anwärter	кандидат
ukázat* *pf.*	to show	zeigen	показать
ukazovat *impf.*	to show	zeigen	показывать
uklidnění	reassurance, appeasement	Beruhigung	успокоение
uklidnit *pf.*	to calm down	beruhigen	успокоить
uklidňovat *impf.*	to calm down	beruhigen	успокаивать
uklízeč, uklízečka	cleaner	Putzmann, Putzfrau	уборщик, уборщица
Ukrajina	Ukraine	Ukraine	Украина
Ukrajinec, Ukrajinka	Ukrainian	Ukrainer, -in	украинец, украинка
ukrást* *pf.*	thieve, steal	stehlen, klauen	украсть
umělec, umělkyně	artist	Künstler, Künstlerin	артист, артистка, художник, художница
umělý	artificial	künstlich, künstlerisch	искусственный, искусный
umění	art	Kunst	искусство
umírat *impf.*	to be dying	sterben	умирать
umožnit *pf.*	to enable	ermöglichen	дать возможность
umožňovat *impf.*	to enable	ermöglichen	давать возможность
umřít* *pf.*	to die	sterben	умереть
upéct* *pf.*	to bake	backen	испечь
úplně	completely, entirely	total, ganz	вполне, абсолютно
úplněk	full moon	Vollmond	луна, полнолуние
upovídaný	talkative	geschwätzig	болтливый, говорливый
upravit *pf.*	to tidy, to fix, to alter	regeln, korrigieren, ändern	исправить, изменить
upravovat *impf.*	to tidy, to fix, to alter	regeln, korrigieren, ändern	исправлять, изменять
upřesnit *pf.*	to specify	präzisieren	уточнить
upřesňovat *impf.*	to specify	präzisieren	уточнять
upřímný	sincere	offen, aufrichtig	искренний
úraz	injury	Verletzung, Schaden	рана, ущерб
určitý	certain	sicher	определённый, чёткий
úřad	office	Amt	ведомство, орган, чин
úřední formulář	official form	amtliches Formular	официальный бланк
úředník, úřednice	clerk, official	Beamter, Beamtin	чиновник
úschovna zavazadel	left-luggage office, luggage locker	Gepäckaufbewahrung, Kofferraum	камера хранения, багажник
usínat *impf.*	to fall asleep	einschlafen	засыпать
usmát* se *pf.*	to smile	lächeln	улыбнуться
usmažit *pf.*	to fry	braten, backen, fritieren	запечь, зажарить
usmívat se *impf.*	to smile	lächeln	улыбаться
usnout* *pf.*	to fall asleep	einschlafen	уснуть, заснуть
úspěch	success	Erfolg	успех
úspěšný	successful	erfolgreich	успешный
úsporný	economic, economical	ökonomisch, spar-	экономный
uspořádat *pf.*	to arrange, to organize	einrichten, veranstalten	наладить, организовать
uspořit *pf.*	to save	sparen	сберечь, сэкономить
ušetřit *pf.*	to spare, to save	verschonen, sparen	пощадить, сберечь
ušít* *pf.*	to sew	nähen, zunähen	сшить, зашить
utéct* *pf.*	to run away	weglaufen, flüchten	убежать
utíkat *impf.*	to run away	weglaufen, flüchten	убегать
utírat *impf.*	to wipe	wischen	вытирать
utopit se *pf.*	to drown	sinken, ertrinken	потонуть, утонуть
utřít* *pf.*	to wipe	wischen	вытереть
utvořit *pf.*	to form	schaffen, gestalten	создать, придать форму
uvaděč, uvaděčka	(theatre) attendant	Platzanweiser, -in	билетёр
úvazek	(work) load, (work) duty	Verpflichtung, Arbeitszeit	обязанность, ставка, нагрузка
uveřejnit *pf.*	to publish	veröffentlichen	опубликовать
uveřejňovat *impf.*	to publish	veröffentlichen	опубликовывать
uvěřit *pf.*	to believe	glauben	поверить, уверовать
uzavírat *impf.* registrované partnerství	to enter into a registered partnership	eine registrierte Partnerschaft schließen	заключать официальное партнёрство

česky	anglicky / English	německy / deutsch	rusky / по русски
uzavřít* pf. registrované partnerství	to enter into a registered partnership	eine registrierte Partnerschaft schließen	заключить официальное партнёрство
uzdravit se pf.	to get well	gesund werden	выздороветь
uzdravovat se impf.	to get well	gesund werden	выздоравливать
území	territory	Territorium	территория
uzený	smoked	geräuchert	копчённый
úzký	narrow	schmal, eng	узкий, тесный
uznat pf.	to accept, to admit	gestehen, anerkennen	признать, оценить
uznávat impf.	to accept, to admit	gestehen, anerkennen	признавать, оценивать
úžas	astonishment	Staunen	ужас
úžasný	amazing, astonishing	hervorragend, fabelhaft	изумительный
užít* pf.	to use	(be)nutzen, einnehmen (Medikamente)	применить, принять (лекарство)
užít* si pf.	to enjoy	genießen	насладиться
užitečný	useful	nützlich, effektiv	полезный
užívat impf.	to use	(be)nutzen, einnehmen (Medikamente)	применять, принимать (лекарство)
užívat si impf.	to enjoy oneself	genießen	наслаждаться
uživit pf.	to feed	ernähren	прокормить

V

česky	anglicky / English	německy / deutsch	rusky / по русски
vadit impf.	to hinder, to mind	hemmen, hindern, stören	мешать, быть помехой
Vánoce pl.	Christmas	Weihnachten	Рождество
vánočka	twist Christmas cake	Weihnachtszopf	рождественский пирог
vánoční kolekce	Christmas box of chocolates	Weihnachtskollektion	набор рождественских сладостей
vášnivý	passionate	temperamentvoll, hitzig	темпераметный, пылкий
vázanka	necktie	Kravatte	галстук
vážený	esteemed, respected	geehrt	уважаемый
vážně	seriously	ernst	серьёзно
vážný	serious	ernst	серьёзный
včela	bee	Biene	пчела
včetně	including	einschließlich	включительно
vdaná	married	verheiratet (bei Frauen)	замужем
vdát se pf.	to marry, to get married	heiraten (bei Frauen)	выйти замуж
vdávat se impf.	to marry, to get married	heiraten (bei Frauen)	выходить замуж
vdechnout* pf.	to inhale, to inspire	inspirieren, einatmen, inhalieren	вдохнуть
vdechovat impf.	to inhale, to inspire	inspirieren, einatmen, inhalieren	вдыхать
vdovec, vdova	widower, widow	Witwer, Witwe	вдовец, вдова
věc	thing	Sache, Ding	вещь
večírek	party	Feier	вечеринка
věda	science	Wissenschaft	наука
vedro	heat	Glut, Hitze	жар, зной
vejít* se pf.	to fit into	reinpassen	вместиться
vejít* pf.	to enter	hineingehen	войти, поместиться
veletrh	fair	Messe	ярмарка
Velikonoce pl.	Easter	Ostern	Пасха
Velká Británie	Great Britain	Großbritannien	Великобритания
velvyslanectví	embassy	Botschaft	посольство
věnovat pf.	to give, to dedicate	widmen	посвятить
věnovat se impf.	to deal with, to dedicate (oneself)	(sich) widmen	посвящать (себя)
veřejné sdělovací prostředky	mass media	Massenmedien	средства массовой информации
veřejnost	public	Öffentlichkeit	общественность
věřit impf.	to believe	glauben	верить
vést* impf.	to lead, to run	führen	вести, возглавлять
vestavěný	built-in	eingebaut	встроенный
věšák	coat rack	Bügel, Haken, Rechen	вешалка
většina	majority	Mehrzahl, Überzahl	большинство
většinou	mostly	meistens, überwiegend	главным образом
vězení	prison, jail	Gefängnis, Haft	тюрьма, заточение
vézt* impf.	to drive, to carry	fahren, bringen	везти, катить
věž	tower	Turm	башня
vhodný	suitable, appropriate	geeignet, zutreffend	подходящий
vcházet impf.	to enter	eintreten	входить
vid	aspect	Aspekt	вид
Vídeň	Vienna	Wien	Вена
vidlička	fork	Gabel	вилка, вилочка
Vietnam	Vietnam	Vietnam	Вьетнам
víla	fairy	Fee, Elfe, Nymphe	фея, нимфа

česky	anglicky / English	německy / deutsch	rusky / по русски
vina	guilt	Schuld	вина
víra	belief, faith	glauben	верить
vítězství	victory	Sieg	победа
vjet* pf.	to enter	einfahren, reinfahren	въехать, заехать, войти
vládce, vládkyně	sovereign	Herrscher, Machthaber, -in	правитель, владыка
vládní	governmental	Regierungs-	правительственный
vlast	homeland	Heimat, Vaterland	родина, отечество
vlastenec, vlastenka	patriot	Patriot, Patriotin	патриот, патриотка
vlastní	own	eigen	свой
vlastnický	possessive	Eigentums-, Possessiv-	собственный
vlastnit impf.	to own, to posses	besitzen, herrschen	владеть, обладать
vlastnost	quality	Eigenschaft, Merkmal	свойство, качество
vlasy pl.	hair	Haare	волосы
vlhko	damp, humid	Nässe, Feuchtigkeit	сырость, влажность
vlhký	wet	nass, feucht	сыро, влажно
vliv	influence	Einfluss	влияние
vlk	wolf	Wolf	волк
vnější	external	extern, äußer	внешний, наружний
vnitřní	internal	inner, binnen-, intern	внутренний
vodit impf.	to lead, to guide	führen	водить
voják, vojačka	soldier	Soldat, Soldatin	солдат
volant	steering wheel	Lenkrad, Steuer	руль
volat impf.	to call, to cry	anrufen, rufen	звонить, звать
volby pl.	elections	Wahlen	выборы
volební	electoral	Wahl-,	избирательный
vonět impf.	to smell	riechen, duften	пахнуть
vousy pl.	beard	Bart, Schnurrbart	усы, борода
vozit impf.	to drive, to carry	fahren, bringen	возить, катать
vrácení	return	Rückkehr	возвращение
vracet (se) impf.	to return	zurückgeben, -kehren	возвращать (ся)
vrátit (se) pf.	to return	zurückgeben, -kehren	возвратить (ся)
vrcholit impf.	to culminate	kulminieren, Höhepunkt erreichen	завершаться, достигать высшей точки
vsadit (se) pf.	to bet, to stake	einsetzen, wetten	сделать ставку
vsázet (se) impf.	to bet, to stake	einsetzen, wetten	делать ставку
vstoupit pf.	to enter, to set foot, to join	eintreten	войти, вступить
vstup	entrance	Eintritt	вход
vstupovat impf.	to enter, to set foot, to join	eintreten	входить, вступать
však	however, though	jedoch, doch	однако, зато
všímat si impf.	to notice, to observe	merken, achten	замечать, примечать
všimnout* si pf.	to notice, to observe	merken, achten	заметить, приметить
vtipný	witty	witzig, geistreich	шутливый, остроумный
vůdce, vůdkyně	leader	Führer, -in	вождь
vůl	ox, jerk	Bulle, Ochse	вол, дурак
vůně	fragrance, smell	Duft	запах
vybavení	equipment	Ausstattung, Ausrüstung, Einrichtung	оборудование, оснащение, устройство
vybavený	equipped	ausgestattet, eingerichtet	благоустроенный
vybavit pf.	to equip	ausstatten	снабдить, оборудовать
vybavovat impf.	to equip	ausstatten	снабжать, оборудовать
výběr	choice, selection	Wahl	выбор
vybírat impf.	to choose	aussuchen, wählen	выбирать
vybojovat pf.	to gain, to win	erobern, siegen	завоевать, победить
vybrat* pf.	to choose	aussuchen, wählen	выбрать
vyčerpaný	exhausted	erschöpft	изнурённый
vyčistit pf.	to clean	putzen, reinigen	вычистить
vydat pf.	to publish, to give out	verlegen, herausgeben	издать, выдать
vydávat impf.	to publish, to give out	verlegen, herausgeben	издавать, выдавать
vydavatelství	publishing house	Verlag, Verlagshaus	издательство
vydělat pf.	to earn	verdienen	заработать
vydělávat impf.	to earn	nerdienen	зарабатывать
vyděsit pf.	to scare, to frighten	erschrecken	напугать
vyděšený	frightened	erschrocken, verstört	испуганный, напуганный
vydržet pf.	to last	aushalten	выдержать
vyhazovat impf.	to throw out	rauswerfen, wegwerfen	выкидывать, выбрасывать
výhled	look-out	Ausblick	вид, перспектива

česky	anglicky / English	německy / deutsch	rusky / по русски
vyhodit *pf.*	to throw out	rauswerfen, wegwerfen	выкинуть, выбросить
vyhrát* *pf.*	to win	gewinnen	выиграть
vyhrávat *impf.*	to win	gewinnen	выигрывать
vycházet *impf.*	to come out	ausgehen, auskommen	выходить, ладить
východ	exit, East	Ausgang, Osten	выход, восток
vyjádřit *pf.*	to express	ausdrücken, äußern	выразить
vyjadřovat *impf.*	to express	ausdrücken, äußern	выражать
vyjasnit se *pf.*	to brighten, to clear up	sich erklären, sich klären, hell werden	объясниться, проясниться
vyjasňovat se *impf.*	to brighten, to clear up	sich erklären, sich klären, hell werden	объясняться, проясниваться
výjimečný	exceptional	außerordentlich	исключительный
výjimka	exception	Ausnahme	исключение
vyjít* *pf.*	to come out	rausgehen, ausgehen	выйти
vykácet *pf.*	to stump	abholzen, ausroden	вырубить, отсечь
vykání	using formal addressing form	das Siezen	обращение на «Вы»
vykat *impf.*	to use formal addressing form	siezen, mit "Sie" anreden	обращаться на «Вы»
vykládat *impf.*	to put out, to discharge, to narrate, to unload	auspacken, auslegen, darlegen, deuten, ausladen	выкладывать, разгружать, выгружать, объяснять
výkon	performance	Leistung, Tätigkeit	достижение, действие
vykrádat *impf.*	to rob	ausrauben, stehlen	красть, ограблять
vykrást* *pf.*	to rob	ausrauben, stehlen	выкрасть, ограбить
vyléčit *pf.*	to heal	heilen	вылечить, излечить
vyletět *pf.*	to fly off/out	rausfliegen	вылететь
vylézt* *pf.*	to climb out, up	erklimmen, aufsteigen	взобраться, вылезти
vyložit *pf.*	to put out, to discharge, to narrate, to unload	auspacken, auslegen, darlegen, deuten, ausladen	выложить, разгрузить, выгрузить, изложить,
vyměnit *pf.*	to change	wechseln, austauschen	обменять, сменить
vyměňovat *impf.*	to change	wechseln, austauschen	обменивать, менять
vymknutý	sprained	verrenkt, ausgerenkt	вывихнутый
vymyslet *pf.*	to make up	ausdenken, erfinden	выдумать, придумать
vymýšlet *impf.*	to make up	ausdenken, erfinden	выдумывать, придумывать
vynášet *impf.*	to take out	raustragen	выносить
vyndat *pf.*	to put out, to take out	rausholen, rausnehmen, rausziehen	вынуть
vyndávat *impf.*	to put out, to take out	rausholen, rausnehmen, rausziehen	вынимать
vynechat *pf.*	to leave out	auslassen, überspringen	обойти, опустить
vynechávat *impf.*	to leave out	auslassen, überspringen	обходить, опускать
vynést* *pf.*	to carry out	raustragen	вынести
vypadat *impf.*	to look (like)	aussehen	выглядеть
vypálit *pf.*	to burn out	niederbrennen, schießen	сжечь, выстрелить
vypalovat *impf.*	to burn out	niederbrennen, schießen	сжигать, стрелять
výpis (z účtu)	bank statement	Auszug, Ausdruck	выписка, ведомость
vypít* *pf.*	to drink up	austrinken	выпить
vyplnit *pf.*	to fill in	ausfüllen, ausführen	выполнить, заполнить
vyplňovat *impf.*	to fill in	ausfüllen, ausführen	выполнять, заполнять
vypnutý	switched off	ausgeschaltet	выключенный
vyprávět *impf.*	to tell, to narrate	erzählen, berichten	рассказывать
vypravovat *impf.*	to tell, to narrate	erzählen, berichten	рассказать
výprodej	sale	Ausverkauf	распродажа
vyprovokovat *pf.*	to provoke	provozieren	спровоцировать
vyrábět *impf.*	to produce	herstellen, erzeugen	изготавливать
výraz	expression	Ausdruck, Begriff	выражение
vyrazit *pf.* (na cestu)	to set off (for a journey)	aufbrechen, rausgehen	отправиться
vyrážet *impf.* (na cestu)	to set off (for a journey)	aufbrechen, rausgehen	отправляться
výroba	production	Herstellung, Produktion	изготовление
výrobek	product	Erzeugnis, Produkt	изделие, продукт
vyrobit *pf.*	to produce	herstellen, erzeugen	изготовить, выработать
výročí	anniversary	Gedenktag, Jahrestag	годовщина
vyrovnaný	well-balanced	ausgeglichen	уравновешенный
vyrůst* *pf.*	to grow up	wachsen, aufwachsen	вырасти
vyrůstat *impf.*	to grow up	wachsen, aufwachsen	вырастать, расти
vyrušit *pf.*	to disturb	stören	побеспокоить
vyřešit *pf.*	to solve	lösen	решить, разобрать
vyřídit *pf.* (vzkaz)	to pass (a message)	ausrichten (Nachricht)	передать (сообщение)
vyřizovat *impf.* (vzkaz)	to pass (a message)	ausrichten (Nachricht)	передавать (сообщение)
výsledek	result	Folge, Resultat	последствие, результат
vysoká škola	college	Hochschule	высшее учебное заведение
vystoupit *pf.*	to get off (public transport), to leave, to ascend	aussteigen (bei Transportmitteln), austreten	выступить, выйти

česky	anglicky / English	německy / deutsch	rusky / по русски
výstraha	warning	Warnung	предостережение
výstražný	warning	warnend	предостерегающий
výstřih	cut-out, neck-line	Ausschnitt	вырез
vystupovat *impf.*	to get off (public transport), to leave, to ascend	aussteigen (bei Transportmitteln), austreten	выходить
vysvětlení	explanation	Erklärung, Erörterung	объяснение, пояснение
vysvětlit *pf.*	to explain	erklären, erörtern	объяснить, пояснить
vysvětlovat *impf.*	to explain	erklären, erörtern	объяснять, пояснять
vyšít* *pf.*	to embroider	sticken	вышить
vyšívaný	embroided	bestickt	расшитый, вышитый
vyšívat *impf.*	to embroider	sticken	вышивать
výška	height	Höhe	высота, вышина
výtah	elevator, lift	Fahrstuhl, Aufzug	лифт
vytáhnout* *pf.*	to pull out	rausziehen	вытянуть
vytahovat *impf.*	to pull out	rausziehen	вытягивать
vytírat *impf.*	to wipe out, to mop	wischen, abtrocknen	вытирать
vytřít* *pf.*	to wipe out, to mop	wischen, abtrocknen	вытереть
výtvarná výchova	art education, art class	Kunstbildung, -unterricht	обучение искусству
výtvarné umění	fine arts	bildende Kunst	изобразительные искусства
vytvořit *pf.*	to create	erschaffen, erstellen	сотворить, изготовить
vyučený	trained	ausgebildet	обученный
vyučit se *pf.*	to intern, to finish vocational school	Ausbildung machen, Lehre absolvieren	выучиться, обучиться
výuční list	vocational school certificate	Lehrbrief	свидетельство об окончании обучения
vyvrcholit *pf.*	to culminate	kulminieren, Höhepunkt erreichen	завершиться, достичь высшей точки
význam	meaning	Bedeutung, Wert	значение, смысл
významný	significant	wichtig, relevant	важный, веский
vyzvedávat *impf.*	to collect, to withdraw, to take out	abholen, rausnehmen, beheben, abheben	получать, снимать, брать, отмечать
vyzvednout* *pf.*	to collect, to withdraw, to take out	abholen, rausnehmen, beheben	получить, снять, взять, отметить
vyžehlit *pf.*	iron out	bügeln	погладить, выгладить
výživa	nutrition	Ernährung	питание
vzadu	at the back	hinten, rückwerts	позади, сзади, взади
vzdát (se) *pf.*	to give up	verzichten, aufgeben	отказаться, сдаться
vzdávat (se) *impf.*	to give up	verzichten, aufgeben	отказываться, сдаваться
vzdělání	education	Ausbildung, Bildung	образование
vzduch	air	Luft	воздух
vzdychat *impf.*	to sigh	seufzen, ächzen	вздыхать
vzdychnout* *pf.*	to sigh	seufzen, ächzen	вздохнуть
vzhled	appearance	Aussehen, Erscheinen	вид, внешность
vzhledem k	due to, in view of	mit Hinblick auf	ввиду, учитывая
vzkříšení	resurrection	Wiedergeburt, Auferstehung	возрождение, воскрешение
vznik	origin	Entstehung, Bildung	возникновение
vznikat *impf.*	to come into being	entstehen	возникать
vzniknout* *pf.*	to come into being	entstehen	возникнуть
vzpamatovat se *pf.*	to recuperate	sich fassen, sich erholen	одуматься, опомниться, очнуться
vzpomenout* (si) *pf.*	to recall, to remember	sich erinnern	вспомнить
vzpomenout* *pf.*	to remember	erinnern	вспомнить
vzpomínat (si) *impf.*	to recall, to remember	sich erinnern	вспоминать
vzpomínat *impf.*	to remember	erinnern	вспоминать
vzpomínka	memory, remembrance	Erinnerung, Souvenir	воспоминание, сувенир
vztah	relation	Beziehung	связь, отношение
vztahovat se *impf.*	to relate	sich beziehen	относиться, касаться
vzteklý	furious	wütend, wild	злой, бешенный
vždyť	"well", "why"	doch, ja	ведь, же

Z

česky	anglicky / English	německy / deutsch	rusky / по русски
začínat *impf.*	to start, to begin	anfangen, beginnen	начинать
začít* *pf.*	to start, to begin	anfangen, beginnen	начать
záda *pl.*	back	Rücken	спина
zadarmo	free of charge	kostenlos	бесплатно
záhadný	mysterious	geheimnisvoll, rätzelhaft	загадочный
zahnout* *pf.*	to turn	biegen, abbiegen	свернуть, загнуть
zahraničí	foreign countries, abroad	Ausland	заграница
zahraniční	foreign	ausländisch, auswärtig	иностранный, заграничный
zahrát* si *pf.*	to play	spielen, vorspielen	заиграть, исполнить
zahýbat *impf.*	to turn	biegen, abbiegen	сворачивать, загибать

česky	anglicky / English	německy / deutsch	rusky / по русски
záchod	toilet, restroom	Toilette	туалет
zachránit *pf.*	to save, to rescue	retten	спасти
zachraňovat *impf.*	to save, to rescue	retten	спасать
zájem	interest, concern	Interesse	интерес
zájezd	trip, journey, tour	Kurzreise, Fahrt, Tour	поездка
zajíc	hare	Hase	заяц
zajímat *impf.*	to be interested, to be concernd	interessieren	интересовать
zajistit *pf.*	to make sure, to make certain	sichern	обеспечить
zajišťovat *impf.*	to make sure, to make certain	sichern	обеспечивать
zákaz	prohibition	Verbot	запрет
zákaz stání	no standing sign	Parkverbot	Стоянка запрещена
zákaz zastavení	no stopping sign	Halteverbot	Остановка запрещена
zakázaný	forbidden	verboten	запрещённый
zakázat* *pf.*	to forbid	verbitten	запретить
zákazník, zákaznice	customer	Kunde, Kundin	заказчик, заказчица
zakazovat *impf.*	to forbid	verbitten	запрещать
zakládat *impf.*	to found, to establish	gründen	основывать, создавать
základní	fundamental, basic	grundlegend	основной
založit *pf.*	to found, to establish	gründen	основать, создать
zamávat *pf.*	to wave	winken	помахать, замахать
zaměstnanec	employee	Arbeitnehmer	служащий, сотрудник
zaměstnání	employment, occupation	Beschäftigung, Anstellung	работа, служба
zaměstnavatel	employer	Arbeitgeber	работодатель
zamíchat *pf.*	stir up	rühren, umrühren	помешать, перемешать
zamlouvat (si) *impf.*	to book, to reserve	bestellen, buchen	заказывать, бронировать
zamluvit (si) *pf.*	to book, to reserve	bestellen, buchen	заказать, забронировать
západ	west	Westen	запад
zapadat *impf.*	to fall down, to go down	zufallen, fallen, sinken	закрываться, падать, опускаться
zapadnout* *pf.*	to fall down, to go down	zufallen, fallen, sinken	закрыться, впасть, опуститься
zapálit *pf.*	to set fire, to light	anzünden	зажечь
zapalovat *impf.*	to set fire, to light	anzünden	зажигать
zapamatovat (si) *pf.*	to remember, to memorise	sich erinnern, merken	запомнить
zápas	fight, struggle, contest	Wettkampf, Spiel (Fußball)	соревнование, матч
zapnutý	switched on	angeschaltet, zugeknöpft	включенный, застёгнутый
zapomenout* (si) *pf.*	to forget	vergessen	забыть
zapomenout* *pf.*	to forget	vergessen	забыть
zapomínat (si) *impf.*	to forget	vergessen	забывать
zapomínat *impf.*	to forget	vergessen	забывать
záporný	negative	negativ, verneinend, ungünstig	неблагоприятный
zapsaný	registered	registriert	зарегистрированный
zároveň	at the same time	zugleich	одновременно
zařídit *pf.*	to arrange, to fix, to furnish	möblieren, einrichten	оборудовать, обставить, оснастить
zařízený	furnished	möbliert, eingerichtet	меблированный
zařizovat *impf.*	to arrange, to fix, to furnish	möblieren, einrichten	оборудовать, обставлять, оснащать
zásilkový obchod	catalogue shop	Versandhandel	посылочная торговля
zasmát* se *pf.*	to laugh	lachen	засмеяться
zastavit se *pf.*	to stop, to call at	stehenbleiben, vorbeikommen	остановиться, зайти
zastavovat se *impf.*	to stop, to call at	stehenbleiben, vorbeikommen	останавливаться, заходить
zastoupit *pf.*	to stand for, to substitute, to represent	vertreten, einstehen, substituieren	заместить, защитить
zastřelit *pf.*	to shoot down	erschießen	застрелить
zastupovat *impf.*	to stand for, to substitute, to represent	vertreten, einstehen, substituieren	замещать, защищать
zašít* *pf.*	to sew up	nähen, zunähen, stopfen	зашить, заштопать
zašívat *impf.*	to sew up	nähen, zunähen, stopfen	зашивать, штопать
zašroubovat *pf.*	to screw	schrauben	ввинтить, ввертеть
zatáhnout* se *pf.*	to cloud over	sich mit Wolken bedecken	покрыться тучами
zatahovat se *impf.*	to cloud over	sich mit Wolken bedecken	покрываться тучами
zatažený	overcast	bedeckt, bewölkt, trüb	облачно, пасмурно
zatím	meantime, meanwhile	indes, fürs Erste	пока что, между тем
zatímco	while, whilst, whereas	während, indem, derweil	в то время как, пока
zatknout* *pf.*	to arrest	verhaften, gefangen nehmen	арестовать, посадить в тюрьму
zatlouct* *pf.*	hammer down	einschlagen, rammen	вбить
zatloukat *impf.*	to hammer	einschlagen, rammen	вбивать
zatýkat *impf.*	to arrest	verhaften, gefangen nehmen	арестовывать, сажать в тюрьму
zaujatý	biased, interested	befangen, voreingenommen	предвзятый, увлечённый
zavazadlo	luggage, bag	Gepäck, Bagage	багаж, чемодан
závidět *pf.*	to envy	neiden, beneiden	завидовать

česky	anglicky / English	německy / deutsch	rusky / по русски
závislost	dependence, addiction	Abhängigkeit	зависимость
závislý	dependant, addicted	abhängig	зависимый
závod	race	Wettkampf, Wettspiel	состязание
závodit *impf.*	compete, race	wetteifern, rennen, kämpfen	состязаться, соревноваться
zavolat *pf.*	to call	rufen, anrufen	позвать, позвонить
závorka	bracket	Klammer	скобка
zaznít *pf.*	to sound	erklingen, ertönen	раздаться, зазвучать
zazvonit *pf.*	to ring	klingeln, läuten	зазвонить, позвонить
zažít* *pf.*	to experience	erleben	пережить, испытать
zažívat *impf.*	to experience	erleben	переживать, испытывать
zbavit *pf.*	to deprive, to rid	entlasten, los werden	избавить, очистить
zbavovat *impf.*	to deprive, to rid	entlasten, los werden	избавлять, очищать
zbláznit se *pf.*	to go crazy, to go mad	verrückt werden	обезуметь
zbohatnout* *pf.*	to become rich	reich werden	разбогатеть
zbourat *pf.*	to tear down	abreißen, zerstören	снести, разрушить
zboží	commodity, goods	Gut, Ware	товар, изделия
zdát se *impf.*	to seem, to appear	scheinen, träumen	казаться, сниться
zdola	from below	von unten, von vorne	снизу
zdraví	health	Gesundheit	здоровье
zdravotní	medical	kranken-, gesundheitlich	лечебный, медицинский
zdravotnický	sanitary, sanitarian	gesundheits-, sanitäts-	санитарный
zdražit *pf.*	to become more expensive	teurer werden	подорожать
zdražovat *impf.*	to become more expensive	teurer werden	дорожать
zdvořilý	polite	höflich	вежливый
zeleň	greeness	Grün, das Grüne	зелень
zem = země			
země	world, land, country, ground, soil	Land, Erde, Boden	страна, земля
zemědělec	farmer	Landwirt, Farmer, Bauer	земледелец
zeměpis	geography	Geographie, Erdkunde	география
zemětřesení	earthquake	Erdbeben	землетрясение
zemřelý	dead	verstorben, gestorben	умерший, покойный
zeptat se *pf.*	to ask (questions)	fragen	спросить
zešílet *pf.*	to go mad	irre, verrückt werden	сойти с ума
zhoršit *pf.*	to make worse	verschlimmern	ухудшить
zhoršovat *impf.*	to make worse	verschlimmern	ухудшать
zhroutit se *pf.*	to collapse	zusammenbrechen	обессилеть
zhubnout* *pf.*	to slim	abnehmen	похудеть
zchudnout* *pf.*	to become poor	verarmen	обеднеть, обнищать
zírat *impf.*	to stare, to gaze	starren, blicken	пристально смотреть
zisk	profit	Erwerb, Gewinn, Nutzen	доход, польза, выгода
získat *pf.*	to acquire, to get, to obtain	erwerben, bekommen	обрести, получить
získávat *impf.*	to acquire, to get, to obtain	erwerben, bekommen	обретать, получать
zjistit *pf.*	to find out	erfahren, rausfinden	узнать, выяснить
zjišťovat *impf.*	to find out	erfahren, rausfinden	узнавать, выяснять
zkažený	spoilt	kaputt, verdorben	испорченный
zklamaný	disappointed	enttäuscht	разочарованный
zklamat* *pf.*	to disappoint	enttäuschen	разочаровать
zklamávat *impf.*	to disappoint	enttäuschen	разочаровывать
zkoušet *impf.*	to examine, to test	prüfen, proben	экзаменовать
zkouška	exam, test	Prüfung, Probe	экзамен, испытание
zkrácený	summary	verkürzt, gekürzt	сокращённый, сжатый
zkracovat *impf.*	to shorten	kürzen	укорачивать, уменьшать
zkrátit *pf.*	to shorten	kürzen	укоротить, уменьшить
zkratka	abbreviation, shortcut	Kürzel	сокращение
zkusit *pf.*	to try	versuchen	попробовать, испытать
zkušenost	experience, practice	Erfahrung	опыт
zkušený	experienced	erfahren	опытный
zlato	gold	Gold	золото
zlatý	golden	Gold-, golden, aus Gold	золотой
zlepšit *pf.*	to get better	verbessern	улучшить
zlepšovat *impf.*	to better	verbessern	улучшать
zlevnit *pf.*	to become cheaper	billiger machen	подешеветь, уценить
zlevňovat *impf.*	to become cheaper	billiger machen	дешеветь, уценять
zlo	evil, wrong	Ärger, das Böse	зло
zlobit *impf.*	to annoy, to be naughty	ärgern	злить

česky	anglicky / English	německy / deutsch	rusky / по русски
zlobit se *impf.*	to be mad at	sauer, böse sein	злиться
zločinec	criminal	Verbrecher, Krimineller	преступник
zloděj	thief, burglar, robber	Dieb, Einbrecher	вор, злодей
zlomit *pf.*	to break	brechen, zerbrechen	сломать, разбить
zlozvyk	bad habit	Unsitte, schlechte Gewohnheit	дурная привычка
zmatek	confusion, mess	Verwirrung, Durcheinander	замешательство, паника, смятение
změna	change	Veränderung	изменение, перемена
změnit *impf.*	to change	verändern, ändern	изменить
zmenšit *pf.*	to make smaller, to reduce	verkleinern	уменьшить
zmenšovat *impf.*	to make smaller, to reduce	verkleinern	уменьшать
značka	sign, brand, mark	Marke	торговая марка
značkový	brand	Marken-	фирменный, марочный
znak	sign, symbol	Zeichen	знак
znalost	knowledge	Wissen	знание
známý	known, acquaintance, friend	berühmt, bekannt	знаменитый, известный
znárodnit *pf.*	to nationalize	verstaatlichen	национализировать
znárodňovat *impf.*	to nationalize	verstaatlichen	национализировать
znásilnit *pf.*	to rape	vergewaltigen	изнасиловать
znásilňovat *impf.*	to rape	vergewaltigen	насиловать
znečistit *pf.*	to pollute	verschmutzen	загрязнить
znečišťovat *impf.*	to pollute	verschmutzen	загрязнять
zničit *pf.*	to destroy	zerstören	разрушить
znít *impf.*	to sound	klingen, lauten, hallen	звучать
znovu	again, once more	wieder, nochmal	снова, вновь, опять
zobrazit *pf.*	to depict	darstellen, abbilden	изобразить
zobrazovat *impf.*	to depict	darstellen, abbilden	изображать
zodpovědný	responsible	verantwortungsvoll	ответственный
zoufale	desperately	verzweifelt	отчаянно
zoufalý	desperate	verzweifelt	отчаянный
zout* *pf.*	to take off one´s shoes	Schuhe ausziehen	разуть
zouvat *impf.*	to take off one´s shoes	Schuhe ausziehen	разувать
zpěv	singing	Gesang	пение, песня
zpozorovat *pf.*	to discover, to spot	bemerken, gewahren	заметить, увидеть
zpoždění	delay	Verspätung, Verzögerung	опоздание, задержка
zpracovat *pf.*	to process, to utilize	bearbeiten, abwickeln	обработать, оформить
zpracovávat *impf.*	to process, to utilize	bearbeiten, abwickeln	обрабатывать, оформлять
zrak	sight, eyes	Augenlicht, Blick, Sehen	зрение, блик, взор
zrovna	just, exactly	genau, eben	именно, как раз
zrušit *pf.*	to cancel	stornieren, widerrufen	отменить, расторгнуть
ztělesnění	embodiment	Verkörperung	воплощение
ztělesnit *pf.*	to embody	verkörpern	воплотить
ztělesňovat *impf.*	to embody	verkörpern	воплощать
ztracený	lost	verloren, verschollen	потерянный, пропавший
ztrácet *impf.*	to lose, to waste	verlieren	терять
ztratit *pf.*	to lose, to waste	verlieren	потерять
zubní pasta	toothpaste	Zahnpasta	зубная паста
zuřivý	furious	wütend, wild	яростный, бешенный
zůstat* *pf.*	to stay, to remain	bleiben	остаться
zůstávat *impf.*	to stay, to remain	bleiben	оставаться
zvědavý	curious, inquisitive	neugierig	любопытный
zvětšit *pf.*	to enlarge, to magnify	vergrößern	увеличить
zvětšovat *impf.*	to enlarge, to magnify	vergrößern	увеличивать
zvíře	animal	Tier	зверь
zvládat *impf.*	to master, to manage, to cope	meistern, schaffen	справляться
zvládnout* *pf.*	to master, to manage, to cope	meistern, schaffen	справиться
zvláštní	special, particular	seltsam, besonders, bestimmt	странный, особенный, определённый
zvonek	bell	Klingel	звонок
zvonit *impf.*	to ring	klingeln, läuten	звонить
zvuk	sound	Klang, Laut	звук
zvykat si *impf.*	to get used, to get accustomed	sich gewöhnen	привыкать
zvyknout* si *pf.*	to get used, to get accustomed	sich gewöhnen	привыкнуть
zvýšit *pf.*	to increase, to heighten	steigern, heben, erhöhen	добавить, повысить
zvyšovat *impf.*	to increase, to heighten	steigern, heben, erhöhen	добавлять, повышать

Ž

česky	anglicky / English	německy / deutsch	rusky / по русски
žádat *impf.*	to ask, to require, to request	anfragen, beantragen	просить, подавать прошение, заявление
žádný	none, no, any	keiner	ни один, никакой, никто
žádost	request, demand	Antrag, Gesuch	заявление, просьба
žár	blaze, heat	Glut, Hitze, Brand	жар, зной
žárlit *impf.*	to be envious, to envy	eifersüchtig sein	ревновать
žárovka	lightbulb	Glühbirne	электрическая лампа
žebrák, žebračka	beggar	Bettler, Bettlerin	нищий, нищая
žebrat *impf.*	to beg	betteln	просить милостыню, нищенствовать
žebříček	scaling-ladder (of values)	Rangliste	лесенка
žebřík	ladder	Leiter	лестница
žehlit *impf.*	to iron	bügeln	гладить, утюжить
železnice	railway	Eisenbahn	железная дорога
železniční	railway	Eisenbahn-	железнодорожный
železo	iron	Eisen	железо
ženatý	married	verheiratet (bei Männern)	женатый
Ženeva	Geneva	Genf	Женева
ženit se *impf.*	to marry, to get married	heiraten (bei Männern)	жениться
ženský	womanly, feminine, female	Frauen-, weiblich	женский
žert	joke	Witz, Scherz	шутка
živit *impf.*	feed nourish	füttern	кормить, питать
živnostenský list	licence	Gewerbeschein	предпринимательское разрешение
životní styl	life-style	Lebensstil	образ жизни
životopis	biography, CV	Biographie, Lebenslauf	биография, резюме
žízeň	thirst	Durst	жажда
žrát* *impf.*	to eat, to guzzle	fressen, saufen	жрать
župan	dressing-gown	Morgenrock, Bademantel	халат

Poznámky